Lesley Downer

De courtisane en
de samoerai

ISBN 978-90-225-5516-3
NUR 302

Oorspronkelijke titel: *The Courtesan and the Samurai* (Bantam Press)
Vertaling: Jeannet Dekker
Omslagontwerp: HildenDesign, München
Omslagbeeld: Hiroshi Ichikawa / shutterstock en mauritius images
Zetwerk: CeevanWee, Amsterdam

Voor Arthur

De courtisane Usugumo van het Huis Kadoebi-ro in de Yoshiwara,
met twee kinderhulpjes, april 1914.
Met dank aan de Ichiyo Memorial Hall, Tokyo.

Slechts voor het moment leven, al onze tijd gunnen aan de genoegens van de maan, de sneeuw, de kersenbloesem en de esdoornbladeren. Liederen zingen, sake drinken, elkaar strelen, alleen maar zwerven, zwerven. Niet betreuren dat we geen geld hebben, nimmer droefheid in ons hart. Slechts als een kalebas dobberen op de stroming van de rivier; dat noemen we *ukiyo*, de Vergankelijke Wereld.

Verhalen van de Vergankelijke Wereld, Asai Ryoi, geschreven na 1661

JAPAN
1868-9

CHINA
RUSLAND
COREA (KOREA)
JAPAN

N

0   200 km

Japanse Zee

Ezo

Baai van Washinoki
Esashi   Hakodate
Matsumae

Baai van Miyako

Sendai

Aizu-Wakamatsu

Honshu

Edo/ Tokyo
Kanazawa   Fuji   Yokohama
Kano
Shimoda

Kyoto
Kobe
Osaka

Shikoku

Kyushu

Nagasaki

Grote Oceaan

PROLOOG

Elfde dag van de vierde maand, Jaar van de Draak, Meiji 1 (3 mei 1868)

De laatste kersenbloesems vielen van de bomen en vormden hoopjes op de grond. Hana zag de roze blaadjes naar beneden dwarrelen en vroeg zich af of haar echtgenoot op tijd terug zou zijn om de kersenboom volgend jaar opnieuw te zien bloeien. Ze hoorde hem heen en weer stampen, en daarna een bons toen hij iets op de grond liet vallen.

'Het is onuitstaanbaar dat de vijand het kasteel heeft ingenomen!' brulde zijn vertrouwde stem, zo hard dat de bedienden ervan beefden. 'Zuiderlingen binnen de poorten, die de grote zaal en de privévertrekken van de shogun bevuilen, terwijl wij niets anders kunnen doen dan op de vlucht slaan. Maar we zullen terugkomen, we zullen een manier bedenken om de vijand te verdrijven en de verraders te doden.'

Hij stormde naar de ingang van het huis en bleef daar staan, lang en indrukwekkend in zijn donkere uniform, met zijn twee zwaarden aan zijn zij. Hij keek om zich heen, naar zijn bedienden en naar zijn jonge vrouw, die nerveus stond te wachten tot ze afscheid van hem kon nemen.

Bij de poort aan de voorzijde klonken de mompelende stemmen van de jongemannen die zich daar hadden verzameld. Ze schuifelden heen en weer op de aangestampte aarde van de weg en hun strosandalen kraakten luid. Hana herkende de jongens. Een paar van hen woonden in de nabijgelegen barakken, andere in de vertrekken voor de gezellen, en vaak kwamen ze naar het huis om schoon te maken of een boodschap te doen. Maar vandaag, gestoken in felblauwe uniformen met gesteven rokken met splitten en met zwaarden aan hun zij, waren ze van jongens in mannen veranderd. Ze zag de opwinding op hun gezichten.

Ze trokken ten strijde, allemaal, en lieten alleen haar, haar oude schoonouders en de bedienden achter. Hana wenste met heel haar hart dat ze mee kon gaan. Ze kon net zo goed vechten als de mannen, daar twijfelde ze niet aan.

Hana was zeventien. Omdat ze een getrouwde vrouw was, had ze haar wenkbrauwen netjes afgeschoren en haar tanden zwart gemaakt, en haar lange zwarte haar, dat los tot aan de grond reikte, was met olie ingewreven en in wrongen opgestoken tot een keurig kapsel in de *marumage*-stijl van jonge echtgenotes. Ze had haar mooiste kimono aangetrokken, zoals bij elk afscheid van haar man. Hoewel ze altijd haar uiterste best deed om zich gepast te gedragen, wenste ze soms dat haar lot anders was geweest.

Ze was al een paar jaar getrouwd, maar ze kende haar echtgenoot amper omdat de oorlog hem voortdurend van huis had weggeroepen. Ook deze keer was hij maar een paar dagen thuis geweest. Haar echtgenoot was streng en eiste strikte discipline; hij sloeg haar wanneer ze iets deed wat hem ontriefde. Maar ze wist dat dat haar lot was. Haar ouders hadden besloten dat ze met hem moest trouwen, en het was niet aan haar om tegen hun besluit in te gaan.

Onder normale omstandigheden zou dit een groot huishouden zijn geweest, met schoonouders, vazallen, bedienden en gezellen en misschien ook wel ooms, tantes, neven en nichten, en zou ze als echtgenote haar schoonfamilie hebben moeten dienen. Maar de omstandigheden waren verre van normaal. Edo lag onder vuur, Edo zelf: stad der steden, dat prachtige oord vol beekjes, rivieren, lusthoven en lanen, waar tweehonderdzestig *daimyo's* hun herenhuizen hadden en tienduizenden stadsbewoners de drukke straten vulden. De stad was sinds mensenheugenis niet meer aangevallen, maar nu was Edo niet alleen belegerd, maar ook nog eens ingenomen, door hordes soldaten uit het zuiden.

Ze hadden de shogun, de hoogste leider, afgezet en namen juist op deze dag het kasteel in. Hana probeerde zich een voorstelling van het kasteel te maken: de echoënde gangen met hun 'nachtegaalvloeren' die onder de lichtste voetstap kraakten als het lied van een nachtegaal en zo iedere indringer konden verraden, de audiëntiezalen met hun duizend matten en rijen in livrei gehulde bedienden, de kostbare schatten en prachtige kamers waar de theeceremonies werden gehouden, en de schitterende dames uit het huishouden van de shogun die in hun weelderige gewaden door de gangen zeilden. Het was een vreselijke gedachte dat de zuiderlingen met hun boerse accent en onbeschaafde manieren nu door die sierlijke vertrekken banjerden en een cultuur vernietigden die ze nooit zouden kunnen begrijpen of waarderen.

Heel Edo wist dat, heel Edo was ontzet. Het was het gesprek van de dag. De zuiderlingen hadden de bewoners door proclamaties opgedragen om tijdens de inname van de stad binnen te blijven. Elke vorm van verzet zou hardhandig worden bestraft. Hana had de bedienden horen fluisteren dat de helft van de inwoners al was gevlucht.

'Ik ben verheugd dat je de strijd voortzet, mijn zoon,' zei Hana's schoonvader met zijn hoge, ijle stem. Hij was een magere oude man met een dunne baard die als een doorgewinterde strijder op zijn zwaard leunde. 'Als ik niet zo oud was, zou ik zij aan zij naast je hebben gestreden.'

'Het noorden houdt nog stand,' zei haar echtgenoot. 'We kunnen de opmars van de zuiderlingen in elk geval daar nog tegenhouden. De bevolking van Edo zal de bezetting moeten verdragen totdat wij terugkeren en de stad en het kasteel opnieuw innemen.'

Hij wendde zich tot de jongelui bij de poort en riep: 'Ichimura!' Een zwaargebouwde, slungelige jongen met een woeste haardos schrok op en kwam naar voren. Toen hij nerveus om zich heen keek, kruiste zijn blik die van Hana, en hij bloosde tot aan de puntjes van zijn grote oren. Ze sloeg glimlachend haar ogen neer en hield haar handen voor haar mond. Haar man duwde de jongen in de richting van haar schoonvader.

'Mijn betrouwbare luitenant,' zei hij. Hij sloeg de jongen zo hard op zijn rug dat die naar voren struikelde. Ichimura boog zo diep dat zijn rug bijna evenwijdig was aan de grond. 'Het is geen schoonheid, maar hij is een goed zwaardvechter en kan tegen de drank. Ik vertrouw hem volkomen.'

Toen Hana hem terug zag lopen naar zijn kameraden bij de poort en bijna over een stapsteen zag struikelen, voelde ze een vlaag van droefenis opwellen. Ze beet op haar lip en besefte opeens dat ze misschien wel niemand van het groepje ooit zou terugzien.

De bedienden stelden zich op langs het pad dat van de voordeur naar de poort liep. Ze waren allemaal in tranen. Hana's echtgenoot was een strenge meester voor wie ze stuk voor stuk bang waren, maar ze hadden ook respect voor hem en wisten dat hij een groot, beroemd krijger was. Hij liep de rij af en sprak ieder van hen persoonlijk aan.

'Kiku, zorg ervoor dat de haarden blijven branden, en Jiro, haal voldoende brandhout en water in huis. Oharu, ontferm je over je meesteres, en Gensuké, pas op dat er geen brand uitbreekt en dat niemand het huis binnendringt.' Zelfs de oude manke Gensuké wreef in zijn ogen.

Hana stond vooraan de rij, achter haar schoonmoeder, met haar dienstmeisje Oharu achter haar. Toen haar echtgenoot naar haar toe liep, rook ze de muskusgeur van zijn pommade. Hij hief haar kin op en ze zag zijn sterke gezicht en priemende blik, zijn fronsende voorhoofd en het dikke zwarte haar dat met olie tot een knot boven op zijn hoofd was gekneed. Ze zag een paar grijze lokken die haar nog niet eerder waren opgevallen.

'Je kent je plichten,' zei hij bars. 'Dien mijn moeder trouw en zorg voor het huis.'

'Laat me met u meegaan!' riep ze uit. 'In het noorden vechten bataljons vrouwen met hellebaarden. Ik kan me bij hen voegen.'

Haar echtgenoot lachte snuivend en de rimpel tussen zijn wenkbrauwen werd dieper.

'Vrouwen horen niet op het slagveld thuis,' zei hij. 'Dat zul je snel genoeg ontdekken. Je dient voor mijn ouders te zorgen en het huis te verdedigen. Hier vind je net zo veel opwinding, wellicht nog wel meer. Er zijn hier straks geen mannen meer, er is straks niemand meer, behalve jij. Vergeet dat niet. Het is een zware last.'

Ze zuchtte en boog haar hoofd.

'Vergeet niet de poorten te barricaderen en de regendeuren te vergrendelen,' ging hij verder, terwijl hij een lange, vrij sierlijke vinger voor haar gezicht heen en weer bewoog. 'Ga niet naar buiten, tenzij het echt niet anders kan. De stad is nu in handen van de vijand, er is niemand die de straten bewaakt. De zuiderlingen weten wie ik ben en zullen zich misschien willen wreken door mijn familie aan te vallen. Weet je nog wat ik tegen je heb gezegd?'

'Als alles misloopt, als ik in gevaar kom, dan moet ik naar de Japanbrug gaan en vragen naar... de Chikuzenya.'

'Ze dienen ons geslacht al generaties.' Zijn gezicht verzachtte, en hij sloot zijn hand rond haar kin. 'Je bent een goed kind en ook erg moedig,' zei hij. 'Ik ben blij dat ik met een samoeraimeisje getrouwd ben. Je hebt het hart van een krijger. Ik zal op het slagveld aan je fraaie gezichtje denken, en wanneer ik terugkom, zul je me een zoon schenken.'

Hij boog voor zijn vader en vroeg om diens zegen, en daarna draaide hij zich om naar de poort, waar zijn mannen zich al hadden opgesteld. Zodra hij zijn plaats aan het hoofd van de stoet had ingenomen, marcheerden ze weg. Hana, haar schoonouders en de bedienden bleven in gebogen houding staan, totdat het stampende geluid van de voetstappen was weggestorven en ze niets anders hoorden dan het getsjirp van de insecten, het gezang van de vogels en het geritsel van de bladeren.

Winter

1

Tiende maand, Jaar van de Draak, Meiji 1 (december 1868)

Hana zat op haar knieën voor het komfoor in de grote kamer van het huis, gebogen over een boek dat ze bij het licht van een paar kaarsen probeerde te lezen. Ze hoopte zich zo in het verhaal te kunnen verliezen dat ze niet langer aan de stilte en de somberheid om haar heen zou hoeven denken. Opeens hoorde ze ergens in de verte een geluid. Ze hief met een ruk haar hoofd op en luisterde fronsend. Haar hart bonsde hevig en ze durfde amper adem te halen. Het geluid klonk aanvankelijk als een fluistering, maar zwol al snel aan tot een gebulder als van een lawine: het geluid van in strosandalen gehulde voeten die buiten op straat in de richting van het huis renden.

Het geluid kwam dichterbij en opeens klonk er een luide bons, die door de roerloze lucht weergalmde en ten slotte haar bereikte, diep in het hart van het verduisterde huis. Wie het ook waren, ze stonden hard op de zware houten poort te bonzen. Die was afgesloten en gebarricadeerd, zoals haar echtgenoot haar had opgedragen, maar ze zouden er snel genoeg doorheen breken. Ze wist dat er in deze barre tijden geen bezoekers te verwachten waren, en dus konden dit alleen maar de soldaten van de vijand zijn, die waren gekomen om haar weg te voeren of te doden.

Ze balde haar vuisten en probeerde de paniek te onderdrukken die in haar opwelde. Haar echtgenoot had in de la van een van de grote kasten een vuurwapen voor haar achtergelaten, maar dat had ze nog nooit gebruikt. Ze nam aan dat ze beter af zou zijn met haar hellebaard.

De hellebaard was het wapen van de vrouw. Licht, twee maal zo lang als een vrouw, drie keer zo lang als het zwaard van een samoerai. Dat betekende dat een vrouw die lenig en snel was een man die haar met getrokken zwaard aanviel op afstand kon houden door uit te halen naar zijn kuiten. Zwaardvechters beschermden altijd instinctief hun hoofd, keel en borst, maar ze lieten zich steevast verrassen door een aanval op hun kuiten.

Hana oefende al sinds haar kinderjaren. Het wapen voelde alsof het een deel van haar lichaam was, en de verschillende posities en vijf bewegingen – houwen, zwaaien, stoten, pareren en afweren – waren voor haar even vanzelfsprekend als ademhalen. Maar ze had uitsluitend met een houten oefenstok gevochten en nog nooit de kans gekregen het echte wapen te gebruiken.

Nu sprong ze overeind, rende ze naar de hal en tilde de hellebaard uit de houder boven de latei. Hij was zwaar, zwaarder dan een oefenstok. Ze hield het wapen in haar handen, voelde het gewicht, en merkte dat haar moed groeide.

Het was een prachtig wapen met een dunne houten staf die bovenaan was ingelegd met parelmoer. Hana trok de hellebaard uit de gelakte schede. De lange, sierlijke kling was gebogen als een sikkel en scherp als een scheermes. Ze was blij dat ze het wapen altijd geolied en schoongewreven had bewaard. Ze zag haar eigen weerspiegeling in het metaal, klein en tenger. Maar achter die kwetsbare buitenkant zit iemand die weet hoe ze zich moet verdedigen, dacht ze vol vuur.

Het gebons op de poort klonk nu luider. Oharu kwam met een hakmes in haar hand de keuken uit gestormd, haar ogen opengesperd en haar voorhoofd bezweet. Ze was een meisje van het platteland met stevige benen, sterk en trouw. De geur van iets verbrands zweefde achter haar aan, alsof ze in haar paniek vergeten was de rijst van het vuur te halen. Gensuké, de oude vazal, kwam wankelend op zijn kromme magere beentjes achter haar aan. Zijn ogen waren zo groot van schrik dat ze uit hun kassen leken te rollen. Hij had de pook uit de haard gepakt en hield die als een zwaard omhoog; de punt was nog steeds roodgloeiend. Oharu en Gensuké hadden Hana vergezeld toen ze naar het huis van haar man in de stad was verhuisd, en ze wist dat ze alles zouden doen wat nodig was om haar te beschermen. Ze waren de enige bedienden die nog over waren.

Maanden geleden had Hana's schoonvader haar bij zich geroepen. Ze had hem in zijn vertrekken over een brief gebogen aangetroffen, en toen hij had opgekeken, had ze een meewarige, berustende glimlach op zijn gezicht gezien. Meteen had ze begrepen dat er slecht nieuws was.

'We hebben het bevel gekregen om naar huis te gaan, naar Kano,' zei hij zacht.

'Zal ik gaan pakken, vader?' vroeg ze onzeker. De manier waarop hij haar met zijn rode, waterige ogen aankeek, had iets verontrustends. Hij kneep zijn lippen opeen en schudde zijn hoofd, fronsend op een manier die aangaf dat zijn wil wet zou zijn.

'Jij moet hier blijven,' zei hij vastberaden. 'Jij hoort in dit huis. Op een dag zal onze zoon terugkeren, en dan hoor jij hem te verwelkomen.'

Hana had geknikt, denkend aan de verwaaide vlakte en de straten vol samoeraihuizen die dicht opeengepakt stonden rond de dikke muren van het kasteel in Kano. In de afgelopen maanden waren er alleen maar slechte berichten uit Kano gekomen, nieuws over onenigheid en meningsverschillen, en over moordpartijen, buren die buren doodden. Zowel de familie van Hana als die van haar echtgenoot behoorde tot het domein van Kano, al had haar echtgenoot ook hier in Edo een verblijf ingericht, dicht bij het kasteel van de shogun, vanwaaruit hij zijn militaire plichten kon vervullen.

Ze wist nog dat de bedienden hadden gehuild toen ze de kisten en manden inpakten. Ze waren nog diezelfde dag vertrokken, haar schoonouders in draagkoetsen en de rest te voet. De vertrekken die ze achterlieten, geurden nog naar tabaksrook en de laden stonden open, zo haastig hadden ze alles ingepakt. Samen met Oharu had Hana de kussens, lage tafels en armsteunen naast de futons en gelakte houten kussens in de kasten opgeborgen. In de grote ontvangstkamers waar haar echtgenoot en schoonvader hun gasten hadden ontvangen, in de vertrekken van de familie, in de bediendenkamers en in de keukens die allemaal ooit vol leven waren geweest en waar was gebabbeld en gelachen, gegeten en gedronken, heerste nu stilte.

Een maand na hun vertrek was er vreselijk nieuws binnengedruppeld, over terechtstellingen in Kano. Er werd beweerd dat iedereen die enige banden met het verzet had gehad, was gedood – zowel Hana's eigen ouders als haar schoonouders. Zoals ze al had vermoed, hadden ze haar achtergelaten om haar te kunnen redden. Ze had dagenlang gehuild en zich toen vermand. Ze hadden haar niet zomaar opgedragen in leven te blijven, en ze zou zich aan die opdracht houden.

Maar ze had alles verloren. Het huis, de herinneringen aan haar echtgenoot; meer had ze niet. Hij leefde gelukkig nog en had haar in een brief laten weten dat hij onderweg was naar Sendai, de hoofdstad van een van de domeinen in het noorden.

Vroeger zou ze de houten regendeuren die de wanden van het huis vormden helemaal hebben opengeschoven om het daglicht binnen te laten, maar nu hield ze die stevig gesloten en vergrendeld en was het grote lege huis even donker en kil als het in een wereld zonder zon zou zijn geweest. Dunne streepjes licht vielen door de kieren tussen de planken als bleke lijnen op de tatami's en deden haar denken aan de tralies van een kooi. Sinds het vertrek van haar schoonouders had ze al die maanden weinig anders gedaan dan ineengedoken naast de haard zitten lezen.

Zelfs buiten op straat waren de laatste tijd geen kreten meer te horen. De verkopers van tofoe en goudvissen, de venters van yamwortels en de handelaren in schelpdieren deden niet langer hun ronde. Hana hoorde nog maar heel af en toe het geluid van voetstappen of babbelende stemmen en rook zelden meer gepofte kastanjes of geroosterde inktvis. De meeste buren waren gevlucht, al kon ze niet zeggen wat hun bestemming was geweest en of ze die ooit hadden bereikt.

Terwijl Hana haar rokken optrok en haar mouwen opbond, hoorde ze stemmen roepen: 'Doe open, anders rammen we de poort kapot!' Ze wist dat ze in een klein vertrek niets aan haar hellebaard zou hebben, maar dat er buiten voldoende ruimte was om ermee te zwaaien. Omdat de voordeur was vergrendeld en gebarricadeerd rende ze naar de keukendeur aan de zijkant van het huis en schoof die open, zodat de ijskoude lucht naar binnen stroomde. In het plotseling felle daglicht zag ze de dikke, door de rook zwart geworden balken en de rook die boven de haard kringelde. Ze knipperde even met haar ogen en rende toen naar buiten, met Oharu en Gensuké op haar hielen.

De zon stond aan een hemel die van alle kleur ontdaan leek en de rijp fonkelde op de bevroren grond. Een paar verdorde bladeren klampten zich vast aan de knoestige takken van de grote kersenboom. Hana rende naar de voorkant van het huis en nam op ruime afstand van de poort haar positie in: haar ene voet voor de andere, de staf van haar hellebaard stevig maar ontspannen in haar handen.

Uit de schuifelende geluiden van voetstappen aan de andere kant van de poort kon Hana opmaken dat er een flink aantal mannen stond. 'Doe open! We weten dat er iemand is,' riep een luide stem.

Ze hoorde geschuifel, gevloek en daarna het gerommel van vallende stenen. Er verscheen een man boven de rand van de hoge lemen muur, die zichzelf optrok aan de dakpannen waarmee de bovenkant van de muur was bedekt. Hij moest op de schouders van een ander zijn geklommen om zo hoog te kunnen komen. Hana staarde naar het brede gezicht met de hoge jukbeenderen, naar het wolkje voor zijn mond dat zijn adem was. Daarboven op de muur oogde hij groot en angstaanjagend als een kwade reus, met zijn wilde bos haar en zijn lange armen die in de strakke mouwen van een zwart uniform waren gestoken.

Hij uitte een paar keelklanken. 'Hier is niemand. Alleen twee meisjes en een oude bediende,' riep hij naar zijn metgezellen onder hem. Aan de andere kant van de muur werd schamper gelachen.

Hana haalde diep adem en probeerde zich te concentreren, maar ze kon bijna niets anders horen dan het suizen van het bloed in haar oren. Ze zag de gevesten van de twee zwaarden uit de riem van de man steken. Ze zou slechts één kans krijgen, op het moment dat hij naar beneden zou springen, maar het idee dat er bloed zou vloeien of dat ze misschien zelfs iemand zou doden, was ondraaglijk. Bevend probeerde ze zichzelf eraan te herinneren dat ze een samoerai was en het huis diende te verdedigen.

Ze richtte haar hellebaard op de man. 'Kom niet dichterbij. Ik weet hoe ik deze moet gebruiken, en als het nodig is, zal ik dat doen ook.' Ze probeerde ferm te klinken, maar haar stem was zo zwak en beverig dat er aan de andere kant van de poort wederom hard gelach klonk.

De man keek loerend op haar neer en tastte naar zijn zwaard. Hana hoorde het geluid van schrapend metaal toen hij het uit de schede trok, en op hetzelfde moment sprong hij naar beneden. Aan de andere kant van de muur klonk luid gebons toen de mannen opnieuw tegen de poort begonnen te rammen.

Toen de man neerkwam, struikelde hij en verloor zijn evenwicht, maar voordat hij het had hervonden, haalde Hana met al haar kracht naar hem uit. Het licht fonkelde op de kling van de hellebaard, die suizend een wijde boog door de lucht beschreef, en Hana voelde dat het wapen door al die kracht uit zichzelf leek te bewegen. Ze zag dat de borst van de man zich gapend als een mond opende en wankelde bevend van ontzetting achteruit. De weerstand die ze had verwacht, was er niet geweest. De kling was door vlees en bot gegaan alsof het water was, en nu spoot het bloed naar buiten.

De man maakte een rochelend geluid en zwaaide heen en weer, wanhopig tastend naar zijn zwaard, en toen zakte hij ineen. Hij zag er zo klein en jong uit, zoals hij daar bevend op de grond lag, met het bloed opwellend uit zijn mond en borst. Oharu en Gensuké renden naar hem toe en trokken de zwaarden uit zijn riem.

Hana stond nog steeds naar de man te staren toen er nog meer soldaten boven op de muur verschenen. Ze zouden haar doden, besefte ze, zeker nu ze een van hen had gedood. Uit alle macht krijsend stak ze met haar hellebaard op een van hen in. Ze moest de stok draaien om de kling uit zijn lichaam te krijgen en duwde daarna tegen hem aan, zodat hij achterover viel. Er sprong nog een soldaat naar beneden, maar Oharu zwaaide met het zwaard dat ze met beide handen had opgepakt en wist hem in zijn dij te raken. De man deinsde achteruit, met zijn handen rond zijn been geklemd, en jankte van de pijn. Een derde man haalde met zijn zwaard uit naar Gensuké, maar Hana sloeg het wapen met haar hellebaard uit zijn handen en sneed zijn kuiten open.

Er klommen nog meer mannen over de muur. Zwaarden werden door het hout van de poort gestoken.

'Snel, Oharu,' zei Hana hijgend. 'We moeten terug naar binnen en het huis barricaderen.'

Een paar tellen later schoof Oharu de grote houten grendel door de roestige oude haken van de zijdeur. Haar ronde gezicht was vochtig en haar handen beefden.

'Tot nu toe hebben we geluk gehad,' zei Hana buiten adem. 'Maar we kunnen hen niet allemaal verslaan.'

'Ze willen u hebben,' zei Oharu. 'U moet zien te ontsnappen.'

'En jullie hier achterlaten? Dat nooit.'

'We zijn bedienden, ze zullen ons niets doen. Wij blijven hier om hen tegen te houden.'

Oharu hield haar hoofd scheef en legde haar vinger op haar lippen. Buiten op het erf klonken voetstappen. De mannen hadden de poort opengebroken en renden in de richting van het huis. Met bonzend hart pakte Hana een doorgestikt jasje, wikkelde een sjaal rond haar hoofd en trok haar rokken op. Zo holde ze door het huis, de deur van de ene na de andere verduisterde, bedompte kamer openduwend.

Sinds het vertrek van haar schoonouders had ze achter in het huis een bundeltje met bezittingen klaarliggen voor het geval ze halsoverkop diende te vluchten. Nu griste ze het bundeltje mee en probeerde ze de grendel van de regendeuren opzij te schuiven, maar tot haar ontzetting gaf die niet mee. Ze pakte een houten schaal, sloeg er net zo lang mee tegen de grendel totdat die naar voren schoot en schoof toen de regendeur open. Toen het daglicht naar binnen stroomde, draaide ze zich even om en keek naar de grote porseleinen vaas in de nis, naar de rolschildering aan de wand, naar de grote houten kisten met hun ijzeren handgrepen en slotjes en naar de keurig verstelde papieren deuren en versleten tatami's; al die voorwerpen droegen ongrijpbare herinneringen aan vervlogen tijden met zich mee. Ze probeerde het tafereel in haar geheugen te prenten en uitte een snik toen ze besefte dat ze dit nooit meer terug zou zien.

Ze liep de smalle veranda achter het huis op, duwde de regendeur achter zich dicht en trok met onhandige bewegingen van haar ijskoude vingers haar strosandalen aan. Overal in de tuin stonden naaldbomen, gewikkeld in plukken stro die ze tegen de kou moesten beschermen. De stenen lantaarn en bemoste stenen zagen wit van de rijp en de vijver was met een laagje ijs bedekt.

De tuin rond het huis was een doolhof, maar ze kende er goed de weg. Met het bundeltje tegen zich aan liep ze snel en ineengedoken over de paadjes en tussen de plantschermen door naar de poort in de achtermuur en duwde die open. Achter haar hoorde ze de soldaten de voordeur openbreken, gevolgd door het geluid van kisten die werden omgekeerd.

Toen hoorde Hana voetstappen achter haar in de tuin. Met bonzend hart rende ze langs de zijkant van het huis, de straat op, en sloeg daarna het ene smalle paadje na het andere in. Ze bleef rennen, hijgend, maar durfde pas te blijven staan toen ze uit het zicht van het huis was. Happend naar adem boog ze zich voorover en voelde de ijzige kou branden in haar longen.

Ze tastte naar haar dolk, die veilig zat weggestopt in haar ceintuur, en probeerde zich te herinneren wat haar echtgenoot tegen haar had gezegd. De veerpont. Ze moest de veerpont zien te bereiken.

2

Tegen de tijd dat Hana bij de rivier aankwam, stond ze te trillen op haar benen. Het water strekte zich donker en olieachtig voor haar uit en weerspiegelde de laaghangende hemel en de rij wilgen op de oever. Vroeger had het op de rivier gewemeld van de vrachtschepen en overvolle veerboten, maar nu was er bijna niemand te zien.

Tussen het riet dobberde een bootje met een platte bodem en een puntige boeg. Op de achtersteven hurkte een man die een sjaal rond zijn hoofd had gewikkeld. De dunne steel van een rokende pijp stak tussen de plooien van de stof uit en een paar zwarte kraaloogjes staarde Hana aan. Toen sloten twee korte vingers zich sierlijk rond de steel en trok de man de pijp uit zijn mond.

'Waar gaat u zo snel heen, dametje?' zei een krakende stem met een sterk Edo-accent.

Hana wist dat ze als vrouw alleen op een boot erg zou opvallen. Ze moest een veerpont zien te vinden, waar ze zich tussen andere passagiers kon verstoppen, maar ze zag er nergens een.

'De Japanbrug,' fluisterde ze. Ze probeerde haar stem niet te veel te laten trillen. 'Kunt u me daarheen brengen?' Ze had nog nooit zo ver gevaren en durfde niet aan de kosten te denken, maar ze had geen keuze.

'De Japanbrug?' De oude schipper knikte en keek naar Hana zoals een kikker naar een vlieg zou kijken. 'Eén gouden *ryo*,' zei hij met krakende stem, de nadruk leggend op elke lettergreep.

Hana hapte naar adem. Zo veel had ze bij lange na niet. Toen hoorde ze opeens lawaai in de verte en zag ze mannen in zwarte uniformen tussen de huizen vandaan komen en over het gras naar de rivier rennen. Zonder na te denken sprong ze zo haastig aan boord van het bootje dat het hevig heen en weer schommelde en het water tegen de romp klotste.

De schipper kwam akelig langzaam overeind. Zijn dunne beentjes waren in een strakke zwarte broek gestoken en zijn vormeloze katoenen jasje beschermde hem amper tegen de ijzige wind die over het water blies. Met zijn pijp tussen zijn tanden geklemd pakte hij een lange vaarboom van de zijkant van de boot en stak die met een plons in het water, om er vervolgens zo zwaar op te leunen dat Hana bang was dat hij in de rivier zou vallen. Het bootje deinde op en neer toen hij krachtig afzette en ze zich losmaakten van de oever.

Hana staarde recht voor zich uit en voelde dat haar nek prikte. Ze twijfelde er niet aan dat ze weldra voetstappen op het jaagpad achter hen zou horen, maar toen ze moed vatte en omkeek, zag ze niemand. Ze ging ineengedoken in het bootje zitten, zodat alleen de schipper haar kon zien, en sloeg haar handen voor haar gezicht. De wereld had nog nooit zo groot geleken, en zij nog nooit zo klein.

Met haar bundeltje dicht tegen zich aan vroeg ze zich af hoe er het met Oharu en Gensuké was afgelopen, en haar gedachten dwaalden af naar de dag waarop ze samen met Oharu al haar kimono's had bekeken om te besluiten welke ze zou inpakken. Het had toen dwaas geleken om haar spullen te pakken, de kans was groot dat ze het huis nooit zou hoeven verlaten. Uiteindelijk had Oharu Hana's trouwkimono van rode zijde en een van haar andere beste kimono's netjes opgevouwen en de kledingstukken samen met Hana's blanketseldoos en haar lievelingsboek, *Shunshoku Umegoyomi*, in een lap gewikkeld.

Het schommelen van het bootje herinnerde Hana aan een ander gedenkwaardig boottochtje, toen ze geknield in een draagkoets met rode gordijnen had zitten luisteren naar het kabbelen van de rivier die haar naar Edo zou voeren, naar de onbekende man met wie ze zou trouwen. Oharu had ook in het bootje gezeten en af en toe met haar hoge stem gevraagd: 'Mevrouw, is alles in orde? Kan ik nog iets voor u doen?' Het geluid van haar stem was zo'n troost voor Hana geweest. Oharu was er op de dag van de ceremonie ook bij geweest en had haar geholpen de ene kimono over de andere aan te trekken, eindigend met de rode zijden kimono waarvan ze de ceintuur zo strak had aangetrokken dat Hana amper adem had kunnen halen.

Hana dacht aan haar ouders die haar zo hoopvol hadden uitgezwaaid, in de veronderstelling dat ze de best mogelijke verbintenis voor haar hadden geregeld. Niemand had ooit kunnen denken dat de onrust die het land had beheerst zo kort na haar bruiloft in een echte burgeroorlog zou veranderen. En nu was haar hele familie dood en zat ze hier alleen, en met elke beweging van zijn vaarboom voerde de schipper haar verder weg van alles wat ze had achtergelaten: het huis, Oharu, Gensuké. Ze slaakte een wanhopige zucht. Wat er ook zou gebeuren, ze zou haar best doen om ooit terug te keren, zei ze tegen zichzelf.

Het allerbelangrijkste was dat ze nu in leven moest zien te blijven. Ga naar de Japanbrug, had haar echtgenoot tegen haar gezegd, en vraag naar... Paniek welde in haar op toen ze haar uiterste best deed om het zich te herinneren, maar ze wist niet meer naar wie ze geacht werd te vragen en waar ze hulp zou kunnen vinden.

Het duurde niet lang voordat Hana gezaag, gehak en gehamer hoorde en ze de geur van pas gezaagd hout rook, die zich vermengde met de indringende stank van rottende vis, groenten, menselijke uitwerpselen en de brakke lucht van de rivier. Ze keek op en zag dat ze langs hoge, met stenen afgezette oevers voeren. In het verleden had ze daar spelende kinderen met stokken en ballen gezien, kwakzalvers die hun waren aanboden en paartjes die elkaar in het geheim onder de bomen ontmoetten, maar nu liepen er maar een paar mensen gehaast over de oever, ineengedoken tegen de kou.

'We moeten het nu Tokyo noemen,' zei de schipper snuivend. 'Ik vond Edo goed genoeg, maar nu moeten we Tokyo zeggen. Dat hebben de hoge heren ons opgedragen.' Hij trok zijn neus op toen hij 'hoge heren' zei, schraapte zijn keel en spuugde. De fluim glansde even in het zonlicht voordat hij in het troebele water viel. 'To-kyo. De oostelijke hoofdstad. Hoofdstad van wie, dat zou ik wel eens willen weten. Tirannen uit het zuiden. Geef ons onze hoofdstad terug, dat zou ik willen zeggen, en onze heer, onze shogun.'

Hij voer nog een stukje verder en meerde toen aan bij een steiger onder een boogbrug. Aan de overzijde van de rivier stond een versterkte stenen poort die op de toren van een kasteel leek.

'U wilde toch naar de Japanbrug? Dit is de Sujikaibrug, en dat is de Sujikaipoort.' Hij gebaarde met een knoestige hand. 'Om bij de Japanbrug te komen loopt u door de poort en volgt u de grote weg. Het is een stukje lopen, maar u vindt het wel.'

Hana zocht in haar beurs, maar tot haar verbazing schudde hij zijn hoofd.

'Houd uw geld maar,' zei hij fronsend. 'Dat zult u nog nodig hebben.' Er scheen een vriendelijk licht in zijn zwarte ogen.

Hij draaide zich om en wuifde nog even toen hij wegvoer, en Hana wikkelde haar sjaal rond haar gezicht en begon angstig de brug over te steken. Bij de poort zouden ongetwijfeld schildwachten staan. Ze had van alles ingepakt, maar geen papieren waarin stond wie ze was, en er werd vast uitgekeken naar een vrouw die alleen onderweg was.

Maar er was geen controlepost, er stonden geen schildwachten met weerhaken, er waren geen strenge ambtenaren die papieren controleerden. De muren van de poort waren vervallen en de grote stenen waren met mos begroeid. Voorbijgangers konden ongehinderd doorlopen.

Bij de poort hing een groepje sjofel uitziende vrouwen rond. Ze hadden hun ingevallen wangen gepoederd en hun lippen felrood geverfd. Toen er een man langsliep, renden ze hem achterna, grepen hem bij zijn armen en krijsten: 'Eén koperen *mon*, één koperen *mon*,' totdat hij zich scheldend omdraaide en hen van zich af schudde. Ze reageerden als honden die hun territorium verdedigden toen Hana langsliep. Misschien kwam het omdat ze alleen was, bedacht ze. Toen ze omkeek, zag ze dat ze haar nog steeds nastaarden.

Ze stak haastig de stoffige, winderige binnenplaats over en keek verwonderd om zich heen. Volg de grote weg, had de schipper gezegd, maar de wegen gingen alle kanten op. Hana koos voor de breedste, maar ze zag al snel dat de helft van de winkels en huizen waren dichtgetimmerd en dat bij veel gebouwen de deuren ontbraken en daken waren ingezakt. Ze had op een welvarende stad gerekend, niet op deze halfverlaten ruïnes.

Toen hoorde ze kreten en luid gelach. Een groepje jongens liep zelfverzekerd haar kant op en nam de hele weg in beslag. Ze deed precies waartegen haar echtgenoot altijd had gewaarschuwd: ze liep alleen door de stad. Angstig dook ze de eerste de beste zijstraat in en slaakte een zucht van verlichting toen de jongens doorliepen.

Maar ze was nu echt verdwaald. Ze bevond zich in een doolhof van steegjes waar de vervallen huizen zo dicht opeengepakt stonden dat de oversteken de dakranden de hemel aan het zicht onttrokken. Het plaveisel was glad, de afvoergoten waren verstopt en het rook er naar afvalwater. Ze struikelde over iets zachts en bruins: een dode rat die midden op het pad lag te rotten. Vroeger zouden de poorten aan het einde van de straat bij zonsondergang zijn gesloten, maar nu bungelden ze losjes aan hun scharnieren. Ze ving af en toe een glimp op van jonge vrouwen die rondhingen in deuropeningen, maar wanneer die zagen dat ze naar hen keek, losten ze op in de schaduwen.

Ze probeerde niet in paniek te raken en sloeg een andere zijstraat in. Ze zag een grote put met een deksel en een pomp die baadden in een verdwaalde straal zonlicht. Voor haar stond een badhuis; licht en wolken waterdamp stroomden door de deuropening naar buiten. Een vrouw met een vochtige doek vol handdoeken kwam naar buiten. Haar mollige gezicht was blozend en bezweet en ze had ook een handdoek om haar hoofd geslagen. Hana holde naar haar toe, opgelucht dat ze eindelijk een andere sterveling zag.

'Mevrouw,' zei ze hijgend, 'kunt u me zeggen waar... Weet u waar...' Ze zweeg en deed haar uiterste best om zich de naam te herinneren die haar echtgenoot had genoemd. Opeens schoot die haar te binnen: 'De Chikuzenya?' Ze zei het nogmaals, zo duidelijk als ze maar kon: 'De Chikuzenya.'

De vrouw staarde haar aan. 'Maar natuurlijk, iedereen weet waar de Chikuzenya is. Die is daar.' Ze gebaarde met een grote rode hand. 'Aan het einde rechts, dan links, vervolgens weer rechts, en dan komt u bij de grote weg. De Chikuzenya ligt aan uw linkerhand, u kunt het niet missen. Het is alleen...'

Maar Hana liep al door en herinnerde zich weer de verkoper van de Chikuzenya, met zijn ronde brilletje, die altijd samen met zijn nerveuze gezellen, bijna bezwijkend onder hun enorme bundels zijde, naar het huis was gekomen. De Chikuzenya was een van de grootste winkels met huishoudelijke artikelen in Edo. Daar waren mensen die haar kenden, die haar zouden opnemen en op haar zouden passen totdat de strijd voorbij was en haar echtgenoot haar kon komen halen. Ze zou onmiddellijk een bericht naar Oharu en Gensuké sturen om te laten weten waar ze was. Alles zou nu in orde komen.

Ze kwam al snel bij de grote weg, een brede doorgaande weg die aan beide zijden werd omzoomd door houten gebouwen van twee verdiepingen, maar tot haar ongenoegen leken die allemaal te zijn verlaten en waren de huizen stuk voor stuk dichtgetimmerd. Het grootste pand zag eruit alsof het al maanden leegstond. De regendeuren waren besmeurd met modder en de planken waarmee het gebouw was dichtgetimmerd, waren aan het rotten en zaten vol kieren.

Toen zag ze een gescheurd gordijn wapperen. Het was zo verfomfaaid dat ze bijna niet kon lezen wat erop was geschilderd. Ze tuurde ingespannen, met hevig bonzend hart, en zag een verbleekte cirkel met een karakter in het midden: CHIKU. Het was de Chikuzenya.

Hana boog haar hoofd, van haar laatste restje hoop beroofd. De avond viel, het zou weldra nog gevaarlijker op straat zijn, en ze was oververmoeid en had de hele dag nog niets gegeten. Het ergste was nog dat het begon te sneeuwen.

Koud en bevend zakte ze tegen de regendeuren ineen, sloeg haar handen voor haar gezicht en begon te snikken.

3

Yozo Tajima deed het luik open en stak zijn hoofd naar buiten.

Het was noodweer en de wind blies sneeuw in zijn gezicht. Hij klom naar buiten, deed het luik achter zich dicht en bedekte het met zeildoek. Het was maar een paar stappen naar het stuurwiel, maar het waaide zo hard dat hij bijna niet vooruitkwam. Boven het gejank van de storm en het gekraak en gepiep van het schip uit hoorde hij het onheilspellende geflapper van een zeil. Hij streek een paar losgeraakte lokken haar naar achteren en veegde de stukjes ijs van zijn gezicht. Toen keek hij omhoog en zag dat het grote bramzeil was losgeraakt.

IJzel geselde het dek en het voelde alsof er talloze naaldjes in zijn gezicht en armen werden gestoken. Hij greep met zijn grote zeemanshanden naar zijn strooien mantel, die zo woest om hem heen wapperde dat hij dreigde weg te waaien, en vroeg zich heel even af wat hij hier deed. Hij had nooit kunnen denken dat hij tijdens het ergste jaargetijde over onbekende wateren naar het noorden zou zeilen, vechtend tegen een hevige storm.

Maar toch stond hij hier, jong, halverwege de twintig, avontuurlijk en sterk. En hoewel hij anders was dan de andere zeelieden aan boord – dat waren drankzuchtige zeevaarders uit de haven van Nagasaki, of tanige mannen met kromme benen die uit geslachten van piraten uit de Japanse Binnenzee stamden – was hij wel degelijk een zeeman, en een verdraaid goeie. Daar kon hij trots op zijn.

Het schip maakte een zwaai en de masten bogen zich in de richting van het zwarte water. De wind gierde door de tuigage en het dek helde zo ver over dat het bijna verticaal stond. Yozo greep naar een lijn en klampte zich vast totdat het schip weer recht lag. Zeelieden stommelden voorbij, zich schrap zettend tegen de wind. Ze waren bestoven met een dun laagje sneeuw.

Verderop zag hij de stuurlieden, vastgesnoerd aan het stuurwiel, vechten om het schip op koers te houden. Een paar van hen hadden hondenvellen rond hun uniformen gewikkeld, de rest droeg mantels van stro die even woest wapperden als die van Yozo. Ze boden een armzalige aanblik, een stel mannen op strosandalen die zich grimmig vasthielden aan het roer. Een van hen, een magere, kleine jongen, leek niet in staat zijn hele gewicht erachter te zetten. Zijn gezicht, dat vol littekens van de pokken zat, was bleek en vertrokken, en zijn blik was leeg van uitputting.

'Hoe heet je, jongen?' riep Yozo. De wind rukte zijn woorden uit zijn mond.

'Gen, meneer,' antwoordde de jongen klappertandend.

'Ga maar benedendeks, warme kleren aantrekken.' Nadat Gen zichzelf had losgemaakt, nam Yozo de plaats van de jongen in en klemde zijn handen stevig om de spaken van het wiel. 'Hard stuurboord!' riep hij. De acht zwoegende mannen spanden al hun spieren om het grote wiel in beweging te krijgen en Yozo voelde het schip schudden toen ze tegen de wind in draaiden. Zijn kleren waren doorweekt, hij was tot op het bot verkild en zijn handen lagen open omdat hij het roer zo stevig vastklemde, maar hij voelde een vlaag van tevredenheid, van puur genoegen zelfs, toen het machtige schip deed wat hij vroeg.

Hij kende de Kaiyo Maru, al haar rondingen en hoeken, even goed als het lichaam van een geliefde. Hij kende haar wanneer ze hoog en statig met haar zeilen opgerold lag te rusten; wanneer ze door de kalme wateren voer met wit schuim in haar kielzog; en wanneer ze zwaar beladen met mannen en lading langzaam voortploeterde. Hij vond het heerlijk om het stuurwiel vast te houden en het getril van het roer te voelen, hij genoot van het ritmische gekraak van romp en tuig en hield van de kracht waarmee ze een stormachtige zee wist te bedwingen.

De Kaiyo Maru was het vlaggenschip, het mooiste en modernste oorlogsschip uit de vloot van de shogun, dat de noordelijke troepen een klinkende overwinning in de zeeslag bij Awa had bezorgd. Ze was zo klein als een oorlogsschip kon zijn, een volgetuigde driemaster met een waterverplaatsing van 2590 ton en een kolengestookte stoommotor van vierhonderd pk. Aan boord waren eenendertig kanonnen en een bemanning van ongeveer driehonderdvijftig zeelieden, afkomstig uit de havens en dokken van Japan, en vijf- tot zeshonderd soldaten, zo veel als ze maar kon herbergen.

Nu zeilden ze naar het noorden, samen met de zeven andere schepen die de vloot van de shogun vormden. Iedereen wist dat het gekkenwerk was om in deze tijd van het jaar noordwaarts te zeilen, maar niemand had kunnen denken dat het weer zo bar zou zijn. Ze hadden echter weinig keuze. Ze trokken aan het kortste eind in een bittere burgeroorlog, ze waren de verliezers in een revolutie die ervoor had gezorgd dat hun leenheer, de shogun, het veld had moeten ruimen voor zijn oude vijanden, de krijgsheren uit het zuiden.

De meeste bondgenoten van de shogun hadden zich inmiddels overgegeven, maar dat gold niet voor admiraal Enomoto. Hij had het bevel gekregen om de vloot van de shogun over te dragen aan de nieuwe heersers, maar hij was niet het soort man dat bevelen van de vijand opvolgde. Hij had geweigerd en was samen met Yozo en alle anderen die de shogun trouw waren gebleven naar het noorden gevlucht, met medeneming van de acht schepen. Nu vochten ze niet langer alleen maar voor hun idealen, maar ook voor hun leven.

Yozo leunde op het stuurwiel en dacht aan Enomoto, die door zijn hut had lopen ijsberen. Ze hadden geweten dat ze een bestemming moesten kiezen, dat er geen tijd te verliezen was. Maar waar moesten ze heen?

'Het eiland Ezo!' had Enomoto uitgeroepen, zijn gezicht stralend door deze ingeving. Ezo was een groot eiland in het uiterste noorden, daar waar Japan de wildernis raakte. Alleen de kuststrook in het uiterste zuiden was bewoond, de rest was nagenoeg verlaten. Het enige wat de noordelijke troepen hoefden te doen, was daar een basis inrichten om weer op krachten te komen, zodat ze in het voorjaar naar het zuiden konden trekken en het land voor de shogun konden heroveren.

'Het stervormige fort Goryokaku is de sleutel tot het hele eiland,' had Enomoto boven een uitgevouwen landkaart uitgeroepen. 'Het is de belangrijkste vesting van de stad Hakodate. Als we Goryokaku kunnen veroveren, hebben we de stad in handen. De haven is perfect, heel diep en beschut door heuvels. Zodra we onze vloot hebben aangemeerd, gaan we naar de buitenlandse vertegenwoordigers in Hakodate om uit te leggen hoe de vork in de steel zit. Zo zullen we de steun van de rest van de wereld verwerven. Er zijn maar twee andere steden op Ezo, Matsumae en Esashi. Die kunnen we gemakkelijk veroveren, en dan zal het eiland van ons zijn. We zullen in naam van de shogun de democratische republiek Ezo stichten, met Hakodate als hoofdstad, en van daaruit kunnen we naar het zuiden trekken en de rest van Japan veroveren. Per slot van rekening hebben we de Kaiyo Maru,' had Enomoto met stemverheffing verklaard. 'En wie de Kaiyo Maru heeft, heeft Japan. De oorlog is nog niet voorbij!'

4

Yozo tuurde door de sneeuw naar de gestalte die over het scheeps-kompas gebogen stond. De stuurman van de wacht rechtte zijn rug en zette zijn handen rond zijn mond. Zijn woorden waren ondanks de bulderende storm net te horen: 'Oosten ten noorden, een half oost. Deze koers aanhouden.'

Maar Yozo stond in gedachten op een ander schip, op de Calypso, die zes jaar eerder naar Europa was gevaren. Dat was pas een avontuur geweest.

Sinds mensenheugenis had op het verlaten van Japan de dood-straf gestaan, en de enige westerse barbaren die het land mochten bezoeken, waren de Nederlanders geweest, die in de piepkleine enclave Deshima in de buurt van Nagasaki hadden gewoond. Yozo was als kleine jongen al gefascineerd geweest door de westerse cultuur, en zijn vrijdenkende vader had hem naar de school van dokter Koan Ogata gestuurd, waar de kennis van de Nederlanders werd onderwezen. Yozo had nog maar net zijn opleiding voltooid toen het verbod op reizen naar het buitenland werd opgeheven en het nieuws de ronde deed dat de regering op zoek was naar vijftien loyale jongemannen die drie of vier jaar naar het buitenland wilden gaan.

Terwijl Yozo op het besneeuwde dek stond, dacht hij terug aan de reis naar Edo, aan de eindeloze gesprekken met stokoude hovelingen in de audiëntiezalen in het kasteel van de shogun, en hoe hij met ingehouden adem had gewacht totdat het besluit zou vallen. Hij had amper kunnen geloven dat hij een van de uitverkorenen was.

Op de elfde dag van de negende maand van het tweede jaar van Bunkyu, oftewel 2 november 1862 volgens de kalender van de barbaren, was hij eindelijk op weg gegaan. Samen met Enomoto en nog dertien anderen zou hij westerse talen leren en worden onderwezen in de westerse wetenschap en vakken als navigatie, wapenkunde en techniek. Het allerbelangrijkste was dat ze toezicht dienden te houden op de bouw van een oorlogsschip, het allereerste schip dat Japan liet bouwen, dat ze na voltooiing terug naar Japan moesten varen.

Na zes lange maanden op zee was Yozo in Nederland aangekomen. Samen met zijn collega's had hij de opdracht voor de bouw van het schip geplaatst en was hij regelmatig op de scheepswerf naar de vorderingen gaan kijken, maar hij had ook gereisd: naar Londen, Parijs en Berlijn. Hij had voor de eerste keer treinen en schepen gezien, hij had geleerd hoe een telegraaf werkte en zich al snel niet meer verbaasd over het feit dat water uit een kraan kwam in plaats van uit een put, en dat straten en huizen van de rijken niet werden verlicht met kaarsen en lantaarns, maar met gaslicht.

Drie jaar na hun aankomst was het nieuwe oorlogsschip, de Kaiyo Maru, te water gelaten en waren ze aan de reis terug naar Japan begonnen. Hun thuiskomst was verre van aangenaam geweest. Vlak na hun aankomst was de shogun van de troon gestoten en hadden Yozo en zijn kameraad Enomoto zich aangesloten bij het verzet in het noorden, vastbesloten om tot het bittere einde voor hun leenheer te strijden. En dat zouden ze doen met behulp van de Kaiyo Maru en de hele marine van de shogun.

Uit de dwarrelende sneeuw doemde als een geest een bemanningslid op. Hij liep glibberend en glijdend over het beijzelde dek en hield zijn mond vlak bij Yozo's oor. 'Bevel van de kapitein. Je moet beneden komen. Ik neem het over.'

Toen Yozo het luik opende, steeg er een wolk van rook op die zwaar was van het kolengruis en de olie. Hij daalde de ladder af, het donkere ruim in, en moest zijn best doen om zijn evenwicht te bewaren toen de wind hard tegen zijn rug blies. Hij was tot op het bot verkild en van top tot teen bedekt met sneeuw. Hij rekte zich uit en kneep in zijn handen in een poging het gevoel terug te krijgen en frunnikte daarna met verstijfde vingers aan zijn strooien mantel en maakte de kap los. Sneeuw viel als regen van hem af en vormde ijzige hoopjes op de vloer. Zijn fraaie kamgaren uniform met de tressen en de gouden knopen was doorweekt.

Een lange, magere man met lange, dunne vingers en slordig zwart haar boven een bleek, ingevallen gezicht stond aan de voet van de ladder. Kitaro Okawa, de jongste van de vijftien avonturiers die naar Europa waren gereisd, was de bolleboos van de groep en oogde veel te jong voor een doorgewinterde zeeman. Hij had grote, gevoelige ogen en een nek die zo dun was dat zijn keelboeddha – adamsappel, zeiden de westerlingen – akelig ver uitstak. Yozo zag die op en neer bewegen wanneer de jongen sprak. Zelfs zijn haar was dun. Het was samengebonden tot een slordige knot boven op zijn hoofd.

'Ze zitten hier beneden op ons te wachten,' zei hij, terwijl hij Yozo een handdoek aangaf.

Yozo wreef zijn gezicht droog en streek met zijn handen zijn haar naar achteren. Zoals hij er nu uitzag, kon hij de hut van de kapitein niet betreden. Hij keek even naar Kitaro.

'Het moet maar,' zei Kitaro, die zijn magere schouders ophaalde.

Ze zochten zich een weg over het donkere geschutsdek, waar het gebulder van de storm en het geklots van de golven werd overstemd door het krakende geluid van de kanonnen die heen en weer schoven op hun rolpaarden en het gerammel van borden en kommen die bij elke beweging van het schip door elkaar werden geschud. Een paar olielampen zwaaiden aan haken heen en weer en verspreidden een beverig geel schijnsel, maar de meeste waren uit angst voor brand gedoofd. Boven het verre gebulder van de ketel uit hoorden ze het zwakke gekakel van de kippen in hun hok en het blatende protest van de geiten.

Het geschutsdek puilde uit van de mannen. De troepen die zo zelfverzekerd aan boord waren gemarcheerd en zich trots op de bak hadden opgesteld, lagen nu verspreid over het dek als gesneuvelden op een slagveld. Sommigen lagen in de hangmatten die weggestopt waren boven kanonnen, eettafels of waar er maar een plekje te vinden was. De rest lag op dunne stromatten of op de kale planken, met bleke gezichten en de ogen dicht. Het rook naar braaksel.

'Als korrels rijst in een rol sushi,' merkte Kitaro op toen ze tussen de lijven door liepen. 'Dichter op elkaar gaat bijna niet.'

Bukkend voor de balken liepen ze naar de hut van de kapitein, waarbij ze af en toe een van de koperen relingen vastpakten om hun evenwicht te bewaren. In de hut klonk het gemompel van stemmen en er viel een zacht geel licht naar buiten. Yozo duwde de deur verder open.

Admiraal Enomoto zat samen met enkele hooggeplaatste officieren en de negen Fransen over de uitgevouwen kaarten gebogen die op tafel lagen. Ze zagen er in hun uniformen allemaal parmantig uit, met alle vlinderstrikken en horlogekettingen op de juiste plaats. De tressen langs hun manchetten glommen, de knopen fonkelden en het haar glansde. Ze vielen allemaal stil toen Yozo en Kitaro binnenkwamen.

'*Merde*,' mompelde een van de Fransen. 'Wat een vreselijke storm.'

Yozo grinnikte. Net als alle Fransen aan boord was sergeant Jean Marlin een vooringenomen type dat altijd zijn woordje klaar had. Hij beschikte over een bescheiden kennis van het Japans, al deed zijn vermakelijke, vrouwelijke manier van uitdrukken vermoeden dat hij zijn woordenschat in de huizen van plezier had opgedaan. Ondanks zijn vooringenomenheid beschikte Marlin echter wel over gevoel voor humor. Hij was begonnen als een van hun oefenmeesters en had hen weten te drillen tot ze van een stel samoerai die naar believen met hun zwaard liepen te zwaaien waren veranderd in een gedisciplineerd, uiterst vaardig leger dat in de pas marcheerde, als één man vocht en hun Chassepot-geweren drie keer per minuut kon laden. Yozo wist dat Marlin hun goede zaak even toegewijd was als zijzelf.

Het schip slingerde plotseling hevig heen en neer. De mannen grepen de tafel vast en legden hun handen op de instrumenten en kaarten om te voorkomen dat die zouden wegglijden. Enomoto bleef onbewogen staan totdat ze weer tot bedaren was gekomen en keek toen naar Yozo, die druipend van het zoute water op het fraaie Hollandse kleed stond.

'Goed gedaan, Tajima,' zei hij. 'Je zou dit schip eigenhandig kunnen besturen.'

De schaduw van een lach schoot over zijn fijne trekken. Sinds kort liet hij zijn snor staan, en hij droeg zijn haar kortgeknipt en met een zijscheiding, zoals de westerlingen. Op het eerste gezicht oogde hij als een keurige heer, afstandelijk en ontspannen en duidelijk van adellijke komaf, maar niets kon zijn koppig verstrakte kaak en zijn vurige vastberaden blik verhullen. Yozo was de enige aan boord die niet bang voor hem was.

'Als ik het bij het rechte eind heb, bevinden we ons hier.' Enomoto wees naar een van de kaarten. 'De Baai van Washinoki. We varen de haven in, gaan voor anker en laten de troepen bij zonsopgang aan land gaan. Laten we hopen dat we gunstig weer hebben. Tajima,' vervolgde hij, terwijl hij Yozo recht aankeek, 'ik wil dat jij samen met de soldaten aan land gaat, met commandant Yamaguchi en de militie.'

Yozo reageerde verbaasd. 'Commandant Yamaguchi?' De woorden rolden over zijn lippen voordat hij het goed en wel besefte, en de andere officieren keken elkaar even snel aan. Maar bevel was bevel. Yozo boog netjes, rechtte zijn rug en salueerde op westerse wijze. 'Aye, aye, kapitein.'

'Dat geldt ook voor jou, Okawa,' zei Enomoto tegen Kitaro. 'Luister goed: zodra jullie in de Baai van Washinoki aan land zijn gegaan, moeten jullie via de Kawasui-pas het schiereiland oversteken naar het fort, dat vlak buiten Hakodote ligt. Vergeet niet dat jullie licht en snel moeten reizen. Op het strand wachten gidsen die jullie de weg wijzen. Sergeant Marlin en kapitein Cazeneuve nemen samen met generaal Otori de rechtstreekse route door de bergen en trekken vanuit het noorden op. Als we geluk hebben, zullen beide detachementen gelijktijdig het fort bereiken. Het garnizoen zal niet verwachten dat er met dit weer iemand door de bergen reist, dus jullie kunnen hen verrassen. En wat de vloot betreft, wij zullen naar de Baai van Hakodate varen en voor anker gaan zodra we het fort Goryokaku in handen hebben.'

Na de bespreking daalden Yozo en Kitaro de ladder af naar het benedendek. Olie en rook van steenkool verspreidden zich bij elke beweging van het schip vanuit de machinekamer over het dek. Een paar lantaarns zwaaiden vervaarlijk heen en weer en verlichtten de duisternis.

'"Een held heeft de wereld in zijn hand,"' zei Kitaro. Hij was bijna niet te verstaan vanwege het gebulder van de ketels en het lawaai van de stokers en kolenscheppers die onder hen aan het werk waren.

'De commandant, bedoel je?' Yozo liet zich op een rol touw zakken. Hij zag dat Kitaro onbekommerd probeerde te kijken, maar hij kende hem goed genoeg om zich niet voor de gek te laten houden. Kitaro was hun ideaal even toegewijd als alle anderen, maar hij was een zeeman en een geleerde, geen soldaat, en in tegenstelling tot Yozo had hij nog maar zelden hoeven vechten. Yozo voelde zich volkomen op zijn gemak met een geweer in zijn handen, maar Kitaro was eerder een filosoof. Denken was zijn vak.

Yozo haalde de fles van zijn riem en zette die aan zijn lippen; hij hield van het brandende gevoel van de drank in zijn keel. Zijn handen zagen zwart.

'Commandant Yamaguchi is een held, maar het is ook een bruut,' zei hij bedachtzaam. 'De duivelse bevelhebber, zo noemen ze hem. Misschien wil Enomoto wel dat we hem in de gaten houden. Ik heb gehoord dat hij wel erg gemakkelijk met zijn zwaard zwaait. Misschien stuurt Enomoto ons daarom wel met hem mee in plaats van met het gewone leger.'

Kitaro hurkte naast hem neer. 'Je hebt hem bij het kasteel in Sendai gezien, hè?'

Yozo knikte. 'De krijgsraad.' Hij nam nog een slok rum en liet de drank rondgaan in zijn mond, genietend van de smaak, en dacht terug aan de dikke granieten muren en hoge kantelen van het kasteel, aan het felle oranje, rood en geel van de esdoornbladeren op het terrein en aan de doolhof van grote ijskoude kamers en gangen waar het zonlicht niet doordrong. Het was een dag of veertig geleden geweest, en het vaandel van de Noordelijke Alliantie, een witte vijfpuntige ster op een zwart veld, had boven de citadel gewapperd.

Yozo was aanwezig geweest als de rechterhand van Enomoto, met de opdracht om goed te luisteren maar niets te zeggen.

De grote audiëntiezaal was donker en koud. Er brandden lange kaarsen die een geel licht verspreidden over de tatami's en over de goudkleurige schermen langs de muren. Rook steeg op uit de haard en uit de lange pijpen van de mannen. Er waren hoge beambten uit de voormalige regering van de shogun aanwezig, evenals raadgevers die de eenendertig krijgsheren van de Noordelijke Alliantie vertegenwoordigden. Iedereen was in gesteven ceremoniële gewaden gehuld. De bevelhebber van de noordelijke legers, generaal Otori, nam samen met andere militairen in uniform zijn plaats in. Aanvankelijk hadden ze allemaal – de hoge ambtenaren, de raadgevers en de militairen – op volgorde van rang geknield gezeten, maar naarmate ze hun stem steeds vaker verhieven en hun woorden door de grote zaal galmden, dachten ze niet langer aan rangen en standen.

Ze hadden urenlang druk gediscussieerd. Een paar van de oudere raadgevers wilden het verzet staken en trouw zweren aan de nieuwe regering. Ze zeiden dat ze definitief verslagen waren. De zuiderlingen rukten op naar het noorden en namen het ene kasteel na het andere in. Doorgaan was gekkenwerk. Ze zouden hun verlies moeten aanvaarden.

Yozo had zwijgend en vol walging naar hun geklaag zitten luisteren. Toen nam Enomoto het woord. 'We zijn nog niet klaar,' beweerde hij. 'De winter staat voor de deur. Onze mannen zijn gehard, gewend aan barre omstandigheden, maar de zuiderlingen zijn zwakkelingen die niet weten wat een winter inhoudt. We wachten net zo lang totdat de vorst hen verslaat. Ze zullen ons nooit naar het noorden durven volgen, en als ze dat wel doen, zijn ze er geweest.' Zijn kalme, indringende stemgeluid zwol aan tot het alle stoffige hoeken van de grote zaal leek te vullen en de spinnenwebben deed trillen. 'Vergeet niet dat we over de sterkste mannen van het land beschikken. We hebben niet alleen het leger, we hebben ook de Kyoto-militie.'

'Wat daarvan over is,' mopperde een oudste met een blozend, vlezig gezicht. 'De zuiderlingen jagen hen op als honden. Bevelhebber Yamaguchi is hun enige leider die zijn hoofd nog heeft.'

'Ik ben het met admiraal Enomoto eens,' blafte generaal Otori, een felle, gedrongen man met een klein, rond hoofd. 'Als al onze troepen zich aaneensluiten, zijn we onverslaanbaar.'

'De commandant is hier,' meldde Enomoto. 'Laten we eens luisteren naar wat hij te zeggen heeft.'

Yozo herinnerde zich nog het gemompel dat toen door de zaal was gegaan en de onrust die er had geheerst toen de legendarische strijder naar binnen beende. Hij was vrij lang en had een opvallend bleke gelaatskleur. Het was een knappe man, in zijn lange jas en kniebroek en met twee zwaarden langs zijn zij. Yozo vond dat hij eruitzag als iemand die in schimmige vertrekken complotten smeedde, niet als iemand die in de straten van Kyoto op de vijand joeg, al werd er beweerd dat hij er honderden had gedood. Zijn lange zwarte haar, dat glansde alsof het gelakt was, was achteloos uit zijn gezicht gestreken, en hij keek de oudsten neerbuigend aan.

'Zodra de bevelhebber zijn mond opendeed, kon je horen dat hij geen samoerai was,' zei Yozo tegen Kitaro. 'Een boer uit Kano, zo noemen de mensen hem. Hij zei heel luid en duidelijk: "Ik zal het gezamenlijk bevel over de confederatie van troepen aanvaarden." Toen zweeg hij en keek om zich heen, naar al die hoge heren die daar op hun knieën aan hun pijpen zaten te lurken.

"Maar op één voorwaarde," zei hij toen. Je kon een speld horen vallen. "Mijn bevelen dienen onverwijld te worden opgevolgd. Als iemand het waagt mijn bevelen in de wind te slaan, zal ik hem persoonlijk doden, zelfs al is hij de oudste raadgever van een van de grote domeinen." Zo luidden zijn woorden. Ze keken elkaar allemaal aan, die oude raadgevers. Wie dacht hij wel dat hij was, hoe durfde hij zomaar dreigementen te uiten? En de manier waarop hij het zei, zo onverbiddelijk. Aan de blik in zijn ogen kon je zien dat hij altijd zijn zin zou doordrijven.'

'Je kunt een koppig man die overtuigd is van zijn eigen gelijk niet tegenhouden,' merkte Kitaro op. 'Zet drie koppige mannen bij elkaar, en alles is mogelijk.'

Yozo knikte. Otori, Enomoto en de commandant waren de baas over het leger, de marine en de militie uit Kyoto. Ze hadden alle drie de shogun trouw gezworen tot in de dood. En bij alle drie blonk er iets van waanzin in hun ogen.

De volgende morgen was Yozo bij zonsopgang aan dek. Het sneeuwde nog steeds zo hevig dat hij de kust niet eens kon zien, en ijspegels hingen aan het touwwerk en de dwarsmasten. Toen het een beetje opklaarde, zag hij een rij uitstekende rotsen en een paar eenzame hutjes aan de lijzijde van de besneeuwde heuvels. De kolkende zee had de kleur van lood. Voor hen braken de golven stuk op de rotsen en vormden een wand van water. Aan land gaan in de Baai van Washinoki zou een hachelijke onderneming worden.

Om hen heen stonden de mannen met de armen om hun eigen lijf geslagen. De onfortuinlijkste onder hen waren slechts gekleed in katoenen uniformen; andere hadden strooien regenmantels, berenvellen of hondenhuiden gevonden en die rond hun schouders gehangen. Yozo had zich ingepakt in alles wat hij maar kon vinden, maar de kou sneed nog steeds door zijn kleren heen.

Een groepje zeelieden trok het zeil van de eerste sloep, bonden die aan de ra en hesen hem omhoog. Daarna draaiden ze de ra, maakten aan de ene kant de lijnen vast en aan de andere kant juist los en lieten de sloep zakken. De stuurman, bootsman en twaalf roeiers klauterden naar beneden en stapten in de sloep, die aan de zijkant van het schip woest op en neer deinde en ijskoud schuim deed opspatten, wel manslengtes hoog. De soldaten stelden zich op het dek op, zwaar bepakt en met hun geweren over de schouder. De eerste tuurde over de rand naar het kleine laddertje dat aan de romp van het schip was bevestigd en recht naar het zwarte, kolkende water beneden leidde. Hij aarzelde, zoog sissend zijn adem tussen zijn tanden door naar binnen en keek toen op en rechtte zijn rug toen hij zware voetstappen hoorde naderen.

Commandant Yamaguchi zag nog steeds bleek vanwege de zeeziekte, maar hij straalde dezelfde arrogantie als altijd uit en liep met zijn hoofd opgeheven en zijn borst naar voren. Ongeduldig fronsend zwaaide hij zijn benen over de rand en klom voor zijn troepen uit naar beneden, met zijn handen rond de touwen aan weerskanten van de ladder geklemd.

De soldaten volgden zijn voorbeeld, en toen de laatste man aan boord stapte en de sloep vervaarlijk overhelde, slaakte een van hen een kreet. De bevelhebber trok vol minachting zijn bovenlip op.

Yozo pakte zijn telescoop en tuurde door de sneeuwstorm naar het bootje dat op en neer deinde op de golven. Af en toe balanceerde het vervaarlijk op een hoge golf en leek het elk moment te kunnen kapseizen. Tegen de tijd dat de eerste sloep naar het schip terugkeerde, was de tweede al te water gelaten.

Yozo en Kitaro voeren mee met de derde sloep, die hevig op en neer deinde toen ze aan boord stapten. De roeiers pakten hun riemen, maar dankzij de wind schoot de sloep recht op de kust af. Op een paar meter afstand van de vloedlijn sprong Yozo al van boord, en hij hapte naar adem toen hij het ijskoude water rond zijn benen voelde. Samen met de roeiers hield hij de sloep vast terwijl de soldaten uitstapten en naar het strand waadden. Ze vormden een menselijke keten om zo de kisten met spullen en voorraden door te geven.

Het hield op met sneeuwen en de hemel begon op te klaren. Vanaf het strand zag Yozo de grijze zee die zich tot aan de horizon uitstrekte, met in de verte de oprijzende masten van de vloot van acht schepen. Sloepen voeren af en aan om de mannen van de schepen aan land te brengen. Opeens zag Yozo een van de sloepen voor zijn ogen verdwijnen. Toen het bootje weer in zicht kwam, stak de kiel als een stuk drijfhout uit het water omhoog. Piepkleine gestalten tastten woest om zich heen in het loodgrijze water. Yozo wilde het ondiepe gedeelte in waden, maar Kitaro greep zijn arm vast.

'Dat is gekkenwerk, ze zijn te ver weg!' riep hij boven het gebulder van de golven uit.

De soldaten verkeerden in een sombere stemming toen ze alle benodigdheden bijeenpakten. Ze hadden een stel goede mannen verloren, en dat terwijl er niet eens was gevochten. Maar sterven in dienst van de shogun was altijd eervol. Was dat wel echt zo? vroeg Yozo zich af toen hij zich samen met Kitaro bij de anderen voegde en aan de lange mars begon die hen over de bergpas naar het stervormige fort en de stad Hakodate zou voeren.

5

'Gaat het?'

Hana schrok op toen ze een vinger in haar arm voelde prikken. Een vrouw stond over haar heen gebogen en keek haar aan. Ze had een sjaal om haar hoofd gewikkeld, zodat haar gezicht schuilging in schaduwen, maar de stem achter de dikke wol klonk jong.

'Wat doe je hier?' Ze had de snelle, hoge tongval van de binnenstad. Het enige wat Hana kon zien, was een stel zwarte ogen dat haar aankeek.

'Ik was op zoek naar de Chikuzenya. Er is me verteld dat zij voor me zouden zorgen,' fluisterde Hana met trillende stem. Ze was verstijfd van de kou.

De vrouw schudde haar hoofd. 'De Chikuzenya heeft al maanden geleden zijn deuren gesloten. Iedereen is vertrokken; dat wil zeggen, iedereen die zich dat kon permitteren. Ze zijn allemaal naar Osaka gegaan. Maar een beschaafd klinkende jongedame zoals jij zou niet alleen over straat moeten lopen. Dat is veel te gevaarlijk.'

Hana keek in paniek op naar de lange verlaten straat en besefte opeens waar ze was. Niet al te ver weg waren ruwe kreten te horen, en ze herinnerde zich het groepje opgeschoten jongeren met hun gebalde vuisten, zwaarden en dreigende gezichten. Een koude wind rammelde aan de regendeuren van een donker huis verderop in de straat. Ze hapte naar adem toen tot haar doordrong hoe verschrikkelijk haar situatie was: haar ouders en schoonouders waren dood en haar echtgenoot vocht al een hele tijd in een oorlog. Het laatste nieuws dat ze van hem had vernomen, was dat hij op weg was naar Sendai. Ze had geen idee waar dat lag, maar het klonk onvoorstelbaar ver weg.

De vrouw stak een hand in haar mouw, haalde een pijp en een doosje tabak tevoorschijn, stopte de pijp en gaf die aan Hana. 'Hier,' zei ze, en ze voegde er al buigend aan toe: 'Ik heet Fuyu.'

Langzaam maakte Hana haar sjaal los en glimlachte dankbaar naar haar nieuwe metgezel. Toen Fuyu naast haar neerhurkte, ving ze een plotselinge zweem van goedkope poeder en haarolie op. De andere vrouw maakte ook haar sjaal los, en Hana zag dat ze inderdaad nog jong was, niet veel ouder dan zijzelf. Ze had een rond gezicht dat door een dikke laag blanketsel was bedekt, een wipneus en een welgevormde mond. Ze straalde iets nuchters uit dat Hana erg aangenaam vond. Fuyu sloeg wat vuursteen tegen elkaar en hield haar gezicht zo dicht bij dat van Hana dat Hana elke korrel van het poeder op haar gezicht kon zien.

Hana nam een lange trek van de pijp, en genoot van de smaak en de geur van de tabak.

'Het is knap dat je zo ver bent gekomen,' merkte Fuyu op. 'Het wemelt hier van de schurken en de samoerai zonder werk.'

'Ik ben heel erg verdwaald,' zei Hana hoofdschuddend. 'Ik was er zo zeker van dat ik bij de Chikuzenya iemand zou vinden die me zou helpen.'

'Je echtgenoot is een samoerai?' Fuyu keek Hana zo aandachtig aan dat die zich er ongemakkelijk bij voelde. 'Hij is zeker ten strijde getrokken en heeft je helemaal alleen gelaten. De oorlog is zwaar voor vrouwen, hè?'

'Zit jouw man ook aan het front?' vroeg Hana onzeker. Fuyu zag er zeker niet uit als de echtgenote van een samoerai en gedroeg zich evenmin zo.

Maar Fuyu gaf geen antwoord. Ze bleven zwijgend zitten. De woeste kreten van de jongeren die Hana eerder had zien lopen, klonken nu veel dichterbij.

'Je hebt onderdak nodig, hè?' zei Fuyu opeens. 'Een plek waar het warm en veilig is. Ik weet wel iets.'

'O ja?' Het verbaasde Hana dat deze vrouw die zo onverwacht was opgedoken, haar wilde helpen.

'De zaken gaan er goed,' zei Fuyu, 'en er is bewaking. Er mogen geen zuidelijke soldaten naar binnen, dus je hoeft niet bang te zijn dat je wordt lastiggevallen. Het is de beste plek als je hen wilt vermijden.' Fuyu zweeg even, haar blik nog steeds op Hana gericht, en glimlachte poeslief. 'Er is ook werk te vinden. Je kunt vast wel naaien, of niet? Je kunt kleermaakster worden, of dienstmeid, of artiest. Ik neem aan dat je ook kunt lezen en schrijven. Ze zijn altijd op zoek naar meisjes zoals jij.'

'Maar... waar is dat dan?' vroeg Hana, die zich ongemakkelijk begon te voelen.

'Je kunt ook gewoon de nacht daar doorbrengen. Je hoeft echt niet langer te blijven als je dat niet wilt.'

Hana schudde haar hoofd. 'Nee, dank je, dat is niet nodig. Ik ga zelf wel op zoek.' Maar terwijl ze die woorden uitsprak, wist ze dat ze nergens heen kon.

Fuyu's gezicht verstrakte. 'Dan moet je het zelf maar weten.' Rond haar lippen verscheen een lelijke trek. 'Maar ik zal je dit zeggen: als je mijn goede raad niet opvolgt, zal het niet lang duren voordat je jezelf bij de stadspoorten zult moeten verkopen.'

Hana sloot haar ogen en voelde paniek opwellen toen ze dacht aan de vrouwen die ze daar had zien staan.

Fuyu pakte haar hand. 'Kom mee, voordat het donker wordt.'

'Maar... maar waar breng je me heen?' stamelde Hana.

'Je hebt toch wel van de Vijf Straten gehoord?' snauwde Fuyu. 'Je kunt nergens meer verdienen dan daar.'

Hana hapte naar adem. De Vijf Straten. Die kende iedereen; daar was het een bont, lawaaiig schouwspel, daar doofden de lichten nooit, er liepen zwaar opgemaakte vrouwen rond, en mannen die op zoek waren naar plezier. Haar echtgenoot had vaak opgeschept dat hij zo geliefd was bij de vrouwen daar. Er werd beweerd dat het de ergste van de Slechte Oorden was, een stad op zichzelf die op dik een uur lopen van de muren van Edo lag, zo ver weg dat beschaafde lieden niet bang hoefden te zijn dat ze zouden worden bezoedeld door wat zich daar afspeelde. Het was zeker geen plek voor iemand zoals zij.

'Nee, nee,' zei ze ademloos. 'Wacht even, ik moet er even over nadenken.'

'Dat doe je onderweg maar.' Fuyu trok Hana overeind.

De maan was opgekomen en de weg strekte zich lang en recht voor hen uit, omzoomd door dunne lakbomen met magere, kale takken waaraan een paar laatste blaadjes, glanzend als gouden munten, zich koppig vastklemden. Hana zag haar kleine schaduw op de bevroren aarde van de weg voor haar vallen. Ver onder hen, aan weerskanten van de verhoogde weg, lag het moeras, dat hier en daar werd onderbroken door een rijstveld. Daar heerste duisternis. Af en toe kwamen er mannen langs, soms te paard, soms te voet. Er snelden dragers voorbij die draagkoetsen torsten en een reiger scheerde laag over.

Ze hadden de smalle straatjes en saaie leigrijze daken van Edo al een hele tijd geleden achter zich gelaten. Hana voelde Fuyu's hand rond haar elleboog, die haar voortduwde. Ze had zich moeiteloos van haar los kunnen maken en de andere kant op kunnen gaan, maar waar moest een vrouw alleen heen? Ze wist dat ze naar een lustoord voor mannen werd gebracht, maar mensen zeiden altijd dat dat een stad op zichzelf was. Er moesten genoeg andere bezigheden te vinden zijn.

'Daar!' riep Fuyu op schrille, opgewonden toon. 'Kijk eens, daar! Schiet op, ze hebben de lantaarns al aangestoken.'

In de verte werd de duisternis onder aan de dijk verjaagd door een schijnsel dat deed denken aan een vlucht glimwormpjes op een zomeravond. Het geluid van stemmen en gelach en de zwakke geuren van rook, gegrilde vis, wierook en rioolwater zweefden op het briesje naar hen toe. De Yoshiwara, waarover zo veel verhalen de ronde deden, lag voor hen. Maar het was niet langer iets uit een verhaal, het was echt, en Hana zou er weldra aankomen. Ze staarde naar de duisternis en voelde haar hart hevig bonzen.

Ondanks al haar bezwaren voelde ze de aantrekkingskracht van de Yoshiwara, die haar lokte en haar voeten sneller liet bewegen. Ze vergat daardoor bijna het lege huis, het gebons op de deur, de dreigende gestalten die haar op weg naar de rivier hadden achtervolgd. De geluiden en geuren en fonkelende lichtjes trokken aan haar en beloofden haar een nieuw, exotisch leven waarvan ze zich nu nog geen voorstelling kon maken.

Hana huiverde in de ijskoude wind en trok haar sjaal strakker rond haar gezicht. Haar benen deden pijn, steentjes prikten in haar voetzolen en haar strosandalen schaafden bij elke stap langs haar huid. Maar de lichtjes voor hen werden steeds feller en al snel kon ze het gepingel van *shamisens* en zingende stemmen horen.

Het was al vrij donker toen ze bij een eenzame wilg aankwamen. De kale takken bewogen krakend heen en weer in de wind.

'De Achteromkijkwilg!' zei Fuyu.

Daar had Hana van alles over gelezen. Hier bleven mannen voordat ze 's morgens naar huis terugkeerden even staan voor een laatste blik op de ommuurde Yoshiwara. Onder hen strekten de Vijf Straten zich uit als een vierkant van licht en kleur in de duisternis van het moeras.

Hana keek naar de dijk die zich achter haar uitstrekte, in de richting van Edo en haar oude leven. Ze stond op het punt een nieuwe wereld te betreden en wist dat als ze die wereld ooit zou verlaten, de dijk en de maan en de sterren misschien wel dezelfde zouden zijn, maar zij beslist niet.

6

Hana haastte zich achter Fuyu aan langs de helling naar beneden. Ze kwamen langs dicht opeengepakte kraampjes en theehuizen waar serveersters stonden te wachten totdat ze de passerende mannen konden vastpakken en naar binnen konden lokken. Onder aan de helling kwamen ze bij een brug en staken ze een troebele slotgracht over. Een enorme poort doemde voor hen op. Aan de andere kant van het water wemelde het van de mensen en de felle lichten. Het was een drukke, levendige stad.

Hana bleef bevend staan toen er een schildwacht naar voren stapte die hen de weg versperde. Zijn nek leek wel een boomstam en zijn neus was platgeslagen, alsof hij tegen een muur was gelopen. In zijn reusachtige hand hield hij een ijzeren staaf met een haak aan het uiteinde.

Hij keek dreigend op hen neer, maar Fuyu keek koket glimlachend naar hem op, zwaaide met een stuk papier voor zijn neus heen en weer en stopte hem een paar muntjes in zijn hand. Hij opende zijn mond voor een brede grijns en toonde een stel rottende tanden in een gebit vol gaten.

'Loopt u maar door, dames,' gromde hij knipogend. 'Veel plezier!'

En zo betraden ze de Yoshiwara. Aanvankelijk baande Hana zich met neergeslagen ogen een weg tussen de vele mensen die zoetere en subtielere geuren verspreidden dan ze ooit eerder had geroken. Zijden kleren streken langs haar handen. Rokken van kimono's zwierden heen en weer boven piepkleine voetjes in sandalen met satijnen bandjes, en grotere voeten met platte tenen vol zwarte haren klepperden in houten sandalen voorbij. Mannen praatten luid of schreeuwden, vrouwen kirden en kwetterden als vogeltjes.

Toen herkende Hana het verlokkende aroma van gebraden mussen en inktvis en kon ze haar nieuwsgierigheid niet langer bedwingen. Ze hief haar gezicht op en hapte naar adem. Wat een mensen! Het waren er zo veel dat lopen bijna niet mogelijk was. Ze keek met grote ogen om zich heen. Verkopers van zijde en brokaat stapten voort naast samoerai met knotten die glansden van de olie, handelaren baanden zich een weg door de drukte, bedienden snelden heen en weer, en gedrongen mannen met een bruine huid tuurden onzeker in het rond, alsof dit hun eerste bezoek was en ze niet wisten hoe ze zich moesten gedragen. Oude vrouwen met samengetrokken, gerimpelde gezichten zaten gehurkt in deuropeningen met elkaar te roddelen, stevige jongemannen renden langs met opgestapelde dienbladen vol eten, en kleine meisjes met witgeschilderde gezichten en knalrode lippen schreden plechtig voorbij, hand in hand of met brieven in hun handen.

Edo was een verwoeste stad vol angst geweest, maar de Yoshiwara puilde uit van mensen die op zoek waren naar plezier. Hana keek om zich heen, geboeid door de geuren en geluiden en het uitzicht. Maar diep in haar binnenste bleef de onzekerheid knagen. Dit was geen plek voor haar.

Net toen ze tegen Fuyu wilde zeggen dat ze van gedachten was veranderd en meteen wilde vertrekken, sloot Fuyu haar vingers stevig om Hana's arm en duwde haar een donker zijstraatje in en daarna door een open deur naar binnen. Ze waren er.

Een oudere dienstmeid in een vormeloos bruin jasje en een indigoblauwe kimono rende naar hen toe om hen te begroeten en bracht een kom water mee, zodat ze hun voeten konden wassen. Toen Hana verder naar binnen liep, ving ze een glimp op van lange gangen en mannen die in kamers verdwenen waaruit geluiden van muziek en gelach opstegen. Fuyu voerde haar snel mee over veranda's die werden verlicht door lantaarns, langs een lange rij vertrekken, en schoof ten slotte een deur open.

Een vrouw zat geknield aan een lage tafel bij het licht van een olielamp in een rekeningenboek te schrijven. Van achteren gezien zag ze er elegant en verfijnd uit. Ze droeg een effen blauwe kimono die met een rode obi was dichtgebonden en ze had haar haar opgestoken in een glanzende knot. Naast haar lagen een pijp en een kopje en op het aardewerken komfoor stond een ketel te zingen.

Maar toen ze zich naar hen omdraaide moest Hana haar best doen om niet terug te deinzen, toen ze zag dat het gezicht van de vrouw een wirwar van rimpels was, dik bestreken met wit poeder dat in elke plooi aangekoekt zat. Haar lippen waren scharlakenrood geschilderd, haar ogen waren troebel en zaten vol rode adertjes, en op haar kin zat een moedervlek waaruit een haar stak, en toch had ze nog steeds een houding alsof ze een beroemde schoonheid was.

De vrouw keek naar Hana's vuile kimono en de vieze sjaal die ze rond haar gezicht had gewikkeld, en Hana huiverde toen ze besefte dat ze door al die geluiden en kleuren en exotische elementen van de Yoshiwara naar binnen was gelokt. Nu voelde ze de ijzige kou van deze plek. Ze was in de val gelopen.

'Het spijt me dat we u storen,' fluisterde Fuyu. Ze had haar schouders gedienstig opgetrokken en duwde Hana neer in een knielende houding.

'Niet jij weer, Fuyu,' zei de vrouw vermoeid. Ze had een diepe, hese stem met een zangerig accent en sprak in een dialect dat Hana nog nooit eerder had gehoord. 'Hoe vaak heb ik je al gezegd dat de zaken slecht gaan? Je blijft me maar vrouwen brengen, maar het enige wat die doen, is eten en slapen. Ze kunnen de kost niet verdienen. Als je me nu een kind zou brengen dat ik kon opleiden, dan was het misschien een ander verhaal. Maar een volwassene zonder ervaring, die zorgen voor meer problemen dan ze opbrengen. Doe dit niet weer.' Ze wendde zich weer tot haar boek en pakte haar penseel.

Opeens voelde Hana een hevige woede opwellen. Ze was niet plan zich onderdanig op te stellen jegens deze lelijke oude vrouw. 'Ik zie er misschien verfomfaaid uit, maar ik ben niet onopgeleid,' zei ze fel, zonder aan de gevolgen te denken. 'Ik stam uit een goede familie, ik heb onderwijs genoten, ik kan lezen en schrijven. Ik wilde hier om onderdak vragen. Ik kan lesgeven en op een eerlijke manier de kost verdienen, maar als u me geen werk kunt bieden dat me niet in mijn eer aantast, dan zal ik mijn geluk elders moeten zoeken.'

De vrouw staarde haar aan met zwarte ogen die bijna verdwenen tussen de geverfde plooien van een verwelkte huid. 'Dus ze heeft een stem,' zei ze op verbaasde toon. 'En ze durft.'

Een lok van Hana's haar die uit haar sjaal was ontsnapt kronkelde rond haar gezicht. De vrouw greep ernaar en trok, en Hana kromp ineen toen de lok aan de ruwe huid van haar vingers bleef haken.

'Mooi haar,' zei de vrouw. 'Gezond en dik. En zwart. Geen klitten.'

'Je sjaal,' siste Fuyu, die aan Hana's sjaal trok. Hana probeerde die vast te houden, maar Fuyu had hem al van haar af getrokken.

De vrouw boog zich met een snelle beweging naar voren en tuurde Hana ingespannen aan. Ze trok haar wenkbrauwen op en sperde haar ogen open, en toen stak ze haar hand uit en pakte Hana's kin beet tussen een eeltige duim en wijsvinger. Ze ademde zwaar. Geschrokken deinsde Hana terug voor de stank van oud geworden blanketsel en bezwete kleren die in parfum waren gedrenkt.

De vrouw leunde achterover en keek haar met samengeknepen ogen aan. Haar gezicht vertoonde een sluwe uitdrukking.

'Ze is natuurlijk geen klassieke schoonheid,' zei ze tegen Fuyu, 'maar dat is niet erg. Mooi rond gezicht, een tikje ovaal.' Ze trok zich terug en riep: 'Vader, vader.'

Voetstappen schuifelden over de tatami's en de deur gleed open. Een man met een vierkant gezicht en een buik die opbolde boven zijn laaghangende riem stommelde in een wolk van sake en tabaksdampen naar binnen.

'Een nieuwe?' vroeg hij. Hij klemde na elke lettergreep zijn kaken opeen. 'Ik neem er geen meer. Zaken gaan slecht, bijna geen klanten. Kan niet nog meer monden voeden.'

De vrouw hield haar hoofd scheef en keek de man door haar wimpers heen aan.

'U hebt gelijk, vader,' zei ze, zangerig en meisjesachtig. 'Maar deze...'

'Je verspilt alleen maar mijn tijd, mens,' gromde de man, die zich op zijn knieën liet zakken, een bril uit zijn mouw haalde en die op zijn neus zette. Hij boog zich naar Hana toe. De vrouw pakte een kaars van het lage tafeltje en hield die vlak bij Hana's gezicht. De ogen van de man, klein achter de dikke glazen, werden eerst heel groot en veranderden toen in spleetjes. Hij leunde achterover en staarde Hana aan alsof hij een schilderij of een kom voor de thee-ceremonie of een lap stof op waarde schatte.

'Helemaal niet slecht,' zei hij ten slotte. 'Bijna de vorm van een meloenzaadje. Mooie huid ook, wit, zonder een enkel smetje. Voor zover ik kan zien. Grote ogen, mooi neusje, kleine mond, slanke nek. Alles is er.'

Hana keek geschrokken terug. Ze wilde net haar mond openen om te protesteren toen de man haar kin greep en die zo hard vast-pakte dat het pijn deed. Hij trok die met zijn ene grote hand naar beneden en duwde met de andere haar lippen uiteen. Hana pro-beerde niet te kokhalzen toen ze de tabak op zijn vingers vol bruine vlekken proefde.

'Goed gebit,' gromde hij.

Fuyu zat op haar knieën, maar haar ogen schoten heen en weer en er ontging haar niets.

'Doe je jasje uit,' snauwde ze.

De man greep Hana's hand vast, draaide die om en streek over haar handpalm. Toen boog hij haar vingers zo ver naar achteren dat ze bang was dat ze zouden breken. Hana knipperde snel met haar ogen en probeerde haar tranen in te houden.

'Zo eentje zult u niet snel meer vinden,' zei Fuyu op harde toon. 'Bij een kind kunt u niet weten wat er van haar zal worden. Bij een volwassene weet u wat u krijgt. Ik wil u niet tegenspreken, tante, maar u kunt het zelf zien. Ze is echt een schoonheid, een klassieke schoonheid.'

Hana keek om zich heen, naar de man met zijn vlezige wangen, naar de vrouw met haar beschilderde gezicht en naar Fuyu, die haar met een hongerige blik aankeek. Het was Hana overduidelijk ge-worden dat het zinloos zou zijn een beroep te doen op haar mede-dogen. Maar ze zou het niet zomaar opgeven. Ze haalde diep adem. Ze moest hen eraan herinneren dat ze een mens was, net als zij, en geen voorwerp dat kon worden gekocht en verkocht.

'Daarom ben ik niet gekomen,' zei ze met trillende stem. 'Mijn gezicht heeft er niets mee te maken. Ik kan lezen en schrijven. Ik kan anderen iets leren.'

'Hoor dat toch eens, vader,' zei de vrouw tevreden. 'Ze heeft pit. En stijl. Hoor haar toch eens praten, luister toch eens.'

De man stak zijn bril terug in zijn mouw en hees zichzelf overeind.

'Te oud,' zei hij. Hij trok met een overdreven gebaar zijn schouders op en liep naar de deur.

'Geef haar een kans, vader,' zei de vrouw smekend. 'Zingen en dansen, dat kan iedereen, maar lezen en schrijven, dat is een zeldzaamheid. Laten we eens kijken hoe goed ze is. Meisje, kom hier. Laat eens wat zien.'

Maar Fuyu krabbelde al overeind. De rokken van haar kimono waren helemaal gekreukt. 'Ik ga wel ergens anders heen. Dit is een bijzonder geschikt meisje en ik weet zeker dat een ander haar wel zal willen hebben,' zei ze poeslief.

De kaarsen sputterden en een dikke druppel was gleed langzaam langs een ervan naar beneden. De man staarde Hana met zijn harde oogjes aan.

'Op je rug,' zei hij opeens.

Voordat Hana besefte wat er gebeurde, had de oude vrouw haar bij haar schouders gepakt en tegen de vloer geduwd. Ze probeerde zich schreeuwend te verzetten, maar de vrouw was onverwacht sterk. Fuyu drukte een hand tegen Hana's mond om haar schreeuw te smoren en hielp haar vast te houden.

De twee vrouwen bogen zich met hun volle gewicht over haar hen terwijl de man haar kimono omhoogschoof en haar dijen uiteen duwde. Hama hoorde de tatami kraken toen hij tussen haar benen knielde. Daarna voelde ze ruwe vingers trekken en prikken en knijpen. Ze hoorde zijn raspende adem, die warm was op haar dijen. Ze voelde een scherpe pijn toen hij een dikke vinger in haar stak en kromde schreeuwend van walging haar rug.

Ten slotte liet de man haar los en ging op zijn knieën zitten.

'Een fraai exemplaar,' zei hij. 'Stevig, goede kleur. Rozig. Ziet er fris uit. Mooie vorm.' Hij grinnikte. 'Daar zullen de klanten van genieten.'

Hana ging rechtop zitten en trok haar kleren over haar blote benen, buiten adem van schrik en blozend van verontwaardiging. Ze slikte moeizaam. Hete tranen rolden over haar wangen.

'En?' zei Fuyu.

'We zullen je een plezier doen,' zei de man afgemeten. 'We nemen haar van je over.'

'U bent veel te goed, vader,' zei de vrouw met een koket lachje rond haar lippen. 'Er is niemand die er eentje van haar leeftijd zou nemen. Natuurlijk hangt het ervan af of of...'

Fuyu keek van de een naar de ander.

'Kom, dan praten we buiten verder,' zei ze. 'We kunnen vast wel tot overeenstemming komen. Ik weet zeker dat ik u ertoe kan overhalen dit meisje een of ander baantje te geven.'

Hana bleef ineengedoken op haar knieën zitten en durfde amper adem te halen toen de deur werd dichtgeschoven en de voetstappen zich verwijderden. Ze had te laat beseft hoe goedgelovig ze was geweest. Ze drukte haar hoofd tegen haar knieën en begon te snikken.

Een hele tijd later keek ze op. Gezang galmde door het huis, evenals de klanken van shamisens en gepraat en gelach, maar de geluiden klonken gedempt, alsof ze van ver weg kwamen, vele wanden verder. Damp steeg op uit de ketel en de kooltjes in het komfoor gloeiden. De theekopjes en de penselen en de vaas met winterse takken, al die kleine dingetjes die in de kamer lagen, dansten in het flikkerende licht heen en weer alsof ze leefden. Ze haalde diep en huiverend adem en bette haar gezicht met haar mouw. Misschien had ze een kans, hoe klein ook, om weg te sluipen. Ze pakte haar bundeltje en schoof de deur op een kier.

De veranda buiten was leeg. Licht scheen achter de papieren wanden van de vertrekken rondom de binnenplaats en er bewogen schaduwen heen en weer; ronde mollige met dienbladen in hun handen en lange slanke die met sierlijke bewegingen een dansje deden. Hier en daar was de omtrek van een snel bewegende man te zien. Het zag er allemaal uiterst feestelijk uit, maar Hana wist dat het schijn was. Ze keek voorzichtig naar links en rechts, keek nog eens een tweede keer en stapte naar buiten. Heel even voelde ze een vlaagje hoop opwellen, maar toen besefte ze dat ze geen idee had waar ze heen moest. Ze schoof de deur dicht en sloop zo zacht als ze kon over de veranda.

Ze was net langs een paar kamers gelopen toen er opeens een deur open werd geschoven en er iemand naar buiten schreed, gehuld in fladderende zijde en geurend naar een muskusachtig parfum. Hana bleef doodstil staan. Haar hart bonsde hevig. Het gezicht van de vrouw leek te zweven in de duisternis. Het was net een wit masker, glad en zonder enige smet, en het glansde in het bleke licht dat door de schermen viel. In haar zwart omrande ogen was geen enkele uitdrukking te zien, en in het midden van haar boven- en onderlip zat een rond rood vlekje, waardoor haar mond een piepklein rozenknopje leek. Ze zag eruit als een porseleinen pop.

Geschrokken deinsde Hana terug en staarde de vrouw aan, die haar met hese, zangerige stem in onbegrijpelijke bewoordingen aansprak.

'Maar natuurlijk,' zei de vrouw traag. Ze sprak de lettergrepen zorgvuldig uit, alsof het een taal was die ze slechts zelden gebruikte. 'Je spreekt onze taal niet. Dat is het eerste wat je zult moeten leren. Blijf daar niet zo staan. Ik wilde je net komen halen.'

Terwijl de vrouw tegen haar stond te praten, zag Hana dat ze er onder al die dikke make-up eigenlijk heel gewoon uitzag. Ze had uitstekende lippen en haar dat niet glad, maar fijn krullend was. Er waren plukken losgeraakt die nu rond haar gezicht dansten, en uit de mouwen van haar oogverblindende rode kimono staken grote handen met dikke vingers.

Maar dat deed er allemaal niet toe. De verf op haar gezicht veranderde haar in een geheimzinnige verschijning, een wezen uit een andere wereld.

'Ik weet niet wie u denkt dat ik ben,' flapte Hana eruit. 'Ik woon hier niet. Ik wilde... ik wilde net weggaan.'

Ze hoorde zelf hoe belachelijk die woorden klonken. Vrouwen kwamen maar om één enkele reden naar een plaats als deze, en dat was niet voor een bezoekje.

'Jullie chique samoeraivrouwen, jullie zijn allemaal hetzelfde,' zei de vrouw. 'Jullie vinden jezelf te goed voor ons, maar jullie mogen blij zijn dat jullie hier mogen blijven. Heel veel meisjes worden weggestuurd. Dit is een goed huis. Ze hebben me gevraagd of ik me over je wil ontfermen. Je kunt me Tama noemen, zo heet ik.'

Zonder acht te slaan op Hana's protest pakte ze haar bij haar elleboog en leidde haar over de veranda en daarna een gang in. Door de kieren in de papieren deuren ving Hana af en toe een glimp op van de uitbundigheden die zich daarachter afspeelden. Ze hoorde mensen zingen en dansen en rook heerlijke geuren die haar eraan herinnerden dat ze heel erg veel honger had.

Een groepje jonge vrouwen in prachtige kimono's zeilde als een vlucht felgekleurde vogels naar hen toe. Hun witgeschilderde gezichten dansten in het lamplicht.

'Ik heb zo'n hekel aan die zuiderlingen,' zei een van hen hartstochtelijk. Ze sprak met schelle, hoge stem, maar haar tongval leek heel erg op die van Hana. Hana keek haar verbaasd aan. 'Ik spreid niet graag mijn dijen voor hen.'

'Maar zij zijn tegenwoordig de enigen met geld,' zei een ander. 'Met een beetje geluk zijn ze binnenkort weer verdwenen.'

Ze liepen langs Hana zonder haar echt te zien, als een rivier die rond een rots stroomde. Hana bloosde, en schaamde zich opeens voor haar vieze reiskleren.

'De zuiderling die ik moet vermaken blijft maar zeggen dat het afgelopen is met Edo,' mopperde de eerste vrouw met een minachtend gesnuif. 'Hij zegt dat de Yoshiwara het enige is wat het hier nog draaglijk maakt. Hij noemt onze mannen opstandelingen.' Haar stem veranderde in een boos gegrom. 'Opstandelingen! De brutaliteit! Hij beweert dat de "opstandelingen" die nog in leven zijn naar Sendai zijn getrokken en zich daar bij de marine, onze marine, hebben aangesloten.'

Hana's hart maakte een sprongetje. Sendai. In zijn laatste brief had haar echtgenoot gemeld dat hij op weg was naar Sendai.

De vrouwen sloegen de hoek om.

'Ze trekken naar het noorden, met een groot leger,' klonk de schrille stem zwakjes in de verte. 'Natuurlijk heb ik niet tegen mijn zuiderling gezegd wat ik echt dacht. Ik heb hem behaagd, hem verteld dat hij zo slim was. Nu weet ik zeker dat hij me nog meer zal vertellen. Maar ik weet nu al het belangrijkste: de schepen zijn uit-gevaren. Onze schepen.'

Hana kon haar zo duidelijk verstaan dat het was alsof ze naast de vrouw stond. Tenzij haar echtgenoot was gesneuveld, zou hij ook aan boord van een van die schepen zijn.

Dus er was nog hoop. Ze zou haar uiterste best moeten doen om in leven te blijven en de hoop blijven koesteren dat hij, als de oorlog voorbij zou zijn, naar de Yoshiwara zou komen om haar te redden.

7

Yozo had het nog nooit zo koud gehad. Het ene moment was de hemel nog stralend blauw geweest en hadden de rotsen gebaad in het zonlicht dat de speren en bajonetten van de mannen die voor hem ploeterden deed fonkelen, maar een tel later leek het wel nacht en blies een krachtige wind de hevig dwarrelende sneeuw in het rond. Het waaide zo hard dat hij zijn evenwicht bijna niet kon bewaren. De enige geluiden die afgezien van de wind de stilte verbraken, waren het kraken van de takken waarop de sneeuw zich steeds hoger optastte en het gedempte gebons dat af en toe klonk wanneer een bergje sneeuw van een van die takken op de grond gleed.

Aan het einde van de eerste dag was Yozo tot op het bot verkild en doornat. Hij klappertandde en had geen gevoel meer in zijn vingers en tenen. Samen met Kitaro en de andere mannen marcheerde hij ploeterend de berg op. Ze klauterden over stenen, moesten voortdurend de vochtige sneeuw van hun kleren vegen en kwamen slechts pijnlijk langzaam vooruit op hun lange tocht over de pas naar het fort en de stad Hakodate.

Tegen het vallen van de avond konden ze de vage omtrekken onderscheiden van gebouwen die dicht opeen langs een bevroren meer stonden, omringd door bomen. Rond het dorpsplein stonden grote huizen met steile rieten daken waaruit de verlokkende geuren van houtvuur en gekookt eten kwamen. Magere honden met dikke witte vachten slopen er rond. De dorpelingen krompen ineen toen ze de soldaten met hun geweren zagen. Het waren lange, zwaargebouwde mannen met warrig haar en lange baarden, gekleed in dikke, doorgestikte gewaden of berenvellen: waarschijnlijk Ezo, de oorspronkelijke bewoners van dit eiland. De soldaten wisten niet beter of dit waren wilden die op zalm visten en op beren joegen.

Yozo hoorde het gemompel onder de troepen: 'De commandant zegt dat we hier vannacht worden ingekwartierd.'

Hij liep met Kitaro op zijn hielen een van de huizen binnen. Het rook er sterk naar vis, maar het was er in elk geval warm en hier waren ze beschut tegen de elementen. Toen zijn ogen aan het donker gewend waren geraakt, zag hij in het midden een vuurplaats met eromheen ruwe stromatten, uitgespreid over de vochtige aarden vloer. Reepjes opgerolde berkenschors die in houders stonden te branden, verspreidden een flakkerend licht. Het duurde niet lang voordat ruim vijftig mannen binnen rond de gloeiende houtblokken waren neergehurkt. Ze bliezen in hun handen en wreven die langs elkaar. De geur van de rook van het vuur vermengde zich met de stank van zweet en vuile uniformen.

De Ezo, die de soldaten dolgraag tevreden wilden stellen, renden in het rond om iedereen van iets te eten te voorzien.

Yozo hurkte met een kom soep in zijn handen neer op de ruwe matten. De soep was een dikke bouillon en verspreidde een onbekend, tikje ranzig luchtje dat aan olie deed denken. Er dreven graten in de kom. Hij trok zijn neus op, nam een slokje en merkte tot zijn opluchting dat de soep warm en stevig was. Om hem heen zaten zijn metgezellen luidruchtig te praten en bulderend te lachen.

'Weet je nog die keer dat we de herberg van Ikedaya bestormden?' zei een stem. 'Toen heb ik zestien van die zuidelijke rotzakken neergeslagen. Ik heb ze geteld.'

'Dat is nog niets,' zei een ander. Hij sloeg met zijn vuist op de vloer. 'Ik had er twintig.'

'Ik zou graag weer eens mijn zwaard door een stel botten laten gaan,' merkte een derde man op. Hij had een donkere gelaatskleur en de brede neus en het vlezige gezicht van een boer.

'Misschien kan dat morgen al, als we geluk hebben,' zei de eerste. 'Als we Goryokaku bereiken.'

Een vrouw legde hout op het vuur. Eerst dacht Yozo dat ze glimlachte, maar toen zag hij dat ze een tatoeage rond haar mond had die op een snor leek. Boven de herrie uit hoorde hij een toonloos gebrom. Een van de vrouwen had een instrument opgepakt en zat er zachtjes zingend op te tokkelen.

Door de rook heen zag Yozo commandant Yamaguchi in het gedempte licht zitten. Hij zat met kaarsrechte rug op een verhoging achter in de ruimte en sprak met een paar van zijn luitenants. Het was een vreemd gezicht om die grote militaire leider hier in een boerenhut te zien zitten, maar hij zat er even trots bij alsof dit het paleis van een koning was.

Yozo keek even naar Kitaro. Ook hij had nadenkend naar de bevelhebber zitten kijken, alsof hij zich net als Yozo afvroeg wat ze hier eigenlijk deden, aan het einde van de wereld, in een land dat alleen geschikt was voor wilden.

De volgende dag strompelde Yozo aan het begin van de middag weer voort, te verstijfd van de kou om iets te kunnen zeggen. Hij probeerde de commandant, die helemaal vooraan voortstapte, niet uit het oog te verliezen. Ze marcheerden door een woud, en de hoge dennen en het stille witte landschap deden Yozo denken aan de grote kathedralen van Europa. Dat waren de prachtigste gebouwen die hij ooit had gezien, zo hoog oprijzend naar de hemel.

Hij liet zijn gedachten afdwalen naar de Avalon, de stoomboot die hem van Rotterdam naar Harwich en het machtigste land op aarde had gebracht. In Harwich had hij de trein genomen naar Londen, waar hij vol verwondering over straat had gelopen, met stomheid geslagen door de grootse stenen bouwwerken die zo veel rijkdom en geschiedenis uitstraalden. Hij had zich verbaasd over de openbare pleinen en over de godshuizen, die zo hoog waren dat hij pijn in zijn nek kreeg wanneer hij opkeek naar de torenspitsen die tot in de hemel leken te reiken.

Maar nu hij terug was in Japan waren het niet de gebouwen die hij miste, maar eerder de alledaagse aanblikken van de huurkoetsjes, de vrouwen in jurken met de vorm van tempelbellen, de Metropolitan Railway die als een mol diep onder de aarde begraven lag, het oorverdovende gefluit van de treinen, het verstikkende kolengruis dat de hemel vulde, en de dikke vochtige mist – 'net erwtensoep,' zeiden de mensen – die 's winters dagenlang boven de stad had gehangen.

En bovenal waren er de vrouwen geweest, die met hun opbollende boezems en een glimlach op hun beschilderde gezichten over de Haymarket heen en weer hadden gelopen. Hun blauwe ogen en gele haar en roze wangen maakten hen zo anders dan de dames uit de Yoshiwara, maar ze boden net zo'n welkom en troost. Hij had er heel wat voor over om ooit weer terug te kunnen gaan.

Opeens merkte hij dat hij op de hielen van de man voor hem trapte. De commandant was even op een open plek blijven staan, maar beende nu naar een rotsblok, sprong erop en haalde een telescoop tevoorschijn. Hij keek voor zich uit, draaide zich toen om en maakte een dwingend wenkend gebaar dat Yozo ruw naar het heden terugvoerde.

Hij zette zijn eigen telescoop aan zijn oog en stelde hem in. Ze hadden de top van de pas bereikt, en onder hen strekte zich, zo ver als het oog kon zien, een glinsterende vlakte van sneeuw en ijs uit, bekroond door de laaghangende koepel van de hemel en in de verte omzoomd door heuvels. Aan een kant tekende zich een web van straten en huizen af in de sneeuw, en in de verte lag de oceaan, grijs als lood. Ze waren het schiereiland overgestoken. Vlak onder hen, klein maar duidelijk afgetekend tegen het oogverblindende wit, lag een volmaakt gevormde vijfpuntige ster: het fort Goryokaku. Yozo zag de rook binnen de muren opstijgen en het ijs glinsteren op de gracht.

'Het sterfort!' riep iemand. Andere riepen naar de hemel: 'Het sterfort! *Banzai!*'

Yozo's vingers en tenen waren net ijsklompjes, maar hij merkte het amper. Snel verspreidden zijn metgezellen en hij zich over de open plek; sommige doken weg tussen de bomen, andere klommen op rotsblokken. De commandant stond trots met een kaarsrechte rug en zijn borst vooruit op een grote, uitstekende rots. Zijn laarzen van westerse snit zaten onder de aangekoekte sneeuw en modder en zijn glanzende zwarte haar viel in wilde lokken rond zijn gezicht toen hij neerkeek op zijn manschappen.

'Mannen van de Kyoto-militie,' riep hij met een stem die luid weergalmde in de stilte. 'Vrijwilligers, patriotten.' Hij gebaarde met zijn arm naar de vlakte. 'Zie daar het sterfort, een vijfpuntige ster, net als de ster van de Noordelijke Alliantie. Het behoort ons toe, het is van ons, dat is onze bestemming!

De verraders uit het zuiden hebben onze heer uit het kasteel van Edo verdreven en hem tot balling gemaakt. Ze hebben onze familieleden vermoord, onze landerijen verwoest en onze kastelen ingenomen. Maar nu zal het tij keren. Dit is onze kans.

We weten allemaal dat het sterfort ondoordringbaar heet te zijn. Maar de mannen van het garnizoen hebben onlangs de kant van de tegenpartij gekozen en zijn niet langer bereid te sterven voor een zaak waarin ze niet geloven. En wat ons betreft, wij zijn grote krijgers. We vechten voor onze heer en we zijn niet bang voor de dood.

Generaal Otori trekt met het reguliere leger op door de pas aan de andere kant van de heuvel. Ze zullen het fort van het noorden aanvallen en de noordelijke brug innemen. Het is onze taak om in groepjes van twee en drie naderbij te sluipen en de brug aan de zuidkant te veroveren. We zullen ons goed verstoppen en pas onder de dekking van de duisternis onze aanval inzetten. Zodra we het fort in handen hebben, zal Hakodate van ons zijn en zal onze vloot voor anker gaan in de Baai van Hakodate. Vandaag Goryokaku, morgen heel Ezo! Leve de shogun! Banzai!'

De soldaten juichten zo luid dat de brokken sneeuw van de takken van de bomen vielen.

Yozo lachte hardop. Hij wilde dolgraag aanvallen, hij wilde dolgraag zijn geweer in handen houden en de terugslag voelen, hij wilde zijn zwaard in vlees voelen hakken. Zelfs Kitaro straalde en schreeuwde uit volle borst.

De mannen daalden samengepakt als een roedel wolven de heuvel af en verspreidden zich toen geluidloos over de vlakte. Het werd al donker en de sneeuw dempte het geluid van hun voetstappen.

Yozo en Kitaro bleven bij elkaar en ploeterden samen door de sneeuw, onder dekking van de bomen, en hielden de lopen van hun geweren bedekt en hun munitie droog. Een paar keer vergiste een van hen zich in de dikte van het pak sneeuw en zakte tot aan zijn nek weg in een door de wind opgestuwde berg. Toen de schemering was ingevallen, zagen ze de dikke granieten muren vlak voor hen uit de deken van wit oprijzen, met hier en daar de schaduwen van de kanonnen. Yozo had een droge mond. Zijn hart klopte snel en het voelde alsof er een knoop in zijn maag zat. Het was zover.

Er klonk een hoog gefluit, als de kreet van een vleermuis, en Yozo keek om zich heen. Schimmige gedaanten maakten opgewonden gebaren. Ineengedoken slopen ze naar de muren, als zwarte vlekjes in de sneeuw. Yozo haalde snel en oppervlakkig adem en voelde zijn hart bonzen. Hij moest blijven opletten, hij moest kalm en geconcentreerd blijven, zei hij tegen zichzelf.

De mannen omsingelden de slotgracht in groepjes van twee en drie en deden hun best om uit het zicht te blijven. Bergen sneeuw waren tegen de muren aangeschoven of lagen in hoopjes langs de borstweringen. De gracht was bedekt met een laag ijs.

Op de brug was de sneeuw geruimd. Yozo liep ineengedoken, met de lichte tred van een wilde kat zonder geluid te maken over de berijpte planken, met de andere mannen vlak achter hem. Hij zag de schildwachten met hun lange legerjassen en strosandalen naast de grote poorten staan. Hun adem vormde wolkjes in de vrieskou. Ze stonden er ongemakkelijk bij, alsof ze zich niet op hun gemak voelden in hun uitheemse kledij. Yozo pakte zijn dolk, greep een van hen bij zijn nek en sneed hem de keel door. Het warme bloed spoot naar buiten en stroomde over zijn hand. Toen een tweede schildwacht naar hem toe schoot, stapte Yozo over het lijk heen en stak zijn dolk in de buik van de ander.

Samen met Kitaro trok hij de lichamen van de schildwachten opzij. De andere mannen renden zonder geluid te maken voorbij. Toen gingen de poorten krakend open en stroomden de soldaten naar binnen, met de commandant aan het hoofd. Yozo ving een glimp op van zijn ogen, die snel heen en weer schoten in het duister en alles zagen, als de ogen van een wolf.

Eenmaal binnen zag Yozo dat het sterfort in niets te vergelijken was met alle andere kastelen die hij ooit had gezien. Het was een doolhof, een uitgestrekte wirwar van barakken. De mannen renden van het ene gebouw naar het andere, met de schaduwen als dekking, en hadden als einddoel een reusachtig houten bouwwerk met steile daken, bedekt met een dik pak sneeuw, waaruit een wachttoren omhoogstak. Onder overstekende dakranden hingen de ijspegels als speren te glimmen. De wind blies de sneeuw rond in kleine draaikolkjes die glinsterden in het duister. Het leek alsof de mannen en de gebouwen waren bedekt met een dun laagje stof.

Opeens klonk er een oorverdovend luide knal. Yozo liet zich op de grond vallen en trok Kitaro met zich mee. Een paar tellen later hief hij zijn hoofd op en keek om zich heen. Er klonk een tweede knal, en Yozo besefte dat het geluid van buiten het fort kwam. Er klonk weer een dreun, en toen nog een, en daarna het snelle knallen van geweervuur. Licht flitste aan de hemel en werd door de wolken weerkaatst, en opeens was de omtrek van het grote fort duidelijk te zien.

'Onze mannen. Generaal Otori,' mompelde hij. Kitaro knikte. Yozo hoorde dat zijn vriend opgelucht uitademde.

Een ontploffing scheurde de lucht aan stukken, en heel even baadde het bijeengeraapte leger van de bevelhebber, de zeshonderd verschoppelingen, in het licht. Ze zagen de mannen met hun geweren in de aanslag naar het fort rennen. In het fort klonk het waarschuwende gebeier van een klok, gevolgd door een spervuur van schoten.

'Geef ons dekking!' blafte de commandant.

Yozo klom snel in een van de bomen rond het fort en zette zich klem tussen de takken. Hij haalde een patroon uit zijn tas, laadde zijn Snider-Enfield en richtte op de lichtjes die achter de ramen bewogen. Yozo vuurde. Terwijl de commandant en zijn mannen zich brullend als een stel wilde dieren op de deur stortten, herlaadde en vuurde hij keer op keer.

Opeens schoot er iets fluitend langs zijn oor en dook hij ineen. Een kogel. Gevolgd door een tweede kogel, die zich in de boomstam boorde. Yozo bukte zich en liet zich half springend vanuit de boom in een berg sneeuw vallen. Donkere gestalten renden met flitsende zwaarden op hem af. Yozo krabbelde overeind, greep zijn geweer bij de loop beet en zwaaide de kolf in het rond. Het wapen suisde door de lucht en verbrijzelde met een krakend geluid een schedel. Een man rende onder het slaken van een strijdkreet op hem af, maar

Yozo zwaaide zijn wapen over zijn schouder en legde zijn hand op het gevest van zijn zwaard. Met één beweging trok hij het uit de schede en stak de punt in de nek van zijn tegenstander. Hij deed een stap opzij, zodat de man naar voren kon vallen.

Hij draaide zich met een ruk om toen hij snelle voetstappen naderbij hoorde komen en kon nog net een slag afweren. Met al zijn kracht stortte hij zich op de aanvaller, en ze rolden stompend en naar elkaar klauwend door de sneeuw. Ten slotte wist Yozo de arm van de ander naar achteren te buigen en kon hij zijn knie in diens rug planten, zodat de man met zijn gezicht naar beneden in de sneeuw gedrukt werd.

'Waarom vecht je voor verraders?' schreeuwde Yozo.

De man spartelde wanhopig. Yozo hield hem tegen de grond gedrukt, maar keek op toen hij tromgeroffel hoorde. Het licht van vele lantaarns danste tussen de bomen. In de verte klonk een geluid dat al snel aanzwol tot lawaai. Duizenden in strosandalen gehulde voeten liepen stampend over de brug aan de noordzijde en renden door de grote poorten in de dikke granieten muren het fort binnen. Hij ving een glimp op van iets wat boven de bomen fladderde. De vijfpuntige ster van de Noordelijke Alliantie.

De resterende leden van het garnizoen stommelden met hun handen boven hun hoofd het hoofdkwartier van het kasteel uit. Hun uniformen waren gescheurd en zaten onder het bloed.

Yozo liet zijn tegenstander los. 'Sta op,' zei hij bars.

De man rolde op zijn knieën en hapte schokkend over zijn hele lijf naar adem. Hij was mager en jong, niet ouder dan zestien, en had konijnentanden en een huid vol pukkels. 'Hier zul je voor boeten,' snauwde hij.

'Ga maar terug naar je ouders,' zei Yozo vermoeid. 'En wees blij dat je nog leeft.'

Die avond vierden ze feest. In het kasteel hield generaal Otori hof en prees de mannen voor hun moed.

De commandant zat buiten met de militie. De mannen hadden zich rond kampvuren geschaard en zaten te eten en te drinken, en daarna stonden ze een voor een op en begonnen aan de langzame, statige Noh-dansen. Later, na een ruime hoeveelheid rum en rijstwijn, gaven ze zich over aan nostalgische liederen die verhaalden over hun verlangen naar huis, naar de vrouwen en geliefden die ze hadden achtergelaten.

'O, neem me mee naar huis, naar mijn huis in het noorden, neem me mee naar huis,' begon een van hen, en de anderen wiegden heen en weer en vielen tijdens het refrein met zachte stem in.

Deze mannen wisten in elk geval waar hun huis was, bedacht Yozo, ook al was de kans groot dat het niet meer overeind zou staan. Een groot deel van de huizen was nu waarschijnlijk al platgebrand, hun vrouwen en kinderen waren vast dood. Maar hij... Zijn familie was dood, dat was een ding dat zeker was. Hij had zo veel gereisd en was zo lang weggebleven dat de Kaiyo Maru het enige thuis was dat hij had.

Hij keek even naar de commandant, die op enige afstand van de anderen in de schaduw zat te staren naar de vlammen waaraan hij zijn handen warmde. Het licht van het vuur benadrukte de grove lijnen van zijn gezicht en leek te branden in zijn ogen, waarin Yozo een onverwachte zachtheid ontwaarde, alsof de commandant dacht aan iets of iemand van lang geleden. Hij wendde zijn blik af omdat hij het gevoel had dat hij getuige was van iets persoonlijks.

'Hé, Tajima,' riep een van de mannen. 'Zing eens een Hollands liedje voor ons. Iets droevigs.'

Yozo trok een boos gezicht. Het laatste wat hij wilde, was iedereen laten merken dat Kitaro en hij niet zo waren als zij.

'Ik ken geen liedjes,' mompelde hij.

'Liedje! Liedje!' scandeerden de mannen.

Kitaro, die naast Yozo zat, kondigde aan: 'Ik weet wel iets.' Yozo pakte hem bij zijn arm om hem tegen te houden, maar hij schudde hem af en krabbelde aangeschoten overeind. In het licht van het vuur leek zijn nek met de uitstekende adamsappel langer en dunner dan ooit.

Hij bleef even staan en staarde naar het vuur in een poging zich de woorden te herinneren, en barstte toen al heen en weer wiegend los in een zeemanslied:

Elk half uur wordt een glas geslagen
Om twaalf uur schiet men ook de zon.
De fokken trekken aan de stagen...

Yozo sloot zijn ogen. De buitenlandse woorden voerden hem mee naar plaatsen ver weg, naar de reis naar Europa van lang geleden. Opeens was hij weer op volle zee en drongen de geuren van zout en zweet en olie en kolen in zijn neus en hoorde hij weer de zeelui zingen terwijl ze trekkend aan de lijnen stukje bij beetje het marszeil hesen. Maar de soldaten schoven onrustig heen en weer, en hij besefte dat het lied in hun oren schril en vals klonk.

'Wat is dat nu weer voor een lied?' blafte een stem. Kitaro's stem stierf weg en hij staarde naar de grond.

'Een zeemanslied,' mompelde hij met tegenzin. 'Dat zingen we als we het marszeil hijsen.'

'Is dat zo?' zei de bevelhebber, die de woorden op sardonische toon uitrekte. 'Het klinkt als een lied van de barbaren. Jullie twee weten wel erg veel over uitheemse streken, maar als je te vaak met barbaren omgaat, ga je net zo stinken als zij. Dat mag je niet vergeten. We hebben al genoeg te stellen met die vreemdelingen die ons land binnendringen, onze bodem vertrappen, zich met ons leven bemoeien en wapens aan onze vijanden verkopen. Maar jullie... Jullie zien er Japans uit, jullie kunnen ons gemakkelijk laten geloven dat jullie net zoals wij zijn, maar hoe kunnen we nu zeker weten dat jullie ons niet bespioneren? We hebben die barbaarse gewoonten van jullie helemaal niet nodig.'

Er viel een geschokte stilte. Toen pakte een soldaat een shamisen en begon een nostalgische melodie te spelen.

'Jullie zijn zo dapper dat we het deze keer door de vingers zullen zien,' zei de commandant met een boze blik op Yozo. 'Maar kwel onze oren niet weer met die lelijke barbaarse liederen.'

'Barbaren hebben ook een hart,' zei een schorre stem met een sterk accent in het Japans.

De commandant draaide zich langzaam om en keek naar de lange, zwaargebouwde man met de diepliggende ogen en de volle snor, die op een rots in de schaduwen gehurkt zat. Het was Jean Marlin, de ernstige Fransman met het vlezige gezicht die de troepen van generaal Otori had begeleid.

De mannen maakten plaats rondom het vuur. Marlin was een barbaar, dat was een ding dat zeker was, maar hij was ook een vriend, een goed soldaat en een leermeester. Hij verdiende respect.

De commandant gromde even, en Yozo verstijfde omdat hij de blik van de man naar hem en Kitaro voelde gaan. In het licht van het vuur was zijn gezicht even ondoorgrondelijk als de maskers van de spelers in een Noh-drama. De commandant was voor schut gezet en hij zou dat Yozo en Kitaro verwijten, hoe onterecht dat ook was. Ze zouden op hun tellen moeten passen.

8

De volgende morgen vroeg vertrokken Yozo en Kitaro aan het hoofd van een troep soldaten naar de haven van Hakodate, een stadje dat uitgesmeerd over de vlakte lag. Toen ze tussen de opgeveegde bergen sneeuw door de brede straten liepen, viel het Yozo op hoe klein en armetierig de houten huisjes waren. Tussen de sneeuw op de daken waren stapstenen zichtbaar die daar waren neergelegd om te voorkomen dat de wind de pannen weg zou blazen. Vrouwen in dikke kleren, met gezichten vol rode adertjes en opgezwollen handen vol kloven, stonden zonder te glimlachen achter kraampjes waar berenvellen, otterbont, hertenvellen en hertengeweien werden verkocht. Op andere kraampjes spartelde de zalm, en er werden ook lappen beren- en hertenvlees aangeboden. Het was een ellendig oord.

Hij glimlachte toen hij een vleug zeelucht rook en versnelde zijn pas. Ze liepen haastig over de weg die tussen de oceaan en de steile helling van de berg Hakodate lag naar de haven, waar het water grijs en somber onder de loodgrijze hemel kolkte. Jonken die voor anker lagen, dobberden op en neer, meeuwen doken krijsend naar beneden en stegen weer op en dansten als zwarte stippen boven de golven. De baai werd omringd door ruige, besneeuwde heuvels. Het was een perfecte haven, precies zoals Enomoto al had gezegd, aan drie zijden door het land beschermd tegen bitterkoude wind en hoge golven.

Yozo liet de soldaten samen met groepen dokwerkers de kade sneeuwvrij maken, zodat er kon worden aangemeerd. Aan het eind van de middag deed een soort zesde zintuig hem opkijken. Het avondlicht onttrok de heuvels aan de overkant van de baai steeds meer aan het zicht en een verdwaalde straal zonlicht viel op het grijze water. Achter de kaap verscheen aarzelend de punt van een vertrouwde boegspriet. Yozo merkte dat zijn hart sneller begon te kloppen en dat zijn ademhaling vlugger ging.

'De Kaiyo Maru!' riep hij uit.

Kitaro rechtte zijn rug en slaakte een vreugdekreet toen de slanke zwarte boeg en de glanzende romp in zicht kwamen, bekroond met de bolle zeilen. Boven aan de grote mast wapperde de vijfpuntige ster van de Noordelijke Alliantie, op de bezaansmast de rode zon van Japan. Op de voorsteven zat geen boegbeeld, maar het wapen van de shogun, de drie blaadjes van een stokroos. De soldaten gooiden hun scheppen neer en begonnen te juichen.

Yozo keek naar de seinvlaggen die in een kleurige lijn tussen de masten hingen: 'Toestemming om aan land te gaan?'

Hij haalde zijn spiegeltje uit zijn zak, hield dat in de straal zonlicht en stuurde in een reeks korte en lange flitsen een boodschap terug: 'Aan land gaan toegestaan.'

Er flitste een antwoord vanaf het bovendek: 'Komen aan land.' Er klonk een aantal oorverdovende knallen en rookwolken stegen op uit de geschutspoorten. Kanonskogels vielen met een plons in zee, zodat het water hoog opspatte, en de geluiden werden door de omliggende heuvels weerkaatst.

De soldaten stelden zich in een rij op en keken met hun handen beschermend boven hun ogen naar het saluut. Ze sloegen elkaar op de rug toen het schip als een grote witte zwaan de haven binnenvoer. De andere zeven schepen van de vloot volgden in een lange rij.

'Banzai! Banzai!' De mannen schreeuwden totdat ze er schor van waren. Ze zaten hoog en droog. Het fort was van hen, en Hakodate ook. Het eiland telde slechts twee andere steden, Matsumae en Esahi, en zodra ze die zouden hebben ingenomen, zou heel Ezo in noordelijke handen zijn. Hun tijd was eindelijk gekomen.

Later die avond sprong Yozo de loopplank op en liep naar het schip, blij dat hij het vertrouwde deinen weer onder zijn voeten voelde. Terwijl hij naar de hut van de kapitein liep, keek hij om zich heen en nam alles in zich op. Geen plank of nagel ontging hem, en hij wilde zeker weten of alles nog precies hetzelfde was. De Kaiyo Maru was niet zijn persoonlijke bezit en dat kon het ook nooit worden; het behoorde de shogun en het land toe. Toch hield iedere man die met haar voer van het schip. Yozo wist echter dat zijn liefde nog groter was. Hij kende het al vanaf het allereerste begin, toen het nog slechts een voornemen van de shogun was geweest; hij was erbij geweest toen de opdracht tot de bouw werd gegeven en had toezicht gehouden op de scheepswerf; hij had vol trots toegekeken toen het te water werd gelaten en had het vanaf de andere kant van de wereld naar Japan gevaren. Zijn lot was met het schip verbonden.

Enomoto zat in zijn hut zijn papieren door te nemen en keek op toen Yozo de deur opende. De gouden tressen op zijn zwarte uniform glansden toen hij opstond. Even leek hij de afstandelijke admiraal die hij zo vaak was, maar toen zijn blik op zijn vriend viel, verscheen er een glimlach op zijn strenge gezicht.

'Precies degene die ik wilde zien,' zei hij stralend. 'Het was een flinke klus om het schip hierheen te krijgen. We hebben zwaar weer gehad en de bemanning heeft behoorlijk geleden, maar gelukkig konden we het met wind mee de haven binnenvaren.' Hij liep naar een kast met een glazen deur en keek aandachtig naar de flessen die erin stonden. 'Neem plaats,' zei hij, met een gebaar naar een met rood fluweel beklede stoel met kromme leeuwenpootjes.

Yozo keek om zich heen. Het vertrek had iets koninklijks, met de palissanderhouten schrijftafel, de schilderijen van Hollandse taferelen, de opgewreven boekenkast, het dikke rode kleed, de eettafel waaraan Enomoto alleen of met zijn officieren at en de schrijn aan de muur. Zeker na de zware lange mars over de besneeuwde pas was deze kamer een verademing. Tegelijkertijd had het iets wonderbaarlijks: een chique Hollandse salon, een klein stukje Nederland dat onder de grijze hemel van Ezo zachtjes op en neer deinde op de golven.

Iedereen was van mening dat Enomoto afgezonderd van zijn mannen leefde en boven hen stond. Hij was verantwoordelijk voor de levens en het welzijn van de bemanning en eiste volledige gehoorzaamheid en trouw. Pas wanneer hij alleen met Yozo was, kon hij zich ontspannen. Nu haalde hij een karaf van geslepen glas uit de kast. 'Kun je je die cognac nog herinneren die ik uit Frankrijk heb meegebracht?' zei hij.

Yozo grinnikte. Hij kende het ritueel. 'Je probeert er zo lang mogelijk mee te doen.'

'Ik bewaar hem voor speciale gelegenheden.'

Met een zwierige beweging haalde Enomoto de dop van de karaf en schonk een paar glazen in. Daarna pakte hij een doos sigaren, bood Yozo er eentje aan en stak er zelf ook een op. Ze zaten een tijdje vriendschappelijk zwijgend bij elkaar terwijl de rook boven hun hoofden kringelend opsteeg. De geur voerde Yozo terug naar de elegante salons in Europa, naar de herensociëteiten met leren fauteuils en grote mannen met rode neuzen, dreunende stemmen en een grove, bleke huid.

'Dus je hebt je aardig weten te weren,' zei Enomoto ten slotte.

'Ik heb mijn best gedaan,' zei Yozo.

'En het fort behoort ons toe.' Enomoto keek Yozo ingespannen aan, met een akelig vastberaden blik in zijn ogen. 'Vertel eens wat er is gebeurd. Het ware verhaal. Ik krijg de officiële versie gauw genoeg te horen.'

'Veel valt er niet te vertellen,' zei Yozo. 'Ze waren lang niet zo goed getraind en gewapend als wij. Sterker nog, ze waren niet bereid te sterven. Ze hielden het dan ook niet lang vol; een groot deel van hen is op de vlucht geslagen. Als de garnizoenen in Matsumae en Esashi uit net zulke slappelingen bestaan, kunnen we zo naar binnen wandelen.'

Enomoto knikte en trok aan zijn sigaar. 'Goed gedaan,' zei hij. 'En de commandant?'

Yozo wist dat dat de vraag was die Enomoto echt wilde stellen. Hij staarde naar het rode pluchen kleed. 'Het is niet aan mij een oordeel te vellen over de bevelhebber,' zei hij ten slotte.

'We kennen elkaar al een hele tijd, Yozo, en we zijn hier onder elkaar,' zei Enomoto. 'Vertel eens, is hij een goed strateeg, of kan hij alleen maar met zijn zwaard zwaaien? Kunnen we hem vertrouwen?'

'Hij is een krijger om rekening mee te houden,' zei Yozo. 'Ik maak me vooral zorgen over de vraag of hij je gezag zal accepteren als we het eiland hebben ingenomen.'

Tien dagen na hun aankomst in Hakodate waren Yozo en Kitaro terug aan boord van de Kaiyo Maru en voeren ze rond de kaap naar het stadje Esashi. De commandant had met de hulp van een ander schip van de noordelijke vloot Matsumae, de andere stad die de kant van de zuiderlingen had gekozen, reeds ingenomen.

Yozo stond aan dek toen het kasteel van Matsumae in zicht kwam. Het was een ruïne. De dikke stenen borstweringen lagen in puin en leken net een mond met een gebroken gebit, de muren zaten vol gaten van de kanonskogels en de pannen waren losgeraakt van de daken. Afgebroken balken staken door de sneeuw omhoog. Boven op de citadel wapperde de vlag van de Noordelijke Alliantie. De stad zelf was verwoest door brand. Uit de zwartgeblakerde gebouwen stegen nog steeds rookpluimen op.

'De duivelse commandant heeft er korte metten meegemaakt,' merkte Yozo op. 'Het ziet ernaar uit dat hij naar hartenlust tekeer is gegaan, en het lijkt wel alsof elke slag een persoonlijke vete voor hem is. Dit kasteel was zo oud dat het geen schijn van kans maakte tegen kanonnen en geweervuur. Ik neem aan dat er aan onze zijde niet veel slachtoffers zijn gevallen.'

'Met een beetje geluk pakken de zuiderlingen in Esashi nu meteen hun biezen,' zei Kitaro, 'en gaan ze ervandoor voordat de commandant daar aankomt.'

De ruïnes van Matsumae verdwenen in de verte toen de Kaiyo Maru rond de kaap voer en koers zette naar het noorden, de westkust van het eiland volgend. Het duurde niet lang voordat er een harde wind opstak die de golven hoog opstuwde en het schip te pletter dreigde te laten slaan op de rotsen waarmee de kustlijn bezaaid was.

Snel gaf Enomoto het bevel om over te gaan op stoom, waarop de bemanning de zeilen streek en de stokers de machines tot volle kracht opstookten. Meer konden de stuurlui helaas niet doen om het schip op koers te houden.

Het sneeuwde al behoorlijk toen Esahi in zicht kwam. Het was een onherbergzaam, winderig oord, een verzameling armzalige huisjes die onder een dik pak sneeuw tegen de helling gevlijd lagen. De mannen laadden de kanonnen en richtten ze op de stadsmuren, maar er heerste een ongebruikelijke stilte. Het leek wel een spookstad.

Yozo en Kitaro stonden samen met Enomoto op de brug, met hun telescopen in de aanslag.

'Je hebt gelijk,' zei Yozo tegen Kitaro. 'Het garnizoen is gevlucht.'

'Dus de stad is van ons, zonder dat we ervoor hoeven te vechten,' zei Kitaro met een stralend gezicht.

'De landmacht is blijkbaar nog niet gearriveerd,' zei Enomoto, die naast hen stond. 'Ik zal de troepen de stad in sturen, zodat ze die kunnen innemen. Met dit weer kunnen we maar beter zo veel mogelijk mannen van boord zien te krijgen. Kijk eens wat het peillood heeft gemeten. Ik wil op een veilige afstand voor anker gaan.'

De bemanning bond de zeilen vast en liet de sloepen zakken, zodat het niet lang duurde voordat er een bootje op weg was naar de stad. Het dobberde vervaarlijk op en neer op de golven. Al snel werd het signaal gegeven dat alles veilig was en konden driehonderdvijftig zeelieden samen met de soldaten van boord gaan en in de sloepen naar de stad varen. Enomoto bleef samen met Yozo, Kitaro en een kleine ploeg van vijftig man sterk aan boord achter.

De avond viel al vroeg. Yozo hing een hangmat op het geschutsdek, sloot zijn ogen en was binnen een tel onder zeil, in slaap gewiegd door het zachte schommelen van het krakende schip. Opeens schrok hij wakker. Zijn hangmat zwaaide zo hevig heen en weer dat hij er elk moment uit dreigde te vallen. Het schip ging wild op en neer.

Hij klauterde de ladder naar het bovendek op, waar acht stuurlui zich aan het stuurwiel hadden vastgebonden. Boven het gebrul van de storm uit hoorde hij de rammelende ankerkettingen die het bokkende en deinende schip op haar plaats moesten houden. Bliksemschichten verlichtten de hemel, wolken raasden voorbij en enorme golven ijskoud water sloegen over het dek. Yozo was al snel doorweekt. Het grote schip ging als een stuk speelgoed heen en weer, de wind trok er zo hevig aan dat het voelde alsof het elk moment van zijn ligplaats kon losschieten en tegen de kust kapot kon slaan.

Enomoto kwam zijn hut uit en gaf het bevel de ankers te lichten en de motoren verder op te stoken. Al snel was het de beurt aan Yozo en Kitaro om hun plaats aan het stuurwiel in te nemen en het schip op de juiste koers te houden. Ze moesten het naar open zee zien te krijgen, weg van de gevaarlijke kustlijn. De wind gierde over het dek en blies ijs en wind recht in hun gezicht.

Toen de volgende wacht hen kwam afwisselen, klom Yozo tot op het bot bevroren de ladder af naar het geschutsdek. Het was pikdonker omdat Enomoto vanwege het brandgevaar de lantaarns had laten doven. Yozo stak een lantaarn aan en maakte zijn ronde. Hij was net bezig te controleren of de geschutspoorten goed waren afgesloten en de kanonnen stevig waren vastgebonden, toen een hevige schok hem over het dek deed vliegen. Hij schoot met zo veel kracht naar voren dat hij tegen een kanon sloeg en zijn lantaarn uit zijn hand liet vallen. Hij bleef even als verdoofd in het duister liggen, zijn armen en benen uitgespreid, en krabbelde toen sneller dan hij voor mogelijk had gehouden weer overeind en schudde zijn hoofd om het suizen in zijn oren te laten verdwijnen. Slechts één gedachte beheerste hem, akelig duidelijk: ze leden schipbreuk.

Hij besloot naar het ketelhok te gaan en liep op de tast naar het luik, waarbij hij telkens heen en weer werd geslingerd omdat het schip als een bezetene op en neer deinde. Hij wist dat de eikenhouten romp bijna veertig centimeter dik was en dat er heel veel kracht nodig zou zijn om die in tweeën te laten splijten. Het schip bestond uit acht aparte compartimenten, dus ook al zou er een gat in de romp worden geslagen, dan nog zou het een hele tijd duren voordat het water de andere delen binnen zou sijpelen. Met een beetje geluk zou het gat worden gevonden en gedicht voordat de schade al te groot zou zijn, maar iets aan de manier waarop het schip bewoog deed bij Yozo het vermoeden rijzen dat hij niet te veel hoop moest koesteren. Hij struikelde over het luik en viel bijna langs de ladder naar beneden. Toen kwam er een lantaarn op hem af. Het was Enomoto.

Hun blikken kruisten elkaar even.

'We zijn waarschijnlijk op een rots gelopen,' riep Enomoto boven het gebons en gebulder uit. 'Ik laat het anker lichten en de motoren gaan in hun achteruit. Een van de mannen is langszij gegaan om te kijken waar de breuk zit, en een paar anderen zijn in het ruim om de schade op te nemen.'

Yozo knikte grimmig. Met dit weer stond een duik over de rand min of meer gelijk aan zelfmoord, maar ze moesten doen wat ze konden.

In het ketelhok schoof de ballast van de ene kant naar de andere en dromden de stokers samen bij de stevige deur die het hok van het ruim scheidde. Hun gezichten zagen er in het licht van de lantaarns strak en grimmig uit. Ze hadden de breuk in de romp gevonden en waren nu als bezetenen bezig het eerste compartiment te dichten. Yozo hoorde een luide bons toen ze het volgende stel deuren van het aangrenzende compartiment dichtsmeten en de grendels op hun plaats schoven. Een paar mannen zaten binnen opgesloten, en hij hoorde hen gillen toen het waterpeil steeg. Maar er was geen tijd te verliezen. Ze moesten het schip redden.

Enomoto hurkte neer en streek met zijn vingers over de bodem. Yozo raakte eveneens de bodem aan en het voelde alsof zijn hart een slag oversloeg. Er was geen twijfel mogelijk. Water. Het sijpelde onder de massieve deuren met hun zware ijzeren grendels door.

In het licht van de lantaarn ving Yozo een glimp van Enomoto's gezicht op. Het was vertrokken, gespannen en vermoeid, en zijn ogen leken onder zijn bezwete voorhoofd uit hun kassen te rollen. Yozo wist dat hij er zelf even verdwaasd uit moest zien.

Het bleef lang stil. Toen Enomoto weer opkeek, was elk spoor van bezorgdheid uit zijn gezicht verdwenen.

'We zullen de storm uitzitten,' riep hij over het gebulder van de motoren heen. Hij klonk volkomen beheerst en het geluid van zijn stem wist iedereen te kalmeren. 'En dan varen we haar de haven binnen.'

Maar Yozo wist, net als alle anderen aan boord, dat de kans klein was dat ze haar op tijd in de haven zouden krijgen om het gat te kunnen dichten. Het stormde zo hevig dat ze het schip helemaal niet konden verlaten. Het was duidelijk dat ze zou vergaan.

De mannen werkten de hele nacht door en pompten het water weg dat onder de grote deuren door bleef sijpelen, totdat ze ten slotte gedwongen waren weer een compartiment af te sluiten. Yozo hield het waterpeil in het ketelhok scherp in de gaten, maar ondanks al hun inspanningen bleef het stijgen. Het schip maakte akelig veel water.

Toen de ochtend aanbrak, stormde het nog steeds. De golven geselden het schip, en ijskoud water sloeg over het dek en dreigde mannen de zee in te sleuren. De wind huilde en jankte, tilde het schip op en smeet het weer neer, en Yozo zag dat het dreigde te breken door het geweld van de wind en de golven.

De mannen strompelden over het dek en raapten werktuigen en wapens bijeen. Ze maakten de dertig kanonnen en de Gatling los en duwden ze overboord, gevolgd door de kanonskogels, de wapens en de munitie. Ze deden alles wat nodig was om het schip lichter te maken.

Ten slotte lieten ze zich op het dek vallen en bleven daar zitten; sommigen praatten, de meesten vervielen in een grimmig zwijgen. Zelfs de meest ervaren zeelieden hadden geen trek in eten. Ze konden niets anders meer doen dan wachten totdat het schip voor hun ogen in stukken zou breken en deden hun uiterste best om niet aan de naderende dood te denken. Tot nu toe hadden ze het te druk gehad om bang te zijn, maar nu zaten ze op het dek en moesten ze wachten op het einde.

Yozo staarde recht voor zich uit. Als dit een leger van duizend man was geweest, dan had ik in elk geval nog kunnen vechten, dacht hij. Dat was nog eens een manier om te sterven. Maar wegzinken in zee, opgeslokt door de golven, in de ijzige diepte verdwijnen zonder een spoor achter te laten...

Naast hem bewoog Kitaro's adamsappel dwangmatig op en neer. Hij staarde naar het dek en liet zijn gebedssnoer door zijn vingers gaan, telkens weer de naam van Amida Boeddha mompelend.

'Je denkt te veel na,' zei Yozo.

'Net toen we een zege hadden geboekt,' zei Kitaro kreunend. 'We zijn heer en meester over Ezo, en nu...'

'We hebben de Atlantische Oceaan bedwongen,' zei Yozo vastberaden. 'We kunnen hier niet sterven, niet nu we zo dicht bij huis zijn.'

Het duurde vier dagen voordat de wind ging liggen. De mannen aan boord waren uitgehongerd en verdoofd van de kou. Toen de dageraad van de vierde dag aanbrak, raapten ze alles bijeen wat ze konden dragen en kropen over het bevroren dek, dat als een besneeuwde berg naar een kant helde, naar beneden. Zwak en bevend wisten ze de sloepen te laten zakken. Yozo kon niets anders doen dan hulpeloos toekijken toen een van de mannen uitgleed op een van de met ijs bedekte sporten aan de romp, zich heel even vastgreep aan de touwen en toen zijn grip verloor en in het zwarte water viel. Ze bleven zwijgend op het dek staan en keken naar hun maat die een paar minuten in de golven bleef spartelen en daarna verdween. Het water was zo koud dat ze wisten dat hij binnen een paar tellen dood zou zijn. Ze wisten ook dat de kans groot was dat zij zijn voorbeeld weldra zouden volgen.

Yozo en Kitaro stapten in de laatste sloep. Toen Kitaro langs de ladder naar beneden klom, gleed hij weg, maar hij wist nog net op tijd het touw vast te pakken. Even bleef hij bungelen en gleden zijn magere beentjes wanhopig langs de romp, maar toen vond eerst zijn ene trillende voet en daarna de andere de sporten. De sloep zat zo vol dat het leek alsof hij zou zinken als er nog iemand aan boord zou komen.

Yozo stond nog steeds aan dek. Toen hij opkeek, zag hij Enomoto op de kapiteinsbrug staan, met nog steeds dat vermoeide, verstrakte gezicht. Hij keek naar het vergane schip alsof hij er nog geen afscheid van kon nemen. Yozo gebaarde woest naar hem, maar Enomoto leek in trance te zijn en bleef naar het schip staren. Yozo rende naar de brug, greep Enomoto bij zijn arm en trok hem mee.

'Schiet op,' riep hij. Het schip maakte steeds meer water. Hij moest Enomoto bijna over de rand en langs de ladder naar beneden duwen.

Ze gooiden de trossen los en lieten de Kaiyo Maru aan haar lot over. Toen ze slingerend over de golven wegvoeren, draaide Yozo zich om voor een laatste blik op het schip dat hij zo liefhad en dat nu in stukken op een zee vol ijs deinde. Het voelde alsof al zijn hoop samen met het schip was vergaan.

9

Hana werd wakker van het dreunende geluid van een tempelklok dat door de ijzige kou galmde. Het harde gekras van rondcirkelende kraaien stierf weg in de verte en buiten op straat waren vlugge voetstappen te horen.

Heel even wist ze niet waar ze was, maar toen welden de herinneringen aan de gebeurtenissen van de vorige dag in haar op en huiverde ze van afgrijzen. Voorzichtig opende ze haar ogen. Aan de wanden hingen felgekleurde kimono's en verspreid over de vloer lagen stapels beddengoed waaruit hier en daar een hoofd, een arm of een been stak. Tama, de vrouw die ze de avond ervoor had leren kennen, lag naast haar, met haar reusachtige geoliede kapsel op een houten kussen. Ze had haar mond open en snurkte zachtjes. In het harde licht van de dageraad zag ze er niet langer uit als een geheimzinnige schoonheid, maar als een plattelandsmeisje met een rond gezicht.

Hana ging rechtop zitten. Ze moest zien te ontsnappen, en snel ook. Ze wist zeker dat ze ergens in de Yoshiwara werk zou kunnen vinden, echt werk. Ze kon naaien, ze kon schrijven, ze kon lesgeven – ze kon om het even wat doen.

Zachtjes raapte ze haar bundeltje op en stapte over de snurkende lichamen heen. Ze hapte even naar adem toen ze over iemand struikelde, bang dat ze de vrouw had gewekt, maar die gromde slechts en draaide zich om. Hana sloop tussen de omgevallen sakeflessen, met as gevulde tabaksdoosjes en bergjes verfrommelde papieren doekjes door naar de volgende kamer, en daarna door een nog kleinere. De gang lag bezaaid met gemorst eten en gebruikte eetstokjes en stonk naar sake en tabak. Achter gesloten deuren was luid mannelijk gesnurk te horen. In de verte klonken stemmen en andere geluiden en Hana besefte dat het hele huis op het punt van ontwaken stond. Snel liep ze over de gladde vloer. Ze schrok op en keek om zich heen toen ze de planken hoorde kraken, maar liep door totdat ze bij een trap kwam. Stapje voor stapje sloop ze de steile treden af.

Haar verfomfaaide strosandalen stonden op een plank bij de buitendeur, daar waar ze ze de avond ervoor had neergezet. Ze was net bezig ze aan te trekken toen er voetstappen achter haar klonken en ze werd omhuld door een wolk verschaalde parfum. Een hand sloot zich stevig om haar arm.

'Ga je ons nu al verlaten, liefje?' vroeg een schorre stem. 'Je hebt nog niet eens de kans gekregen ons echt te leren kennen.'

Zonder de verf en poeder was de huid van de oude vrouw even grijs en verwelkt als een rijstveld in de herfst, en haar opvallend witte haar stak uit als de staart van een eekhoorn.

'Hoe durft u!' riep Hana. 'Laat me los. U kunt me niet hier houden.'

Ze duwde de vrouw met al haar kracht van zich af en rende naar de deur. Maar achter haar klonken voetstappen, en voordat ze de deur had kunnen openen, grepen sterke handen haar van achteren vast en drukten haar armen tegen haar zij. Ze schopte en worstelde om los te komen, maar tevergeefs. Voor ze het wist, werd ze opgetild en voor de oude vrouw neergesmeten. Hijgend krabbelde ze overeind en ging op haar knieën zitten.

'Laat me gaan!' krijste ze.

'Drijf niet de spot met ons, liefje,' zei de vrouw. 'Dat heeft geen zin. Is het niet, vader?'

De man van de vorige avond kwam hijgend aangerend. Zijn brede gezicht was rood aangelopen, zijn wangen zaten onder de vlekken en zijn knot zat scheef. Met de dikke vingers van zijn ene hand hield hij zijn nachtgewaad dicht, en in zijn andere hand had hij een lange stok. Hij nam niet eens de moeite om iets te zeggen, maar hief de stok hoog boven zijn hoofd op. Hana ving nog net een glimp op van een bleke deinende dikke buik voordat hij haar met de stok op haar dij raakte. Ze dook naar achteren en de tranen sprongen in haar ogen. Boven het kabaal uit hoorde ze een vrouwenstem op kalme, gelijkmatige toon zeggen: 'Niet haar gezicht! Je moet haar gezicht ongeschonden laten.'

Hana kromp ineen toen hij de stok opnieuw ophief.

'Jullie hebben niet het recht om me hier te houden!' riep ze uit.

'Houd je rustig,' gromde hij, en hij liet de stok op haar rug neerkomen. Hana rolde zich op tot een bal en probeerde zich tegen de slagen te beschermen. Ze schreeuwde het bij elke rake klap uit.

'Maak niet zo'n herrie,' mompelde de oude vrouw. 'Straks komen de klanten naar buiten, en dan kunnen we niet hebben dat ze voor opschudding zorgt.'

Toen de man en zijn jonge metgezellen Hana wegsleepten uit de toegangshal haalde ze naar hen uit; ze schopte naar de benen van de man en probeerde alles te grijpen wat ze maar kon pakken, en ze krabde en beet, maar ze waren veel sterker. Ze trokken haar bundeltje uit haar handen en voerden haar half dragend, half slepend door gangen en kamers die bezaaid lagen met slapende lichamen, naar de achterkant van het huis. Daar openden ze de deur van een voorraadkamer en smeten haar neer op de aarden vloer.

Een van de jonge mannen duwde haar op haar rug, trok haar kimono open en ging schrijlings op haar zitten. Zijn vingers frommelden aan zijn kleren en Hana spartelde en schopte ontzet toen ze een glimp opving van een stijve penis vol gezwollen aderen. Toen verscheen de oude man, die de jongere man wegduwde.

'Deze niet,' snauwde hij. 'Je moet hier blijven totdat je wat bent afgekoeld,' zei hij tegen Hana, en toen wendde hij zich tot de jonge mannen. 'Bind haar vast.'

'Nee... laat me hier niet alleen,' zei Hana buiten adem.

Even later vielen de grote deuren met een dreun dicht en bleef ze alleen in het kille donker achter.

Toen haar ogen aan de duisternis gewend waren, keek Hana wanhopig om zich heen. Op de een of andere manier moest ze proberen te ontsnappen, maar er was niets, alleen maar planken vol lakens en kussens en stapels dozen en kapotte kisten, die allemaal nog net te onderscheiden waren in de smalle streep licht die door de spleet tussen de zware deuren naar binnen viel. Ze liet zich tegen een afgesloten kist vallen en begon van pure woede en ontzetting te huilen.

De streep licht bewoog tergend langzaam over de vloer. Ze kronkelde en draaide, maar de touwen waren stevig om haar polsen en enkels gebonden. Ten slotte wist ze een zittende houding aan te nemen en kon ze de lange plukken haar uit haar gezicht schudden. Ze zat onder de blauwe plekken en was met stof bedekt, haar nagels waren gescheurd en haar geschaafde vingers bloedden.

Snikkend dacht ze aan wat er een dag eerder allemaal was gebeurd en ze probeerde vast te stellen op welk moment ze had moeten weten dat het mis zou gaan. Ze zag Fuyu's gespannen gezicht met de harde ogen voor zich en hoorde opnieuw de smekende woorden die ze tot de oude vrouw had gesproken. 'We kunnen vast wel tot overeenstemming komen,' had ze gezegd. Tot overeenstemming... Ze had gerild toen ze dat hoorde. Zo iets verschrikkelijks kon Fuyu toch niet hebben gedaan? Ze kon haar toch niet hebben verkocht... Die gedachte doemde als een monster in de duisternis op en leek Hana neer te drukken en haar met zijn aanwezigheid te verpletteren.

Als dat echt zou was, dan was haar lot bezegeld, besefte ze. Ze kon nu alleen nog maar meegaand zijn. Misschien zouden deze mensen haar dan minder goed in de gaten houden en zou ze een kans krijgen om te ontsnappen.

Ze had zo vaak over de Yoshiwara gedagdroomd, en nu was ze er – maar het was een vreselijk oord, heel anders dan ze zich had voorgesteld. Ze wist nog dat ze over de bladzijden van *Shunshoku Umegoyomi* gebogen had gezeten en zich had ingebeeld dat ze door de Vijf Straten liep. De personages uit de roman waren als oude vrienden geweest: de lieve Ocho, de betoverende geisha Yonehachi, en de knappe versierder Tanjiro, naar wie beide vrouwen hadden verlangd. Ze had het boek zo vaak gelezen dat ze hele passages hardop kon voordragen.

Het was zo verleidelijk geweest om te ontsnappen naar die denkbeeldige wereld. Ze had opgesloten gezeten bij haar bejaarde schoonouders en een vaak afwezige echtgenoot die ze niet eens kende, en de verhalen over de befaamde ommuurde stad waar het nooit donker werd, hadden een heerlijke afleiding gevormd. Ze had het boek zelfs in haar bundeltje gestopt en meegenomen.

Diep in haar hart had ze echter altijd wel geweten dat een samoeraimeisje als zijzelf nooit Ocho of Yonehachi zou kunnen zijn, behalve op de bladzijden van een roman. Het had allemaal heel onschuldig geleken toen het nog een dagdroom was, maar nu ze hier was, begreep ze hoe dom ze was geweest.

Terwijl de kou vanaf de harde vloer in haar botten drong, rolde Hana zich op en drukte haar knieën tegen haar kin, huiverend, te verkild om zelfs maar na te kunnen denken.

Ze had geen idee hoeveel uren er waren verstreken toen ze eindelijk de grendel langzaam opzij hoorde schuiven en de deur krakend openging. Ze had gebeden dat er iemand zou komen die haar uit dit vertrek zou bevrijden, maar nu het zo ver was, durfde ze niet eens te kijken wie er was gekomen. Een straal bleek licht viel naar binnen, op de planken en stoffige kisten en opgestapelde dozen, en Hana deinsde terug, bang dat ze het gedreun van zware mannenvoeten zou horen. Maar in plaats daarvan klonk het geklos van houten kleppers en rook ze een vleugje sandelhout en amber.

'Je hoeft niet zo zielig te kijken.' Tama's stem verbrak opvallend luid de stilte. 'Ik snap niet waarom ze zich zo hebben ingehouden. Meestal ranselen ze weglopertjes flink af.'

Tama stond, omlijst door een rechthoek van licht, op Hana neer te kijken. Haar grote mond ging wijd open om woorden vrij te laten die wolkjes vormden in de koude lucht. Ze droeg een effen kimono van indigoblauwe katoen met een dikke kraag, zoals een dienstmeid zou dragen. Het was moeilijk voor te stellen dat dit meisje met haar grove trekken de beschilderde verschijning was die Hana de avond ervoor had gezien.

'Ik ben geen weglopertje,' zei Hana buiten adem. 'Ik ben hun bezit niet.'

Tama uitte een minachtend lachje. 'O, jullie echtgenotes, jullie zijn allemaal zo onschuldig,' zei ze. Ze hurkte neer en begon de knopen los te maken. 'Natuurlijk ben je hun bezit. Of denk je soms dat je echtgenoot opeens zal opduiken en je schulden zal betalen?'

Toen het laatste touw was losgeknoopt, rekte Hana zich uit en wreef over haar ijskoude ledematen. Dus Fuyu had haar verkocht. Hete tranen welden op in haar ogen en druppelden over haar wangen.

'Waarom doe je eigenlijk zo moeilijk?' wilde Tama weten. Ze pakte een doorgestikte deken die in de hoek lag en wikkelde die om Hana heen. 'Het leven hier is best goed. Als je hard werkt, kun je goed verdienen. Als je heel erg je best doet, kun je hier zelfs uit zien te komen, als je dat zo graag wilt. Je moet je gewoon gedragen, dan zullen tante en vader als een echte tante en vader voor je zijn. Dan zul je hun lievelingskind worden. Wacht maar af.'

'Zijden crêpe,' zei Tama, die de mouw van een kimono optilde om het ontwerp te laten zien. 'Uit de Tenmei-tijd. Al generaties in bezit van dit huis.'

Het was een schitterend kledingstuk met een intense blauwe kleur, gevoerd met een karmozijnrode stof die zichtbaar was bij de manchetten en de zoom. Op de rokken waren takken met pruimenbloesem geborduurd die levensecht leken, en gouden karakters kronkelden over de rug en de mouwen.

Hana voelde het gewicht van het kledingstuk en de zachtheid van de stof. Ze had gehoord dat courtisanes schitterende kleren droegen, maar had zelf nog nooit zulke weelderige zijde en satijn gezien. Haar eigen familie was verre van rijk geweest en ook haar schoonouders hadden een bescheiden huishouden gevoerd. Afgezien van haar geliefde huwelijkskleed van rode zijde had ze altijd alleen maar kimono's van zelfgesponnen katoen gedragen.

'Zie je nu wel?' zei Tama. 'We leven er hier goed van.'

Er waren vijf dagen verstreken waarin er niets verschrikkelijks was gebeurd. Hana had de oude vrouw en de oude man niet meer gezien. Ze had haar tijd in doorgestikte dekens gewikkeld doorgebracht, zodat ze van haar beproeving kon herstellen. Ze had zelfs haar bundeltje weer gevonden, dat nu veilig weggestopt in een hoek van de kamer lag. Toen ze even alleen was gelaten, had ze snel gekeken of de inhoud – de kimono's, haar blanketseldoos en haar dierbare boek – nog aanwezig was. Dat was zo.

Maar ze was niet vergeten dat ze een paar dagen geleden nog de echtgenote van een samoerai was geweest en door de kamers van een stil huis had gelopen. Evenmin kon ze vergeten welke verschrikkingen ze tijdens haar vlucht door de stad had gezien: de verlaten straten en verwoeste huizen, de muren vol scheuren en gapende deuropeningen, de geplunderde pakhuizen en armoedige vrouwen die hun territorium als wilde honden bewaakten. In haar dromen zag ze telkens weer de verlaten straten, en ze werd steeds buiten adem en badend in het zweet wakker omdat ze voetstappen achter zich had gehoord en de hongerige gezichten van de vrouwen uit de ruïnes had zien oprijzen.

Vaak droomde ze ook over haar ouders en haar dierbare grootmoeder met haar magere polsen en haar huid als perkament. Ze wist dat die ontzet zouden zijn geweest als ze hadden kunnen zien waar ze nu was. Tranen sprongen haar in de ogen wanneer ze besefte dat ze allemaal dood waren, en haar schoonouders ook. De enige die misschien nog leefde, was haar echtgenoot, maar hij was ver weg.

Toen dacht ze aan de vrouw die ze in de gang had zien lopen, de vrouw met de schelle stem die had gezegd dat de schepen waren uitgevaren. Ze was Hana's enige verbinding met die verre wereld waar mannen vochten en waar haar echtgenoot zich bevond.

Maar naarmate de dagen verstreken, vervaagden de herinneringen steeds meer, totdat ze op dromen begonnen te lijken. Misschien was het leven in de Yoshiwara niet eens zo verschrikkelijk. Op dit moment hoefde Hana in elk geval niet meer te doen dan toe te kijken en daarvan te leren.

Hana wist nu dat Tama de meest vooraanstaande courtisane van het huis was. Ze had een suite met drie kamers: een salon, een ontvangstkamer en het slaapvertrek waar Hana samen met Tama en enkele van haar dienstmeiden en ander personeel sliep. De grootste kamer, de ontvangstkamer, was prachtig ingericht: in een nis stond een vaas waarin pruimentakken kunstig waren geschikt, met erboven een rolschildering van een kraanvogel. Naast de nis hingen planken met boeken en er stonden muziekinstrumenten tegen de wand. Er was ook een diep dienblad van gelakt hout, het soort blad waarop gasten hun jassen konden leggen, alsmede een rek voor kimono's en een scherm met zes panelen die waren versierd met blad-goud.

Aan de wand hing een bord waarop vier woorden waren geschilderd: 'Den, chrysant, eeuwig, zijn.' Hana wist wat die frase betekende: net als de den en de chrysant die in de winter bloeiden, wanneer alle andere bloemen waren afgestorven, was ook de bekoorlijkheid van een courtisane voor altijd. Alleen is dat niet waar, dacht ze. Zelfs de oude lelijke vrouw moet ooit beeldschoon zijn geweest.

Hana had ontdekt dat iedereen de oude vrouw 'tante' noemde en dat dat ook van haar werd verwacht, al betekende dat zeker niet dat men familie van elkaar was. Tante was de beheerder van het huis, aan wier blik niets ontsnapte.

In het slaapvertrek van Tama was het beddengoed zo dik en zo hoog opgetast dat het bijna het geweven bamboe van het plafond raakte. Er stonden standaarden met hoge rechthoekige spiegels en de vloer lag bezaaid met potjes met smeerseltjes, verf en poeder. Ook stonden er lampen, een ladekast en een komfoor waarop een ketel stond te zingen. Langs de wanden en aan de kimonorekken hingen zijden kimono's met prachtige borduursels die glommen van het goud- en zilverdraad en de hele kamer vulden met kleuren die aan edelstenen deden denken. Sommige hingen uitgespreid boven wierookbranders. Hana had nog nooit zoiets moois gezien.

Aanvankelijk keek ze vooral met grote ogen om zich heen, maar de overdaad gaf haar al snel een ongemakkelijk gevoel. Het leek niet juist om te worden omringd door zo veel luxe wanneer er buiten de poorten zo veel werd geleden.

Eén keer wist Hana een blik buiten de suite van Tama te werpen en zag ze de gang met de rij gesloten deuren van de andere kamers. 's Avonds hoorde ze gelach en gepraat wanneer de mannen naar binnen werden genood. Af en toe hoorde ze een klant ongeduldig zijn pijp uitkloppen tegen de bamboe kwispedoor wanneer hij op de komst van Tama zat te wachten. In de kleine uurtjes werd Hana vaak gewekt door extatisch gekreun en gegrom aan de andere kant van de dunne papieren wandjes. Vooral Tama maakte erg veel lawaai. Hana probeerde erdoorheen te slapen, maar zonder het te willen merkte ze dat ze soms opgewonden werd van alle geluiden.

Voor zover Hana kon bepalen behaagde Tama vier tot vijf klanten per nacht en liep ze daartoe van de ene kamer naar de andere. Soms bleef ze een uur of twee weg, andere keren korter, en wanneer ze terugkwam, zag ze er altijd uiterst beheerst uit. Dan streek ze haar haar glad en trok geeuwend haar kimono recht.

'Dit is mijn thuis,' zei Tama op een ochtend tegen Hana toen ze geknield in de ontvangstkamer hun handen warmden aan het komfoor. Om hen heen was het een drukte van belang omdat de dienstmeiden de kamer aan het vegen waren. Ze haalden hun bezems langs de bewerkte houten lijsten en langs de hoeken van het plafond.

'Ik was nog maar een klein meisje toen ik hier kwam,' ging Tama verder. 'Mijn ouders waren arm en ik was knap, dus het lag voor de hand dat ze me verkochten. Af en toe ga ik nog wel eens bij hen op bezoek en dan geef ik hun geld. Ze hebben het nu goed. Ze wonen in een groot huis met een rieten dak en verbouwen zo veel rijst dat ze een deel kunnen verkopen. Mijn broers en zussen hebben ook allemaal een goed huwelijk kunnen sluiten, en dat komt door mij. Dus ik ben een goede dochter geweest, ik heb mijn plicht gedaan. Ik weet nog dat ik het net als jij vreselijk vond toen ik hier net was, maar denk je echt dat ik het erg vind dat ik daar niet meer woon? Denk je echt dat ik liever in de bergen was gebleven om daar het land te bewerken? Dan was ik nu al een oud mensje geweest.'

Hana opende haar mond en wilde zeggen dat het voor haar anders was, dat ze een samoerai was en geen boerin, maar toen wist ze weer dat niets nog hetzelfde was. Haar familie was dood en haar echtgenoot vocht in de oorlog.

'Zodra tante me zag, wist ze al dat ik iets bijzonders was,' zei Tama. 'Ik hoorde van iedereen dat zij de beste courtisane is geweest die de wijk ooit heeft gekend. Ze heeft me van alles geleerd over tradities en gebruiken, ze heeft me leren dansen en de shamisen leren bespelen. Ik ben ook gestraft, hoor, veel erger dan jij, veel en veel erger. Ik werd hartje winter naar het dak van het huis gestuurd en moest daar uren blijven staan zingen, uit volle borst. Toen ik probeerde weg te lopen, hebben ze me geslagen. Op een keer hebben ze me zo hard van de trap gegooid dat ik mijn arm brak. Maar als je niet wordt gestraft, leer je nooit iets. Het duurt even voordat je hebt geleerd hoe men de dingen hier doet, maar ik ben eraan gewend geraakt, en jij zult er ook aan wennen.'

'Maar snap je het dan niet?' wierp Hana tegen. 'Het is oorlog, daarom zit ik hier. Mannen strijden en sterven, vrouwen ook. Hoe kun je het over zulke onbeduidende dingen als kleren en dansen hebben wanneer de wereld in brand staat?'

Tama glimlachte minzaam en gaf Hana een klopje op haar arm. 'Lieve kind, het enige wat hier belangrijk is, is of er klanten komen of niet. Vrede is beter dan oorlog, maar nu het noorden verliest, krijgen we hier heel veel zuiderlingen. Je hebt toch wel van de vergankelijke wereld gehoord? Dat zijn wij, even kortstondig als het groen in een vijver. Het doet er niet toe wat voor water het is, wij drijven voort. Het enige wat de oorlog heeft veranderd, is dat er nu een ander soort vrouwen naar de Yoshiwara komt: vrouwen van stand, zoals jij, en dat is gunstig voor de zaken. En denk je dat het mij iets kan schelen wie er wint of verliest? Welnee!'

Aan de andere kant van het vertrek zaten jonge vrouwen op hun knieën te kaarten, kwetterend als een troep vogeltjes.

'Mijn helpsters,' zei Tama, die met haar lange vingers een gebaar in hun richting maakte. Hana herkende er een paar. Ze waren naar binnen en naar buiten gesneld terwijl zij ingepakt in haar dekens had gelegen, ze hadden geroepen en gelachen alsof ze door geen enkele zorg werden geplaagd. 's Avonds leken ze net paradijsvogels, in hun talloze lagen felgekleurde kimono's met doorgestikte zomen. Nu, overdag, nu er geen gasten waren, waren ze warm ingepakt in gevoerde kleren.

Hana luisterde naar hun zangerige tongval vol kleurrijke uitdrukkingen, die kenmerkend was voor de Yoshiwara. Het was een koket, flirtend, zilveren taaltje dat mannen moest behagen, heel anders dan de nette klanken van de echtgenote van een samoerai. Ze vroeg zich af wie ze waren, deze meisjes, waar ze vandaan waren gekomen en waarom ze hier zaten. Sommige waren onopvallend, met grote monden en vlezige wangen, andere waren veel verfijnder, maar het accent verhulde de verschillen tussen hen. Ze waren goed opgeleid en keurig verzorgd en wisten hoe ze zich moesten opdirken en koket moesten zijn. Hun oorsprong was geheel verdwenen; ze waren nu meisjes uit de Yoshiwara.

Tama wenkte met een dwingend gebaar en ze kwamen een voor een naar haar toe, zodat ze hen kon voorstellen.

'Kawanoto,' zei Tama over een meisje met een vriendelijk gezichtje en grote hertenogen dat haar voorhoofd tegen haar handen drukte. 'Mijn belangrijkste helpster. Ze heeft twee jaar geleden haar debuut gemaakt.'

'Kawagishi, Kawanagi.' Twee meisjes knielden zij aan zij neer en bogen zich voorover. De een was klein en glimlachte veel, de ander was lang en slank met dunne ledematen. Achter hen knielden de andere jonge vrouwen neer.

'Kawayu, Kawasui... Ze hebben allemaal een naam die met Kawa begint,' zei Tama. 'Ik heet Tamagawa – Tama en Kawa. Ik heb hen allemaal zo'n naam gegeven om duidelijk te maken dat ze mijn helpsters zijn. Nu weet iedereen dat ze bij mij horen en dus zullen ze zich gedragen!'

Het waren de vreemdste namen die Hana ooit had gehoord; het waren helemaal geen gewone vrouwennamen, maar het soort naam dat je bij een winkel of een kabuki-acteur zou verwachten. Kawanoto, het meisje met de grote onschuldige ogen wier naam 'riviermond' betekende, pakte een metalen pijp met een lange steel uit de tabaksdoos op de vloer en begon de kleine aardewerken kop te vullen. Ze hield er een kooltje onder en nam een paar trekjes totdat de tabak begon te gloeien en gaf de pijp toen met een buiging aan Tama. Tama bracht hem naar haar lippen, met haar pink uitgestoken. Ze nam een trekje en blies een ring van blauwe rook uit. Die bleef even kronkelend en uitgerekt in de lucht hangen om vervolgens op te lossen.

Ze hield haar hoofd scheef. 'Goed, je zei dat je kunt schrijven. Hoe zit dat?' vroeg ze zacht. 'Je kunt niet eens fatsoenlijk praten. Tante zei dat je erover hebt opgeschept.'

Hana voelde een sprankje hoop. Misschien wilden ze haar toch als schrijver gebruiken. Ze wilde net zeggen: 'Natuurlijk kan ik schrijven, ik ben een samoerai, ik ben goed opgevoed,' maar toen herinnerde ze zich hoe ze sprak en beet op haar lip. Ze boog haar hoofd en deed haar best om met de zangerige tongval van de Yoshiwara te mompelen: 'Ik kan wel schrijven, een klein beetje maar. Misschien kan ik me nuttig maken...'

'Niet slecht,' zei Tama. 'Je doet in elk geval je best.'

Ze gaf net de pijp terug aan Kawanoto toen de deur met kracht werd opengeschoven en er een kind in een rode kimono naar binnen stormde. De belletjes aan haar mouwen rinkelden en haar onderkimono's dansten op en neer onder de doorgestikte zoom. Ze snelde naar Tama toe, liet zich op haar knieën vallen en drukte haar handen netjes op de tatami. Op luide toon meldde ze: 'Ik heb hem gezien.'

'Zachtjes, zachtjes,' zei Tama, die het kind stralend aankeek. 'Hier.' Ze gebaarde naar een oudere dienstmeid, die het kind een gebakje met bonengelei gaf. Het meisje glimlachte trots. Het was een beeldschoon kind met een hartvormig gezicht, een mopsneusje en grote zwarte ogen. Haar haar was omhooggekamd en versierd met een kroon van zijden bloemen. Ze wendde zich tot Hana en boog bevallig.

'Hoe lang ben je hier al, Chidori? Drie jaar? En hoe oud ben je? Zeven? Zie je nu wel,' Tama wendde zich tot Hana, 'ze kan nu al keurig spreken en weet hoe ze zich moet gedragen. Chidori is een van mijn jongste hulpjes. Je kunt veel van haar leren.'

Chidori betekende 'plevier', en die naam paste uitstekend bij haar, vond Hana. Ze deed door al haar snelle bewegingen denken aan een vogel met heldere ogen.

'Weet je zeker dat hij het was?' vroeg Tama.

'Ja, het was meester Shojiro. Hij kwam net de Tsuruya uit.'

'De Tsuruya?' Tama fronste en haar gezicht betrok. 'Dan vraag ik me af wat hij daar deed.'

'Ik stond midden op straat. Hij kwam naar buiten geslopen en keek om zich heen, van links naar rechts. Toen hij me zag, werd hij helemaal bleek.'

'En terecht. Hij moet niet denken dat hij me zomaar kan bedriegen! Die Yugao, die heeft hem betoverd.' Tama zweeg even. 'We zullen ons eerst over hem buigen en later met haar afrekenen. Goed, jij daar, kun je een liefdesbrief schrijven?' Ze wendde zich tot Hana, die rustig op haar knieën zat te wachten.

'Een liefdesbrief?' Heel even wist Hana niet wat ze moest doen. Toen dacht ze aan de romantische gedichten die ze als kind had geleerd. Ze dacht aan *Shunshoku Umegoyomi* en aan de woorden waarmee Ocho Tanjiro had aangesproken. 'Een brief aan Shojiro?'

'Nee, natuurlijk niet,' zei Tama met een geërgerde zucht. 'Ik wil Shojiro straffen, en dat doe ik niet door hem een brief te sturen. Nee, die brief is voor Mataemon. Hij is een zuiderling die hier nog niet vaak is geweest. Hij weet echt niet hoe hij zich moet gedragen, maar als we hem wat aansporen, lukt dat wel. We moeten hem laten geloven dat ik heel erg naar hem verlang!'

Op de tatami lag schrijfmateriaal, naast een kaars en vierkante vellen papier. Hana maalde wat inkt, en terwijl ze het staafje heen en weer wreef over de steen, probeerde ze zich te herinneren wat ze allemaal in *Shunshoku Umegoyomi* had gelezen.

'Iets als dit?' vroeg ze. '"Zal ik hedennacht/ weer in eenzaamheid/ de sluimer vinden/ op mijn smalle mat/ ver van hem/ van wie ik hou?" Zoiets?'

'O, o!' zei Tama op sarcastische toon, 'we hebben hier een meisje met een klassieke opvoeding! Dat is misschien iets te hoog gegrepen voor Mataemon. Schrijf dit maar op: "Afgelopen nacht droomde ik over u, maar toen ik wakker werd, was u er niet meer en nu is mijn kussen nat van tranen. Ik verlang naar u." Schrijf er maar een paar. Ik kan ze voor meerdere klanten gebruiken.'

Hana vouwde een rol papier uit, pakte een penseel en zette de karakters met zorg op het vel. 'Wat is het adres?'

Tama klikte hoorbaar haar tanden op elkaar. 'Ik weet niet wat er met tante en vader aan de hand is,' zei ze. 'Meisjes van tien die zich hier omhoog hebben gewerkt weten meer dan jij. Mataemon werkt voor de regering; als iemand daar ziet dat hij een brief leest die duidelijk een vrouw als afzender heeft, kan hem dat zijn carrière kosten. Chidori, ga de boodschapper eens halen, dan kan hij het adres opschrijven.' Tama wendde zich tot Hana en slaakte een luide zucht. 'Je moet nog zo veel leren.'

Hana keek naar de tatami's. Ze zag dat die versleten plekken hadden en dat er hier en daar draadjes aan de zijden biesjes hingen. De luxe was gewoon een laagje vernis, net als de goede manieren van Tama. Het schrijven van de brief was een test geweest, begreep ze nu, en ze had het er niet slecht van afgebracht.

10

Hana was net bezig haar handen te warmen aan het komfoor in Tama's grote ontvangstkamer toen Tama, die net een bad had genomen, voor een spiegel neerknielde. In een hoek van de kamer zat een magere oude vrouw op een shamisen te tokkelen. Met haar grijze haar in een strakke knot gebonden en haar lijf gehuld in de donkere kleuren van een geisha oogde ze zo klein en dun dat ze in de schaduwen leek op te lossen.

'Als je tien jaar jonger was geweest, hadden we je een gedegen opleiding kunnen geven,' mopperde Tama, 'maar op deze leeftijd is er geen tijd te verliezen. Vader wil zijn investering terugverdienen.' Ze gebaarde dat Kawanoto haar schouders moest masseren. 'Ik wilde je langzaam voorbereiden, maar ik heb te veel klanten. Je moet vanavond maar meegaan en kijken hoe we het doen.'

'Maar je hebt me niet nodig,' zei Hana geschrokken. 'Ik kan schrijven. Er moeten vast nog wel brieven worden geschreven.'

'Doe niet zo dwaas,' snauwde Tama. 'Hoe wil je anders overleven? Hoe denk je anders je schulden te kunnen betalen? Je hoeft alleen maar te kijken, je moet kijken en worden gezien, dat is alles.'

Tama ontbood een oudere dienstmeid, een taaie oude vrouw met werkhanden en kroezend wit haar, die zachtjes liep te brommen in het accent van de Yoshiwara. Ze zette Hana voor een spiegel neer, trok haar kimono naar beneden en stopte het lijfje in rond haar middel. Naast haar stond een koperen dienblad met een lampetkan en een waskom. Hana trok haar neus op toen ze de bekende zure lucht van de gal van sumakblad, azijn en thee rook. Zoals iedere respectabele vrouw had ze vanaf het moment dat ze getrouwd was haar tanden zwart gemaakt.

Maar Tama schudde haar hoofd. 'Geen zwarte tanden meer,' zei ze. 'Je leven begint nu opnieuw. Je bent als maagd veel meer waard. Pas als het veel te laat is, zullen ze merken dat je dat niet meer bent.'

Hana wilde protesteren, maar Tama had zich al afgewend.

Er kwam een vrouw binnen die doorboog onder het gewicht van een flinke bundel. Ze vouwde hem open en pakte kammen, flesjes welriekende olie en potjes pommade uit, legde stroken papier en haarornamenten op de vloer en warmde krulijzers op het komfoor. Het duurde niet lang voordat de ijzers warm werden en de stank van geschroeid haar de kamer vulde.

'We hebben een nieuweling,' zei Tama. 'Het zal een hele toer worden om haar haar toonbaar te maken.'

Hana was gewend zelf haar haar te doen. Als meisje had ze al geoefend totdat haar armen pijn deden. Ze had al haar haar in strengen verdeeld, de strengen een voor een opgekamd en daarna naar voren en weer naar achteren gevouwen en ze daarna vastgezet met verguld draad of in elkaar gewikkelde repen gekleurd papier. Ze was behoorlijk bedreven geraakt in de *shimada*, de ingewikkelde kapsels die meisjes van haar leeftijd droegen en waarbij het glanzende haar in een zware, stijve wrong achter op het hoofd werd vastgespeld.

Nu knielde ze neer en keek naar haar spiegelbeeld in de rechthoek van dof geworden zilver. De vrouw pakte een fijne kam en ging aan de slag. Het duurde niet lang voordat de tranen over Hana's wangen stroomden, maar ze hield ze niet tegen. Laat hen maar denken dat het komt doordat ze zo hard aan mijn haar trekt, dacht ze. Zij was de enige die wist dat ze huilde om alles wat ze had verloren.

'Het is al erg genoeg als je nog een kind bent,' mompelde de vrouw, die een blokje was verwarmde en het met de krulijzers tegen Hana's haar drukte. Telkens wanneer de was het ijzer raakte, klonk er een sissend geluid en was er een scherpe, olieachtige lucht te ruiken. 'Maar het is nog veel erger als je volwassen bent en een ander leven hebt gekend. Je bent niet de enige, er zijn er hier veel zoals jij: echtgenotes, concubines, vrouwen die hun echtgenoten of geliefden hebben verloren en nergens anders heen kunnen.'

Geschrokken keek Hana in de spiegel. De vrouw was als een dienstmeid gekleed, in een onversierde kimono van bruin geruite stof met een paarse kraag, en ze had haar haar in een knot naar achteren gekamd. Er glansde iets in haar hand en rond haar hals was een reepje stof met een stukje metaal eraan te zien.

'Je kunt het verleden maar beter vergeten,' vervolgde de vrouw. 'Dat is de enige manier waarop wij kunnen overleven. Als je je ooit eenzaam voelt, moet je me maar komen opzoeken. Vraag naar Otsuné. Iedereen kent me hier.' Ze trok zo hard aan Hana's haar dat die vreesde dat ze een hele pluk uit haar hoofd zou trekken.

'Ze laten me niet buiten.'

'Zodra ze je vertrouwen, zullen ze je naar buiten laten gaan. Ze hebben niets aan je als je hier opgesloten zit.'

Otsuné kamde en krulde en bracht was aan totdat Hana's haar glansde als zijde. Ze verdeelde dotten witte pommade en naar muskus ruikende camelia-olie over haar haar en bracht daarna scheidingen aan. Ze bond de verschillende delen haar vast, kamde ze omhoog en zette de strengen een voor een boven op Hana's hoofd vast, totdat Hana's enkellange haar was veranderd in een hoge toren van knotten en wrongen, even glad en glanzend als opgewreven lakwerk. Aarzelend hief Hana een hand op. Haar haar voelde stijf en enigszins plakkerig aan. Ze durfde amper adem te halen uit angst dat het reusachtige gevaarte in zou storten.

Heel even liet Otsuné haar vingers op Hana's schouder rusten. 'Hier,' fluisterde ze. Ze drukte haar iets in de hand. 'Een talisman. Verstop die in je haar voordat je naar binnen gaat, maar zorg ervoor dat tante het niet ziet, want dan pakt ze hem af. Hij zal je beschermen en voorkomen dat je wordt gekozen.'

Hana sloot haar hand om een kammetje. Ze had geen idee wat Otsuné bedoelde, maar voelde zich toch dankbaar.

Toen Otsuné doorliep naar de volgende helpster pakte de oudere dienstmeid een dot zachte witte was, kneedde die tussen haar vingers en wreef de was uit over Hana's gezicht. Daarna bracht ze het blanketsel aan op Hana's hals, kin, wangen, neus en voorhoofd en bestoof haar huid daarna met wit rijstpoeder. Hana zag in de spiegel dat haar gezicht veranderde in een volmaakte witte ovaal met slechts een dun streepje onbedekte huid langs haar haarlijn.

De dienstmeid bracht met haar kwast het witte poeder aan op Hana's borst, schouders en de bovenkant van haar rug en hield daarna een tweede spiegel omhoog, zodat Hana haar nek kon zien. Daar waren drie stukjes onbestoven huid te zien, in de vorm van punten, die duidelijk afstaken tegen het matte wit op haar rug. Het was net de gevorkte tong van een slang.

'Daar worden de mannen helemaal gek van,' zei de oude vrouw grinnikend. 'De nek van een vrouw. De vorm doet hen denken aan... Nou, dat zul je wel zien.'

Ze verfde Hana's wenkbrauwen in de vorm van twee maansikkels en omrandde haar ogen eerst met rode en daarna met zwarte verf, waarbij ze de lijntjes in de buitenste ooghoeken verder door liet lopen. Daarna bracht ze met haar kwastje rouge op Hana's wangen aan.

'Sta maar op,' zei ze. Hana bleef naakt en huiverend staan, roerloos als een beeld, terwijl de dienstmeid haar in een geparfumeerde onderrok van scharlaken crêpe reeg, haar een witte onderblouse met een rode kraag en lange rode mouwen aantrok en daarna een tweede onderrok met linten vastbond. Ze legde een stijf geborduurd kraagje om Hana's hals en trok haar daarna een geborduurde rode kimono met lange mouwen en een doorgestikte zoom aan. Daaroverheen gingen drie kimono's, die elk met linten op hun plaats werden gebonden. Daarna pakte ze een lange ceintuur van brokaat en wikkelde die een paar maal om haar heen. Hana draaide zich om en keerde haar de rug toe.

De oude vrouw begon te grinniken. 'Wat denkt ze wel niet dat ze is? Een maagd? Een oude vrijster? Een huisvrouw die nooit buiten komt? Ze denkt dat ik de obi op haar rug wil vastbinden!'

Iedereen draaide zich om en er klonk klaterend gelach.

'Er is het een en ander veranderd, liefje. Heb je dat niet gemerkt?'

Zwijgend draaide Hana zich om naar de dienstmeid. De vrouw trok zo hard aan de ceintuur dat Hana bijna geen adem meer kon halen. Ze bracht de uiteinden aan de voorkant bij elkaar en begon, met een stel spelden in haar mond, de linten vast te maken en weg te stoppen in de plooien van de stof, zodat het geheel de vorm kreeg van een enorme ingewikkelde knoop. De uiteinden vielen bijna tot aan Hana's voeten.

De rode zijde deed Hana denken aan haar trouwdag, toen Oharu haar haar had gedaan en haar in haar jurk had geholpen, en nu was het alsof haar keel werd dichtgeknepen. Ze was als een bruid gekleed, alsof ze opnieuw ging trouwen. Het enige wat er niet klopte, was de obi. Zelfs geisha's bonden hun obi op hun rug vast. Er was maar één soort vrouw dat haar obi van voren dichtmaakte, met een overdreven sierlijke knoop, alsof ze iedere man die haar pad kruiste wilde uitdagen om die knoop los te maken. Ze huiverde toen ze eraan dacht wat voor soort vrouw dat was.

De meid klakte met haar tong, werkte Hana's gezicht bij en trok haar kraag recht; ze keek of de zomen en manchetten van haar kimono's allemaal recht boven elkaar hingen en stak toen een kam van sandelhout voor in Hana's haar. Ze stak spelden in het kapsel en zette er een krans van zijden bloemen op.

'Je kunt maar beter die talisman in je haar stoppen,' mompelde ze zacht. Hana gaf het gebogen kammetje dat ze van Otsuné had gekregen aan de dienstmeid en voelde dat die het stevig vastzette achter in haar kapsel. Daarna pakte de meid een staafje saffloerpasta, bevochtigde dat met een dun penseeltje en schilderde een rood bloemblaadje midden op Hana's onderlip. Haar bovenlip bleef wit.

Iedereen draaide zich om: de helpsters met hun borsten ontbloot en hun kimono's ingestopt rond hun middel, Otsuné met een kam in haar mond en het krulijzer in haar hand, en Tama, die bezig was haar obi vast te binden. Zelfs de magere oude geisha staakte het bespelen van haar shamisen en keek op.

Stemmen mompelden: 'Schitterend. Beeldschoon.'

Hana zette een paar onzekere stappen. Zelfs op haar trouwdag had ze niet zulke zware gewaden gedragen. Onhandig draaide ze zich om. Ze durfde amper in de spiegel te kijken, maar toen ze dat toch deed, hapte ze naar adem. Ze was in een beschilderde pop veranderd. Ze zag heel iemand anders, en toch was zij het. Ze was een houtsnede van zichzelf geworden, geen mens meer, maar een geschilderde afbeelding.

Achter het masker was ze nog steeds Hana, hield ze zichzelf vastberaden voor. Maar ondanks alles was ze toch onder de indruk. Het was alsof ze haar oude ik had afgeworpen en achtergelaten, als een vlinder die zich had ontpopt. Ze was Hana niet meer, nee, ze was Hana helemaal niet meer. Ze was een gloednieuw iemand.

'We moeten een naam voor je bedenken,' zei Tama, alsof ze haar gedachten kon lezen. 'Ik zal het er met tante over hebben. Goed, loop nu eens een stukje. Pak met je linkerhand je rokken vast en loop eens van daar naar hier.'

Hana pakte de zware stoffen vast en zette met haar blote voeten een paar stappen naar voren, waarbij ze moest oppassen dat ze niet struikelde. De onhandige sleep en de enorme knoop van haar obi brachten haar uit haar evenwicht. Ze was niet gewend aan zo veel gewicht. Ze wankelde en viel bijna.

'Je moet schoppen,' zei Tama. 'Je moet gewoon je rokken opzij schoppen. Ze mogen best je enkels zien.'

Ook Tama was volledig veranderd en was weer het geheimzinnige schepsel dat Hana op haar eerste avond hier had ontmoet. Haar haar was verdeeld in twee glanzende vleugels waarop een kroon rustte die was bezet met vergulde en schildpad haarspelden, als de stralen van de zon, en was versierd met zijden bloemen en blaadjes, bungelende ornamenten van parelmoer en strengen koraal verzwaard met bloesems van bladgoud. De strik van haar schitterende brokaten obi, die zwierig op haar buik was samengeknoopt, onttrok bijna al haar dikke doorgestikte kimono's aan het zicht.

'Meer hoef je vanavond niet te doen,' zei Tama. 'Lopen en zitten. Probeer dat zo goed mogelijk te doen. Spreek niet. Je hoeft alleen maar te kijken en te luisteren.'

Het begon al bijna te schemeren en het uur van de aap brak aan. In de verte liet een zware klok melancholieke slagen horen die door de hele stad weergalmden. Bij wijze van antwoord begonnen er kleinere klokken te luiden, sommige verder weg, andere dichtbij. Eentje klonk zo luid dat het leek alsof hij in het huis zelf hing.

Tama stond sierlijk op. Met haar schitterende opgestoken kapsel vol haarspelden, dat net een stralenkrans leek, zag ze er eerder uit als een goddelijk wezen dan als een gewone vrouw. Alleen een man met moed zal haar obi durven losmaken, dacht Hana.

'Ze zullen aangenaam verrast zijn,' kondigde Tama schalks aan. Ze trok haar wenkbrauwen op en keek met een tevreden knikje in de spiegel.

'Kom je niet met ons mee, grote zus?' riepen de helpsters door elkaar heen.

'O, jawel,' zei Tama. Ze glimlachte net breed genoeg om haar zwartgelakte tanden te laten zien. 'Er staat hen een heuse verrassing te wachten.'

De helpsters dromden om haar heen en stelden zich op volgorde van lengte op in paren van twee. De kleine Chidori zag er verslagen uit. Net als Namiji, het andere kinderhulpje, moest ze achterblijven.

Kawanoto, de helpster met de grote onschuldige ogen, pakte Hana's hand vast en trok haar naast zich. Ze stonden vooraan in de rij. De acht meisjes waren net poppen in bij elkaar passende rode kimono's, met hun witte gezichten en bloemenkronen in hun haar. De mouwen van de oudere meisjes kwamen tot aan hun middel, een teken dat ze volwassen waren, maar de jongere droegen kimono's met mouwen die bijna tot op de grond hingen.

'Dat is mijn plaats,' zei een nukkige stem. Het meisje was een jaar of zestien, even oud als Kawanoto. Haar gezicht was witter, haar ogen waren zwarter, haar lippen roder en haar haar was hoger opgestoken dan bij de andere meisjes. Ze droeg net zo'n kimono als de anderen, maar die van haar was minder strak vastgesnoerd en liet een glimp van een witgepoederde boezem zien. De strik van haar obi bungelde uitdagend voor haar buik.

'Ik weet niet waarom ik nog moet gaan,' zei ze klagend. 'Ik ben voor vanavond toch al besproken.'

'Je gaat omdat ik zeg dat je gaat, Kawayu,' snauwde Tama.

De deur naar de gang ging open en de klanken van muziek en gezang stroomden naar binnen, gevolgd door een gezicht als een masker dat werd omgeven door een wolk parfum.

'Tante!'

Alle meisjes, zelfs Tama, vielen op hun knieën en drukten hun gezicht tegen de vloer. Hana was het pakhuis nog niet vergeten en keek angstig naar de vrouw.

Tante droeg een elegante lichtblauwe kimono en een glanzend zwarte pruik over haar eigen haar. Ze liep met gestrekte rug, alsof ze in gedachten nog steeds de schoonheid van vroeger was, maar het dikke witte blanketsel benadrukte elke diepe rimpel. Haar zwart omrande ogen leken weg te zinken boven haar wangen en de scharlakenrode verf op haar lippen kroop weg in de lijntjes rond haar mond. Ze liep meteen naar Hana toe.

'Overeind,' zei ze. Ze trok Hana's kimono recht en stopte een haar goed. Daarna liet ze Hana ronddraaien en haar hand vond de talisman die achter in Hana's kapsel was verstopt. Hana bleef doodstil staan, bang dat tante hem af zou pakken, maar ze glimlachte slechts veelbetekenend.

'Laten we met deze maar even wachten,' meldde ze. Tama boog en knikte. 'We zullen wel zien of we een aanbod krijgen. Misschien hebben we hier wel iets bijzonders.' Tante boog zich naar Hana toe. 'Kom,' zei ze vriendelijk. 'Het is tijd om je aan de wereld te laten zien.'

Terwijl ze in een stoet door de gang liepen, werden de geluiden van muziek, stemmen en gelach steeds luider, totdat het hele huis ervan leek te weergalmen. De dienstmeiden voerden hen door een eindeloos aantal gangen en hielden kaarsen en lampen omhoog die de oprukkende schaduwen moesten verdrijven. Duisternis likte aan de poelen van licht wanneer deuren werden opengeschoven en vrouwen naar buiten kwamen, als slaapwandelaarsters die werden aangetrokken door de muziek. De gang was gevuld met ritselende kimono's en de geuren van parfums vermengden zich met elkaar. Hana maakte schoppende bewegingen met haar blote voeten en was zo bang dat ze over haar rokken zou struikelen dat ze niet eens in de gaten had waar ze heen liepen.

Ze liepen een trap af en een veranda over. Toen voelde Hana een koude luchtstroom en rook ze stof en geroosterd voedsel en rook van houtvuurtjes: de geuren van de straat. Ze keek op en zag dat ze vlak bij de ingang waren. Ze bleven voor een deur staan. Ergens in de buurt klonk het getokkel van shamisens, een heldere jonge stem zong een ballade en houten stokjes roffelden, net als in een kabukitheater waar de voorstelling op het punt stond te beginnen.

Toen slaakte de stem een kreet, schoof er een deur open en viel er licht naar binnen dat zo fel was dat Hana aarzelend een hand voor haar ogen hield.

Kawanoto legde haar handen rond Hana's middel en leidde haar naar voren. Hana liep struikelend naar buiten, het felle licht in, en voelde de koude lucht bewegen toen Kawanoto haar neerdrukte en dwong op haar knieën te gaan zitten. Ze hoorde anderen ademhalen en voelde de warmte en de geuren van de lichamen van de vrouwen die om haar heen plaatsnamen. Er viel een korte stilte en toen klonk er gebrul, het soort gebrul waarmee een acteur die het toneel betrad zou worden begroet.

Hana keek op en hapte naar adem. Ze zat helemaal niet op een toneel, maar in een kooi, een grote kooi met houten spijlen aan de voorkant, net als de kooien die ze had gezien toen ze pas in de Yoshiwara was aangekomen. Toen had ze buiten de kooi gestaan en naar de vrouwen binnenin gestaard. Nu zat zij binnen. Ze was een van hen.

Het gebulder stierf weg en een mannenstem riep: 'Een nieuw meisje! Een schoonheid! Hé, liefje, kijk eens hierheen!'

Een andere stem onderbrak hem: 'Die is voor mij. Hé, nieuw meisje, hoe heet je?'

Een heel koor aan stemmen dreunde: 'Nieuw meisje, hoe heet je?'

Achter de spijlen leek de duisternis een levend iets, vol ogen, groot en klein, rond en amandelvormig, maar allemaal starend – starend naar haar. Hana kon de schimmige gestalten van mannen onderscheiden; sommige staken hun neus tussen de spijlen door, andere waren blijven staan om te kijken en hielden zich op de achtergrond. Ontzet deinsde ze terug, blij dat ze door zo veel andere vrouwen werd omringd, en ze raakte even de talisman achter in haar haar aan. Nu wist ze waar die voor was.

De vrouwen knielden als wassen beelden neer, schitterend in hun zijde, goud en zilver, en bleven roerloos en zwijgend zitten terwijl de mannen voorbij slenterden en af en toe even bleven staan en naar binnen keken. Sommigen bleven staan, met hun neuzen tegen de spijlen gedrukt, en probeerden de aandacht van de meisjes te trekken. Anderen liepen weer verder.

Tama zat achter in de kooi en keek uit op de toeschouwers, met aan haar zijde een paar vrouwen die even buitensporig waren gekleed als zij. Toen Hana zich omdraaide en naar haar keek, pakte ze net een pijp met een lange steel aan en nam een trekje, even onbewogen en ontspannen als ze in haar eigen vertrekken zou zijn geweest. Achteloos liet ze een kring van rook aan haar lippen ontsnappen, alsof ze zich in het geheel niet bewust was van de mannen die een paar passen verderop heen en weer schuifelden, in hun handen bliezen en haar aangaapten.

Ze haalde een kleine boekrol uit haar mouw, rolde hem open en liet haar blik langzaam over de tekst gaan, alsof het een brief van een bewonderaar betrof. Af en toe glimlachte ze, kneep haar ogen halfdicht en liet ze haar tong over haar lippen glijden. Toen draaide ze zich om en fluisterde een andere courtisane iets in het oor; ze boog sierlijk haar hoofd en verborg haar gezicht in haar mouw, alsof ze een lachbui wilde verbergen.

Ze wierp een veelbetekenende blik op de mannen en knikte bijna onmerkbaar. Er steeg een gemompel op uit de menigte toen ze zich traag afwendde en opnieuw een trekje van haar pijp nam.

Hana keek als betoverd toe. Tama was net een poppenspeler die de toeschouwers in haar macht had en hen letterlijk naar haar pijpen liet dansen.

Naarmate de tijd vorderde, begonnen de helpsters onderling steeds meer te fluisteren en te giechelen.

'O, kijk hem daar eens, is hij niet knap?'

'Dat is Jiro. Ken je hem niet? Hij komt altijd.'

'Heeft zijn vader hem niet onterfd?'

'Hij heeft geen geld. Van hem hoef je echt geen werk te maken.'

'Wat een ouderwets jasje, en wat een vreselijke kleur. Hij snapt er echt niets van. Wat een boer!'

'Ik vind hem maar niks. Ik hoop niet dat hij naar mij vraagt.'

Een paar helpsters drongen naar voren en probeerden zich zo aantrekkelijk mogelijk te presenteren. Andere wenkten knipogend naar de mannen. Kawagishi, het meisje met het mollige kindergezichtje en de brede glimlach, en Kawanagi, haar onafscheidelijke metgezel, lazen elkaars hand.

'Vroeger kwamen alleen de armen naar ons kijken,' fluisterde Kawanoto tegen Hana. 'Meer konden ze zich niet veroorloven. De rijke mannen wisten toch al wie ze wilden hebben. Maar tegenwoordig, met al die nieuwe klanten, is dit een goede manier om aan klanten te komen. Je weet nooit wie je allemaal zien.'

'Kawanoto-sama, Kawanoto-sama,' klonk een stem. Een jonge man had zich een weg gebaand tot aan de spijlen. Kawanoto gleed tussen de anderen door naar voren en hield haar gezicht vlak voor het zijne. Hij knikte en verdween weer.

Kawayu, het mokkende meisje met het te zwaar opgemaakte gezicht, liep naar de spijlen toe. Ze kromde haar rug, hield haar hoofd scheef en knipperde verleidelijk met haar ogen, maar niemand schonk enige aandacht aan haar. In plaats daarvan riep een stem: 'Hé, nieuw meisje, hoe heet je? Zeg eens hoe je heet!'

Kawayu wierp Hana een woedende blik toe. Hana glimlachte kalmpjes en boog overdreven beleefd haar hoofd. Dit meisje kon haar in elk geval niets aandoen.

Opeens stond iedereen naar haar te kijken. De mannen hadden tot nu toe druk staan praten en waren geen moment stil blijven staan, maar opeens viel er een doodse stilte aan de andere kant van de spijlen.

Hana werd overvallen door verlegenheid en sloeg snel haar handen voor haar mond, maar door die beweging gleed de mouw van haar kimono naar beneden en werd haar arm zichtbaar. Er ging een hongerig gemompel door de groep mannen. Snel legde ze haar handen in haar schoot en trok haar mouw recht. Een jonge man staarde haar tussen de spijlen door verlangend aan. Hun blikken kruisten elkaar, en hij schuifelde even heen en weer en sloeg toen zijn ogen neer. Hij bloosde zo hevig dat de kaalgeschoren plek boven op zijn hoofd paars kleurde.

Hana probeerde zich zonder al te veel aandacht te trekken om te draaien, weg van die starende ogen. Achter haar klonk een gemompel in de menigte. Ze staarde naar haar handen in haar schoot en wenste dat ze kon verdwijnen. Maar het gemompel zwol aan; het werd een trillende zucht, een langgerekte kreun van verlangen die door de hele groep golfde. Opeens besefte ze wat de mannen zagen:

haar nek met de drie puntige stukken onbeschilderde huid. Ze moest denken aan wat de oudere dienstmeid had gezegd: 'De vorm doet hen denken aan...' Onder het blanketsel werd ze zo vuurrood dat ze er zeker van was dat iedereen haar oren kon zien gloeien.

Ze hief haar hoofd en trok haar kraagje recht, zich ervan bewust dat Tama naar haar keek. Tama knikte en er gleed een glimlach over haar gezicht. Ze keek uitermate verheugd.

11

Toen de klok het uur sloeg, stonden Tama en haar helpsters op. Dienstmeiden kwamen aangesneld om de kraagjes van de courtisanes in te stoppen, lagen stof recht te trekken, de enorme strikken van hun obi's te schikken en hun haarspelden vast te zetten. Buiten de open deur van de kooi zweefde het geluid van een schelle stem voorbij. Hana schrok op. Het was de hoge stem die ze ook op de eerste avond hier had gehoord, de stem die had gezegd dat de schepen waren uitgevaren. Sindsdien had ze gewacht op een kans om de spreekster weer te zien.

Ze vergat alles om haar heen en maakte zich los uit de groep jonge vrouwen. Kawanoto stond vlak achter haar en plukte net iets van haar mouw toen Hana een glimp opving van doorgestikte zomen die door de voornaamste deur van het huis naar buiten zwierden.

'We moeten weer naar binnen,' zei Kawanoto zenuwachtig achter haar. 'De klanten zitten te wachten.'

Mannen dromden de vestibule met zijn vloer van aangestampte aarde binnen. Sommige bliezen op hun handen, en hun adem vormde wolkjes in de koude lucht. Er waren oude mannen en jonge mannen, maar ze zagen er allemaal welvarend uit. Ze waren heel anders dan de mannen die met hongerige blikken voor de kooi hadden gestaan; deze waren deftig gekleed in gesteven *hakama*, *haori* en dikke wollen capes. Ze begroetten elkaar al buigend en probeerden priemende ellebogen te vermijden, ze trokken hun houten kleppers uit en gaven die aan mannelijke bedienden, die hun op hun beurt houten fiches in ruil voor het schoeisel gaven. Geisha's kwamen binnen met in zijde gewikkelde shamisens, op de voet gevolgd door grijnzende narren met brutale gezichten.

Het enige wat Hana wist, was dat ze de vrouw met de stem als een klok moest zien te vinden. Dat was het enige wat ertoe deed.

Ze rukte haar mouw los uit Kawanoto's greep, tilde met beide handen haar zware gewaden op en baande zich door de groep heen een weg naar de deur. Ze rende de nacht in, op zoek naar de stem en de zwierige rokken, en hapte naar adem toen ze de koude lucht op haar huid voelde. Toen ving ze een glimp op van een glanzend hoofd dat samen met een stel mannen in het naastgelegen huis verdween. Ze rende naar binnen en keek links en rechts de door lampen verlichte gang in. Ze zag dat er een deur werd dichtgeschoven en rende er hijgend heen.

Pas toen ze haar hand op de deur legde, besefte ze dat ze op het punt stond iets bespottelijks te doen. De deur openen van een kamer van een prostituee en onuitgenodigd naar binnen lopen – wie wist wat er daarbinnen allemaal gebeurde. Maar ze had geen keuze.

Nadat ze diep adem had gehaald, schoof ze de deur open.

Het was een salon die bijna even groot en luxueus was als die van Tama. Achter de opengeschoven deuren van het aangrenzende vertrek zag ze kolen branden in een groot komfoor. Er was een tafel voor het eten gedekt, en er stonden kandelaars met lange kaarsen met grote gele vlammen. Midden in de kamer zat een stel geisha's op shamisens te tokkelen, op trommels te slaan en te zingen. Een paar andere geisha's dansten en wierpen zo lange golvende schaduwen. Het was een feest in volle gang.

Achter in de kamer zaten een paar mannen in een ontspannen houding; ze klapten op de maat van de muziek in hun handen en dronken sake uit piepkleine bekertjes. Ze waren omringd door vrouwen, van wie sommige zich tegen de mannen aan hadden gevlijd en pruilend naar hen opkeken. Andere hielden zich op een afstand en trokken een minachtend gezicht. Kinderen die nog het meest op poppen leken en even prachtig gekleed waren als Chidori, renden in het rond om de sake bij te schenken.

De vrouwen zagen er allemaal hetzelfde uit, met hun witgeschilderde gezichten, hun felgekleurde kimono's en hun reusachtige obi's. Hana staarde verbijsterd naar het tafereel. Ze had geen idee wie de vrouw was naar wie ze zocht, en of ze wel op de juiste plek was. De muziek en het geklap en gelach waren zo luid dat de feestvierders niet eens merkten dat ze er was.

Een jongen in het blauwe katoenen jasje van een bediende en een oude dienstmeid kwamen haastig naar de deur gelopen.

'Wie heeft jou geroepen?' siste de meid. 'Een van onze gasten? Daar heb ik niets van gehoord.' Ze bekeek Hana van top tot teen. 'Je bent verdwaald, hè? Wegwezen, jij, en snel ook.'

Hana deed haar uiterste best om zich van de zangerige tongval van de Yoshiwara te bedienen en mompelde: 'Het spijt me zo. Ik heb een boodschap voor... voor een van de dames.'

'Zeg maar wat het is, dan geef ik het wel door.'

'Ik moet het haar persoonlijk zeggen,' zei Hana vol wanhoop. De jongen wilde Hana naar buiten duwen, maar ze greep haar rokken bijeen en liep snel naar de kamer waar het feestje werd gevierd. Ze stond al op de drempel toen de jongen en de dienstmeid haar bij haar armen grepen.

'Mijn dierbare Kaoru, wie is je beschermelinge?' dreunde een mannenstem boven de muziek uit. 'Wat heb je allemaal voor me verborgen gehouden?'

De muziek haperde even en hield toen op. De dansende geisha's bleven stokstijf staan. Iedereen – de mannen, de courtisanes en de geisha's – draaide zich om en keek Hana aan.

De dienstmeid liet zich op haar knieën vallen. 'Het spijt me,' fluisterde ze. 'Ik zal haar wegsturen.'

'Nee, laat haar blijven,' zei de man die al eerder had gesproken. 'Wie is dat?'

'Ja, wie is dat, Kaoru-sama?' vielen de andere mannen hem bij. 'Ze moet blijven!'

'Ik geloof niet dat ik haar ooit eerder heb gezien,' zei een hoge stem die Hana herkende.

In het midden van het groepje zat een vrouw op haar knieën, een vrouw met een kaarsrechte rug en een afstandelijke uitstraling. Op haar stijve witte obi, die tot een strik was geknoopt, waren pijnbomen, pruimen en bamboetwijgjes geborduurd. Haar bovenste kimono was eveneens wit, en in plaats van een kroon droeg ze smaakvol aangebrachte haarspelden. Haar gezicht was even volmaakt en uitdrukkingsloos als een masker in een Noh-spel. Ze kneep haar lippen opeen en keek Hana verwonderd aan. 'Wat is er?' vroeg ze.

Heel even wist Hana niet wat ze moest zeggen, maar toen herinnerde ze zich dat ze slechts één kans had. Met zachte stem, en niet vergetend dat ze zich van de zoete spraak van de Yoshiwara moest bedienen, zei ze: 'Het spijt me. Ik wilde weten of er nieuws... of er nieuws uit de buitenwereld is. Van het front.'

De vrouw sperde haar ogen open. Even verscheen er een frons op haar voorhoofd, toen herstelde ze zich en liet een tinkelend, zilveren lachje horen. De andere vrouwen, van wie Hana zag dat het erg jonge helpsters waren, drukten hun mouw tegen hun mond en giechelden alsof ze nooit meer zouden kunnen stoppen.

'Dwaas kind,' zei Kaoru. Haar stem klonk scheller dan ooit. 'Waarom denk je dat ik weet wat er buiten gebeurt? Hier praten we niet over zulke saaie kwesties. We maken plezier, is het niet, heren? Meer doen we niet.' Ze wendde zich tot de dienstmeid. 'Geef haar een paar munten en breng haar naar buiten.'

Ze gebaarde naar de geisha's. De aarzelende noten van een shamisen klonken en de geisha's begonnen weer te dansen.

'Laat haar blijven.' Het was de man die al eerder had gesproken. Hana keek naar hem, verbaasd. Hij was jong en slank, met een geelbruine huid, scheefstaande zwarte ogen en een volle, sensuele mond. 'We hebben jonge meisjes nodig. Ze kan mijn gaste zijn.' Hij wendde zich tot Hana. 'Kom bij ons zitten, drink met ons mee!'

Hana deed een paar stappen naar voren. Als de echtgenote van een samoerai had ze een teruggetrokken leven geleid. Ze had vaak gasten van drank en voedsel voorzien, maar de enige mannen met wie ze had gesproken, waren haar echtgenoot en familieleden geweest. Nu werd ze omringd door vreemde mannen die haar allemaal glimlachend van top tot teen bekeken.

'Hoe heet je?' vroeg de man. 'Kom eens hier zitten.' Hij stak zijn hand uit en Hana zag dat hij lange, slanke vingers had. Ze deed een stap naar voren en bleef toen staan, ontzet door zijn accent. Harde keelklanken, die ze nog nooit eerder had gehoord. Deze man was een zuiderling, besefte ze. Het waren allemaal zuiderlingen. Wie konden zich anders een feestje als dit veroorloven?

Ze keek weer naar zijn hand. Zijn vingers waren aan de binnenkant bruin: hij had eeltkussentjes, alsof hij een zwaard of een geweer had vastgehouden. Hoe was hij hier terechtgekomen, in Edo, de hoofdstad van het noorden?

De man keek haar nog steeds vriendelijk aan.

Kaoru glimlachte ijzig. 'Natuurlijk mag je bij ons zitten, liefje. Je hoeft niet zo verlegen te zijn.'

Toen gleed de deur open en stapte Tama naar binnen, omgeven door een wolk parfum, met Kawanoto op haar hielen. Ze keek om zich heen, nam de situatie in zich op en knielde toen volgens de voorschriften neer, in een buiging van ritselende zijde.

'Ik ben Tamagawa. Dit...' ze gebaarde naar Hana, 'is mijn helpster. Vergeef haar, ze is nog jong en raakte vast verdwaald. Kom, liefje, we moeten nu gaan.'

Hana draaide zich om, volkomen verslagen. Ze had geen antwoord op haar vraag gekregen. Het enige wat ze had gedaan, was Kaoru, haar enige band met de buitenwereld, tegen zich in het harnas jagen.

'Wacht even. Ze heeft niets verkeerds gedaan. Vertel eens, liefje, hoe heet je?' zei de man.

Voordat Hana antwoord kon geven, rechtte Tama haar rug en keek trots om zich heen. Haar enorme felgekleurde kimono's leken het hele vertrek te vullen.

'Hanaogi,' meldde ze. 'Ze heet Hanaogi. Ze wordt de volgende oppercourtisane van de Hoek Tamaya.'

Er viel een stilte.

'Heeft ze een vaste klant?' vroeg de man.

'Nog niet, heer. Het staat u vrij een bod te doen. Ik neem aan dat u bekend bent met de gang van zaken.'

'Hanaogi,' zei de man langzaam, en hij liet de lettergrepen over zijn tong rollen alsof hij ze bijzonder muzikaal vond. 'Hanaogi. Wel, Hanaogi, je vroeg of er nog nieuws was. Ik kan je vertellen dat er weldra vrede zal zijn. Er is een nieuwe regering die meisjes als jullie erg goed zal behandelen.' Zijn uitdrukking veranderde, en heel even leek hij minder zeker van zichzelf. 'We hebben nog steeds heel wat te stellen met de opstandelingen in het noorden, maar we zullen korte metten met hen maken.'

Hana knikte en zorgde ervoor dat er niets van haar gezicht af te lezen viel. 'We zullen korte metten met hen maken' betekende dat ze dat nu nog niet hadden gedaan, en dat betekende dus ook dat de noordelingen het nog steeds volhielden. Ze moest haar best doen om niet triomfantelijk te glimlachen. Ze had nog talloze vragen – over haar echtgenoot, en of er nieuws over hem was – maar dat zou te ver gaan. Ze wendde zich af, klaar om te gaan.

'Laat nog een keer je lieflijke stem horen, Hanaogi. Waar kom je vandaan? Uit welk deel van het land?'

'Ze...' begon Tama te antwoorden, maar Hana wilde voor zichzelf spreken.

'Ik kom nergens vandaan,' zei ze met de zangerige klank die ze amper als de hare herkende. 'Ik heb me voorgenomen om alles uit de tijd voor mijn komst hierheen te vergeten.'

En in een werveling van zijde liep ze achter Tama en Kawanoto aan naar buiten.

Voorjaar

12

Tweede maand, Jaar van de Slang, Meiji 2 (maart 1869)

Yozo zat met gekruiste benen op de tatami in de presidentiële vertrekken in het sterfort en warmde zijn handen aan het komfoor. Ondanks de indrukwekkende naam waren de presidentiële vertrekken even rokerig en akelig koud als alle andere ruimten in Ezo. De houten regendeuren en dunne kozijnen rammelden in de wind en Yozo's adem verliet in ijzige wolkjes zijn mond.

Het liep tegen het einde van de tweede maand en volgens de kalender was het lente, maar in Ezo lag nog steeds een dikke laag sneeuw. Het was een maand of vier geleden sinds ze het fort hadden ingenomen; een maand of drie sinds het verlies van de Kaiyo Maru.

Yozo hoorde buiten voeten schuifelen en een barse stem met een sterk Frans accent bevelen geven: 'Voorwaarts, mars! Looppas, mars!' Daarna klonken de dreunende stappen van soldaten die over het exercitieterrein marcheerden. Paarden hinnikten en in de verte klonken de geweren op de schietbaan. Binnen heerste echter rust en vrede.

Enomoto stond met zijn benen iets uit elkaar en zijn handen op zijn rug voor de drankkast met de glazen deurtjes en bestudeerde de inhoud. De kast was gelukkig vlak voor het vergaan van de Kaiyo Maru overgebracht naar het fort en bevatte een uitgelezen selectie aan dranken. Nu Enomoto in de beslotenheid van zijn eigen vertrekken en in het gezelschap van vrienden verkeerde, kon hij zijn ongemakkelijke westerse uniform verruilen voor een kimono van dikke katoen en een gewatteerd jasje. Met zijn glanzende haar en verfijnde trekken was hij een edelman ten voeten uit. Hij haalde een fles uit de kast.

'Glendronach 1856,' meldde hij. 'Daar krijgen we het vast wel warm van.'

'Een uitstekend jaar,' zei Yozo, die net deed alsof hij er verstand van had. Hij nam het geslepen glas tussen zijn grote zeemansvingers en hief het op. 'We zijn heel ver gekomen, zeker jij, meneer de algemeen gouverneur van Ezo. Ik heb altijd al geweten dat je grootse dingen zou gaan doen.'

'En kijk eens naar wat we hebben bereikt!' zei Enomoto lachend. 'Er zijn verkiezingen gehouden en we hebben de eerste republiek in de Japanse geschiedenis gesticht, de Republiek Ezo. We zijn een jonge natie, net als Amerika, en we effenen nieuwe paden. Dat gespuis uit het zuiden wint weliswaar veldslagen dankzij de kanonnen en geweren die ze van de Engelsen hebben gekregen, maar dat is de enige wijze waarop ze ooit macht zullen verwerven. Ze durven geen verkiezingen te houden omdat ze weten dat er niemand op hen zou stemmen. Ze zitten nog steeds in het feodale tijdperk, ze weten alleen met brute kracht hun zin door te drijven. De wet van de jungle, noemen ze dat niet zo?'

Yozo liet de doorzichtige, goudgele drank walsen in zijn glas en nam een slokje. Even liet hij de whisky door zijn mond gaan voordat hij hem langzaam door zijn keel liet lopen. Hij zei niets en genoot van de karakteristieke smaak.

'De wet van de jungle,' herhaalde hij met een trage grijns. '*Survival of the fittest*, zo stond het in elk geval in dat boek waar iedereen in Europa het over had.'

'*The origin of species*,' zei Kitaro. Hij had zijn magere lijf in een dik gewatteerd jasje gestoken en zat ineengedoken naast het vuur. 'Van Charles Darwin.' Hij sprak de woorden heel erg nauwkeurig uit en proefde elke uitheemse lettergreep.

'Jij hebt het gelezen, Kitaro,' zei Yozo. 'Jij hebt een compleet boek gelezen, in het Engels. Dat zou ik nooit kunnen. Dat zullen die apen uit het zuiden nooit begrijpen, en de commandant en zijn militie hier evenmin, denk ik. Het enige waarin zij geïnteresseerd zijn, is de vraag of je met een zwaard kunt omgaan.'

Kitaro trok met een magere vinger zijn bril over zijn neus naar beneden en keek op een vermakelijke manier over de rand.

'Wie zich het beste kan aanpassen, zal overleven,' zei hij met een quasi-ernstige frons. 'Maar denk eraan dat dat niet als vanzelfsprekend op de sterkste hoeft te slaan. Het kan ook de meest intelligente betreffen, sterker nog, zo gaat het doorgaans ook.'

De anderen lachten.

'Kunnen jullie je nog dat koffiehuis herinneren waar we altijd zaten te discussiëren?' vroeg Enomoto. 'Je weet wel, met die grote ramen en die leren stoelen.'

Yozo schudde glimlachend zijn hoofd. 'We hebben overal zitten discussiëren. Londen, Berlijn, Parijs, Rotterdam...'

'Het was in Dordrecht,' zei Kitaro. Dordrecht. Ze vielen allemaal stil. Buiten klonk het gedreun van marcherende voeten, af en toe onderbroken door luide kreten en geroffel op trommels.

'Weten jullie nog hoe de zon toen tevoorschijn kwam?' zei Enomoto. Hij staarde voor zich uit. Hij was niet langer de gouverneur-generaal van Ezo, maar een jongeling die in een prachtig avontuur was beland.

Op de derde dag van de elfde maand van het jaar 1866 volgens de barbarenkalender waren veertien van de vijftien jongemannen die naar Europa waren gereisd, in Dordrecht bij elkaar gekomen om de tewaterlating te vieren van de Kaiyo Maru, het geweldige schip dat in hun opdracht was gebouwd. (De vijftiende man in het gezelschap, die als smid naar Holland was gekomen, had zich doodgedronken. Yozo had hem niet goed gekend en nooit begrepen waarom hij dat had gedaan.) Ter gelegenheid van het heugelijke feit hadden ze hun broeken, jasjes en stropdassen gelaten voor wat ze waren en gekozen voor traditionele Japanse dracht: gesteven geplooide kimonorokken en nauwsluitende leren jasjes waarvan de schouders als vleugels uitstaken. Ze stonden er trots bij, schouders naar achteren, hun twee zwaarden in de leren schedes aan de riem rond hun middel. Ze waren weer samoerai, al hadden ze hun knotten al lang geleden afgeknipt en droegen ze hun haar in een westers kapsel.

'Ze hadden komforen langs de romp gezet,' wist Yozo nog. Hij zag het allemaal duidelijk voor zich: het grote schip met haar glanzende zwarte romp dat op de scheepshelling lag en de molens en de

Grote Kerk piepklein deed lijken; de talloze toeschouwers die zich op de oevers en in kleine bootjes op het water hadden verzameld en juichend met hun hoeden zwaaiden. 'Maar het was zulk mooi weer dat er niet eens een laagje ijs op de romp stond.'

'De admiraal van de koninklijke zeemacht hield een toespraak,' zei Enomoto. 'En daarna wierp hij een fles wijn tegen de boeg.'

'Kun je je dat geluid nog herinneren, toen het schip begon te bewegen...'

'Het gleed naar beneden...'

'En die plons toen het het water raakte, het leek wel een vloedgolf! Ik dacht dat alle andere boten zouden kapseizen.'

'Wat een schip!' zei Enomoto. Ze bogen hun hoofden en keken naar het vuur. Nu ze hier zo in kleermakerszit in de presidentiële vertrekken van het fort in het ijskoude Edo zaten, was het moeilijk voor te stellen dat dat allemaal echt was gebeurd. Yozo deed zijn uiterste best om het beeld van Dordrecht vast te houden, maar voelde het nu al uit zijn geheugen wegglippen.

'En die storm, kort na ons vertrek uit Rio, toen je bijna uit de mast viel,' zei Kitaro, die grijnzend opkeek. 'Ik was bang dat we je voorgoed kwijt waren.'

'Ik heb zo vaak gedacht dat mijn einde nabij was, of dat van het schip. Maar we wisten het altijd weer te redden,' zei Yozo.

De reis terug naar Japan had honderdvijftig dagen geduurd. Een bemanning van Hollanders, voornamelijk mannen uit Dordrecht, had het schip naar de bestemming gevaren. Ze hadden kolen geladen in Rio, waren rond Kaap de Goede Hoop gevaren en daarna de Indische Oceaan overgestoken om wederom kolen te laden in Batavia. Ze hadden stormen doorstaan op woeste oceanen, met golven zo hoog als bergen, maar het schip was steeds behouden gebleven.

Eenmaal terug in Japan bleek alles anders dan voor hun vertrek. Stukje bij beetje ontdekten ze wat er tijdens hun vierenhalf jaar durende afwezigheid allemaal was gebeurd: verraad, moorden, aanslagen en ten slotte een complete burgeroorlog. Een paar maanden na hun terugkeer was de shogun uit de macht ontzet, en Yozo en Kitaro hadden zich bij Enomoto gevoegd. Ze waren alle drie vastbesloten geweest om tot het uiterste te vechten voor waar ze in geloofden.

De Kaiyo Maru was hun thuis geweest. Elke houten plank, elke kraakje in de romp, elke bolling in de zeilen had hen herinnerd aan hun gelukkige jaren in het westen. En nu was ook het schip er niet meer.

Een tijdlang bleven ze zwijgend zo zitten, denkend aan hun prachtige schip. Yozo zag de sierlijke lijnen van de boeg voor zich en dacht aan de kracht waarmee het de golven had doorkliefd; hij dacht aan de luxueuze kapiteinshut, aan de glanzende kanonnen, het koper dat altijd zo liefdevol was gepoetst, en aan zijn enorme omvang: groot genoeg om driehonderdvijftig bemanningsleden en zeshonderd soldaten te kunnen herbergen. En toen dacht hij aan de laatste keer dat hij het had gezien: een eenzame zwarte romp op een met ijsschotsen bezaaide zee die langzaam wegzakte in de golven. Hij veegde met zijn hand langs zijn ogen en slikte moeizaam.

Enomoto rechtte zijn rug en fronste. Hij was weer de gouverneur-generaal.

'Nu is dit ons thuis,' zei hij vastberaden. 'Het land Ezo. Ik heb gesproken met buitenlandse vertegenwoordigers die in Hakodate verblijven en heb uitgelegd dat we hier een liberale republiek hebben gesticht die de leefomstandigheden van het volk zal verbeteren. De Amerikanen, de Fransen en de Engelsen hebben allemaal aangegeven onze regering te willen erkennen.'

Hij zweeg even, en zijn gezicht betrok. 'Er is nog iets,' zei hij. 'Er is nieuws over de Stonewall...'

Yozo hief met een ruk zijn hoofd op. Hij had de Stonewall in de haven van Yokohama gezien. Het was het modernste en krachtigste oorlogsschip dat de wereld ooit had aanschouwd, met een enorme motor en wanden zo dik als het bovenbeen van een volwassen man, en dat alles bedekt met massieve ijzeren platen. Kanonskogels ketsten simpelweg van het schip af. Het werd aangedreven door zeilen en stoom en was sneller dan de Kaiyo Maru was geweest. Het had niet eens de vorm van een schip; zoals het daar laag in het water had gelegen had het met zijn onheilspellende zwarte boeg meer op een angstaanjagende roofvis geleken.

De regering van de shogun had het schip bij de Amerikanen besteld en het grootste gedeelte van de kosten voldaan, maar tegen de tijd dat het Japan had bereikt, was de shogun afgezet en zijn regering omvergeworpen. Voor hun vertrek uit Edo had Enomoto een bezoek gebracht aan de Amerikaanse diplomaat Van Valkenburgh en geëist dat die het schip zou overdragen; per slot van rekening had de shogun er al voor betaald. Maar Van Valkenburgh was onvermurwbaar. De regering van de shogun bestond niet langer en er was nog geen nieuw bewind, had hij gezegd. Alle buitenlandse vertegenwoordigers waren overeengekomen dat ze zich strikt neutraal zouden opstellen zolang de burgeroorlog woedde. Hij was niet bij machte de Stonewall aan een van de partijen over te dragen.

'Het verbaast je vast niet dat de zuiderlingen, zodra ze hoorden dat de Kaiyo Maru was gezonken, meteen naar Van Valkenburgh zijn gestapt om hem ervan te overtuigen dat onze regering zonder ons vlaggenschip geen schijn van kans had. Ze hebben hem bezworen dat de oorlog voorbij is.'

Yozo zette zijn glas met een bons op de vloer en balde zijn vuisten. Dus de zuiderlingen hadden de Amerikaanse vertegenwoordiger verteld dat de oorlog was afgelopen, om zo de Stonewall in handen te kunnen krijgen. Maar dat waren allemaal leugens. De oorlog was nog lang niet voorbij, en zodra de zuiderlingen het gepantserde schip in hun bezit hadden, zouden ze naar het noorden opstomen om hen aan te vallen. In deze survival of the fittest werden de kansen van het noorden met de dag kleiner. Hoe meer Yozo over het verraad van de zuiderlingen hoorde, des te zekerder hij ze allemaal over de kling wilde jagen. Hij zou tot het bittere einde vechten, hoe bloedig dat wellicht ook zou worden, en als hij de dood zou vinden, zou hij zo veel mogelijk vijanden met zich mee proberen te nemen.

'De zuiderlingen zijn met tienduizenden,' zei Enomoto op sombere toon. 'Ze wachten gewoon tot het voorjaar. We moeten zorgen dat we op tijd klaar zijn. Onze verdediging is bijna gereed – kapitein Brunet houdt daar toezicht op – en we hebben ongeveer drieduizend man die dag en nacht oefenen. Maar het is een allegaartje aan troepen. We hebben natuurlijk de beroepssoldaten die door de Franse officieren uitstekend zijn opgeleid en die al veel ervaring hebben. Dan zijn er de rekruten die in dienst zijn gegaan uit loyaliteit aan de goede zaak, of omdat ze geëxecuteerd zouden worden als de zuiderlingen ze te pakken zouden krijgen. Sommige van onze mannen zijn niet eens militairen. Sommigen kunnen niet eens schieten.'

'Zoals ik bijvoorbeeld,' zei Kitaro.

'En wat de Kyoto-militie van commandant Yamaguchi betreft, dat zijn geweldige strijders die geen angst kennen, maar zij zijn vooral zwaardvechters. Marlin en Cazeneuve doen hun best om hen voor te bereiden op vuurgevechten, maar ze leven in een ander tijdperk. Ze verlaten 's avonds het fort en zoeken ruzie met de plaatselijke bevolking, soms tot de dood erop volgt, alleen maar om te kunnen oefenen. Dergelijk gedrag vinden ze volkomen normaal. Ze noemen zichzelf samoerai, maar de meeste zijn dat nooit geweest en zullen het ook nooit worden. Er is er maar eentje van wie ze bevelen opvolgen, en dat is de commandant.' Enomoto fronste en schonk de glazen nog eens vol. 'Tenzij we al deze mannen kunnen samensmeden tot een echt leger, zullen we nooit standhouden tegen de zuiderlingen.'

13

De volgende ochtend was het exercitieterrein een en al bedrijvigheid. Een bataljon soldaten in zwarte uniformen en met leren helmen met kammen marcheerde met ferme pas in hechte formatie, aangevoerd door een stel trommelaars die een opgewekt ritme aangaven.

Aan de rand van het terrein dromden mannen samen rond de enorme wielen van een glanzend kanon. Het was een van de nieuwe achterladers die Yozo en Enomoto en hun kameraden uit Pruisen mee terug naar Japan hadden genomen. Yozo zag de mannen als geschrokken konijnen alle kanten uit rennen, en nog geen tel later klonk er een oorverdovende dreun, als een donderslag. Het kanon schoot naar achteren, de kogel vloog door de lucht en kwam op de aarde neer. Zand en grind stoven in het rond. Paarden die vlakbij waren vastgebonden hinnikten en steigerden angstig.

Er ontbrak iets. Nergens was een soldaat in het blauwe uniform van de militie te zien.

'Ze weigeren met onze mannen te oefenen omdat ze denken dat ze alles al weten,' zei Kitaro.

'Dan moeten we zelf maar eens gaan kijken hoe ze zich voorbereiden,' zei Yozo. 'Hun zwaarden zullen niet tegen kogels beschermen, hoe vaardig de mannen misschien ook zijn.'

'Hun commandant vertrouwt ons niet en Enomoto evenmin,' zei Kitaro zenuwachtig. 'Hij denkt dat we besmet zijn omdat we in het buitenland hebben gezeten.'

'Vanaf het moment dat we dit land verlieten, waren we al buitenstaanders,' zei Yozo. 'En nu is het oorlog en staan we voor een schier onmogelijke taak. Maar als de commandant een beetje gezond verstand heeft, zal hij zijn mening voor zich houden totdat de strijd voorbij is. Enomoto heeft me gevraagd een oogje op hem te houden, en dat zal ik doen ook.'

De militie van de commandant was ondergebracht in een groot houten gebouw dat op enige afstand stond van de barakken waar de rest van het leger verbleef. Toen Yozo en Kitaro het gebouw naderden, hoorden ze luide kreten en het getik van hout op hout.

Niemand leek ook maar enigszins verbaasd dat ze een kijkje kwamen nemen. De commandant zelf zat op een verhoging onder een vaandel met de afbeelding van een stokroos, het wapen van de shogun. Hij droeg het uniform van de militie, een hemelsblauwe haori en gestreepte kimonorokken, en had zijn lange, geoliede haar uit zijn gezicht gekamd. Hij knikte naar Yozo en Kitaro toen die binnenkwamen en richtte zijn aandacht toen weer op de arena in het midden van de hal, waar een stel mannen met oefenstokken een duel uitvocht.

Andere leden van de militie, allemaal in uniform, dromden samen rond de arena. Sommige droegen hun haar in gladde staarten, bij andere stond het woest uit rond hun hoofd, zodat ze net wildemannen leken. De meeste gezichten kenden ze nog van hun tocht door de bergen, maar de mannen waren nu schoner, kalmer, en vormden een hechtere groep. Yozo keek naar degenen met lagere rangen en zag veel jongemannen met zachte trekken en uitdagend gewelfde lippen: pages, die in een gemeenschap met louter mannen als deze van oudsher de vrouwenrollen vervulden. Hij wist echter dat hij hen niet moest onderschatten, omdat ook zij bijzonder bedreven waren met het zwaard. De mooiste jongens waren vaak de beste vechters.

Een paar krijgers met een onverschrokken blik in hun ogen stonden op de achtergrond, hun armen minachtend over elkaar geslagen. Yozo kon zien dat ze gewend waren over straat te sluipen en hun wapens met die van de vijand te kruisen. Ongetwijfeld wilden ze nu niets liever dan vechten. Ze straalden iets uit wat hem het gevoel gaf dat hij in een gezelschap van bloedbroeders was beland. Zijn huid prikte toen ze zich omdraaiden om naar de nieuwkomers te kijken en hun vijandigheid tastbaar werd.

Aan een van de muren hing op een plek waar iedereen het duidelijk kon zien, een bord waarop het woord GEDRAGSREGELS in gespierde karakters waren aangebracht. Ernaast hing een lijst met zaken die verboden waren: 'De erecode van de samoerai overtreden. Deserteren. Geld lenen. Vechten om persoonlijke redenen. Je in de rug laten aanvallen. Er niet in slagen de tegenstander te doden.' Achter elk verbod stond de bijbehorende straf: SEPPUKU – executie door middel van rituele zelfdoding. Er was één regel die Yozo deed huiveren: 'Wanneer een kapitein sneuvelt in de strijd dienen al zijn manschappen hem in het graf te volgen.' Hij had nog nooit een credo gezien waarin de dood zo'n belangrijke rol speelde. Buiten hoorde hij de Franse sergeants op barse toon bevelen geven. Hier bevonden ze zich in een andere wereld, zoals Enomoto al had gezegd.

Op het eerste gezicht leken de duellerende mannen aan elkaar gewaagd, maar al snel werd duidelijk dat het leraar en leerling waren. De leerling ontweek de slagen, danste opzij en probeerde zelf ook een slag uit te delen, maar af en toe moest hij zelfs een salto maken om buiten bereik van zijn tegenstander te blijven. De leraar weerde daarentegen elke aanval moeiteloos af en wist de leerling telkens weer te verrassen en in een niet te verdedigen positie te dwingen, zodat hij wel moest opgeven. De ene na de andere leerling kwam naar voren voor een poging, maar de leraar versloeg hen allemaal, zo te zien zonder zich al te veel in te spannen.

Yozo herkende het gezicht van de leraar, met de zonverbrande wangen en de volle lippen. Hij had tijdens de verovering van het fort aan zijn zijde gevochten en zich verwonderd over het feit dat iemand die zo jong was al zo bedreven kon zijn. Alleen zijn ogen waren oud, met ertussen een diepe rimpel van het fronsen. Hij bezag de wereld met een vermoeide blik, alsof hij al zo veel had gezien dat niets hem nog bang kon maken, zeker de dood niet, en hij nam het tegen alle leerlingen op met een uitdrukking die leek aan te geven dat het hem allemaal volkomen onverschillig liet. Maar heel af en toe, wanneer een van zijn tegenstanders in het voordeel leek te zijn, schoot er een vlaag van woede over zijn gezicht, alsof hij niet tegen de jongere man voor hem streed, maar tegen een onverzoenlijke vijand die hem wilde vernietigen.

Nu Yozo naar hem keek, voelde hij dat de moed hem ontglipte bij de gedachte aan de zuiderlingen met hun Gatlings, die een ononderbroken stroom kogels konden afvuren en een veel dodelijker wapen waren dan de handmatig bediende *mitrailleuses* van de Fransen aan hun kant. Zelfs de beste zwaardvechter had tegen zulke wapens geen schijn van kans. Nog voordat hij zijn zwaard zou kunnen trekken, zou hij al worden neergemaaid. Al deze bravoure was eigenlijk verspilde moeite.

Het laatste gevecht was ten einde en beide mannen bogen naar elkaar. De commandant streek met een grote zwaardvechtershand een paar strengen geolied haar uit zijn gezicht en keek Yozo en Kitaro ingespannen aan. Er flakkerde iets in zijn ogen, een dansende gekte die Yozo verontrustend vond.

Kitaro schuifelde ongemakkelijk heen en weer toen de commandant hen van onder zijn wenkbrauwen aankeek.

'Daar hebben we de wereldreizigers weer,' zei de commandant met opgetrokken lip, 'die zo graag willen weten hoe we de dingen in Japan doen en zich verbazen over onze buitenissige gewoonten. Of houden jullie soms een oogje op ons, om er zeker van te zijn dat alles precies zo gaat als gouverneur-generaal Enomoto wil? Jullie zijn waarschijnlijk vergeten hoe een samoeraizwaard eruitziet.' De mannen van de militie barstten in lachen uit, en het gezicht van de commandant ontspande zich tot een grijns. 'Het geeft niet, jullie zijn van harte welkom. Jullie zijn dapper, zelfs jij, Okawa.' Hij knikte even naar Kitaro en keek toen Yozo met toegeknepen ogen aan. 'Tajima. Je bent een goed schutter, je kunt bijna even goed als een barbaar dat geweer van je bedienen. Maar ik vraag me af... Kun je ook nog steeds vechten als een samoerai, of ben je dat na al die tijd in het westen vergeten?'

Hij gebaarde naar zijn schermmeester. 'Wat denk je ervan, Tatsu? Zin in een paar potjes met onze vriend? Wil je het tegen hem opnemen?'

'Natuurlijk,' antwoordde Tatsu met zijn gebruikelijke onbewogenheid.

Yozo was enkele jaren eerder opgeleid aan de school van Jinzaemon Udono in Edo en had daar het een en ander aan technieken geleerd, maar hij betwijfelde of hij enige kans maakte tegenover Tatsu. Hij wist echter ook dat hij Enomoto en al diens mannen te schande zou maken als hij nee zou zeggen. En dus knikte hij instemmend.

De commandant grinnikte, alsof hem iets grappigs inviel. 'Deze keer vechten we met zwaarden,' zei hij.

Zwaarden. Er liep een rilling over Yozo's rug. Zwaarden, scherp als een scheermes, met een gebogen kling die even lang was als het been van een volwassen man. Zwaarden die met één beweging een ledemaat van een romp konden scheiden of even gemakkelijk door een mensenlijf sneden als een mes door tofoe. Dat was iets heel anders dan houten stokken.

De mannen van de militie leunden naar voren. Minachtende lachjes speelden rond hun lippen. Een opgewonden gefluister vulde de hal.

Kitaro deed zijn best om onbewogen te blijven, maar Yozo zag zijn adamsappel op en neer gaan. Hij grijnsde geruststellend. 'Ze hopen op een spektakel,' zei hij zacht. 'Ze denken dat ze bloed zullen zien vloeien, of, beter nog, mij op mijn knieën zullen zien smeken om genade. Maar dat genoegen gun ik hun niet.'

'Misschien moet je voor de zekerheid dit maar dragen,' zei de commandant opgewekt. Een hoofdband met een beschermende ijzeren plaat schoot over de vloer naar Yozo toe en kwam voor zijn voeten tot stilstand. Hij bukte zich, raapte hem op en bond hem rond zijn hoofd, met de plaat aan de voorkant.

'Tatsu-sama,' zei Yozo beleefd. 'Misschien moet u er ook een dragen, voor de zekerheid?'

Tatsu hief met een neerbuigend rukje zijn kin.

Yozo trok zijn zwaard en hield het even vast; hij streelde het gevest en genoot van het geruststellende gewicht in zijn hand. Het was een goed wapen, gemaakt in de smidsen in Bizen en voorzien van het merkteken van een meester-wapensmid. Het enige wat hij kon doen, was zijn mannetje staan. De commandant was degene die zou moeten oproepen tot het staken van het gevecht als hij of Tatsu gewond dreigde te raken.

Hij sloot zijn beide handen om het gevest en hurkte in het midden van de arena neer, met zijn blik op Tatsu gericht, en probeerde door diens ogen de man binnenin te zien. Het enige wat hij zag, was duisternis. De geest van Tatsu was al dood, hij kende geen angst en had niets te verliezen. In tegenstelling tot Tatsu was Yozo vastbesloten om te blijven leven, al wist hij dat dit voornemen in zijn nadeel was.

De punten van hun zwaarden raakten elkaar en Yozo voelde de energie trillen in Tatsu's kling. De wereld leek te verdwijnen, totdat hij zich alleen nog maar bewust was van Tatsu's uitdrukkingsloze gezicht en het geluid van zijn ademhaling die de stilte verbrak.

Ze kwamen overeind, met hun zwaarden nog steeds tegen elkaar, en draaiden langzaam rondjes om elkaar heen. Hun blikken lieten elkaar geen moment los. Yozo was klaarwakker, elk zintuig stond op scherp. Hij was zich bewust van de banieren aan de wand en de groepjes mannen in blauwe jasjes die hen met kraaloogjes aankeken. Het waren net gieren.

Hij kwam langzaam dichterbij. Toen flitste Tatsu's zwaard en hij sprong naar achteren om de klap op te vangen met zijn kling, vlak bij het gevest. Er klonk een oorverdovend geluid, en door de kracht van de klap deinsde hij wankelend achteruit. Toen hervond hij zijn evenwicht, hief zijn zwaard en stapte naar voren voor de tegenaanval. Tatsu weerde hem af. Staal sloeg tegen staal toen ze zich overgaven aan een opeenvolging van slagen, ontwijkingen en schijnbewegingen. Ze doken weg en weerden af en slaakten bij elke slag luide kreten.

Yozo had in veldslagen gestreden en in man tegen man gevechten, maar dit was iets anders. Tatsu was meedogenloos. Niets en niemand kon hem ervan weerhouden Yozo ervan langs te geven. Het was een gevecht dat door zou gaan totdat de dood erop volgde – Yozo's dood.

De klap leek uit het niets te komen. Het ene moment stonden ze nog ineengedoken tegenover elkaar en keken ze elkaar recht aan, maar een tel later wankelde Yozo met een tintelende arm naar achteren. Tatsu had hem in zijn schouder geraakt en het warme bloed stroomde over zijn arm naar beneden. Hij merkte dat zijn vingers gevoelloos werden en dat hij ondanks de koude lucht begon te zweten. Hij stond te hijgen, terwijl Tatsu nog zo fris als een hoentje was.

In de stilte die was gevallen hoorde hij een metalig geluid, gevolgd door een onderdrukte lach. De mannen hadden weddenschappen afgesloten, en de kansen van Tatsu waren zojuist sterk toegenomen. Weer hoorde hij het gerinkel van muntjes. Hij ving een glimp op van het gezicht van de commandant, die naar hem zat te kijken, en zag de minachtend opgetrokken lip. Heel even voelde Yozo een woede die zo hevig was dat hij erdoor werd verblind, maar toen maakte zijn kwaadheid plaats voor een ijzige vastberadenheid. Hij zou dit gevecht niet verliezen.

Tatsu cirkelde om hem heen als een wolf die hem elk moment kon bespringen. Yozo keek naar zijn sluipende tegenstander. Die had dik, enigszins golvend haar dat recht omhoog stond en een stel moedervlekken op de rechterhelft van zijn gezicht. Hij hief opnieuw zijn zwaard en haalde uit, vastbesloten om er zo snel mogelijk een einde aan te maken. Yozo weerde af en verzette zich toen Tatsu zijn zwaardarm naar beneden wilde duwen. Al worstelend en met hun zwaarden tegen elkaar bewogen ze zich haastig en met wapperende kimonorokken naar de zijkant van de hal. Yozo's blik liet die van Tatsu geen moment los. Hij was uiterst geconcentreerd.

Misschien kwam het door het waas van blauw dat zichtbaar werd toen de toeschouwers uiteenstoven, of misschien doordat Yozo zich met een hernieuwde vastberadenheid in de strijd had gestort, maar feit was dat Tatsu's aandacht bijna onmerkbaar kort verslapte. En daar had Yozo op gewacht. Hij draaide zijn zwaardarm vrij en haalde uit naar Tatsu's kuiten. De kling gleed door de stof van de kimono. Het was een stiekeme beweging, maar tijdens de strijd moest een man op alles voorbereid zijn. Tatsu had volgens het boekje gevochten en ervoor gezorgd dat zijn hoofd, armen en borst beschermd waren, maar hij was zijn benen vergeten. Hij was zo verrast dat hij over de gescheurde stof struikelde. Yozo zag tot zijn grote vreugde dat hij bloed had laten vloeien.

Met een kreet draaide Yozo zich op zijn tenen om en dook op zijn tegenstander af. Weer haakten hun zwaarden in elkaar, maar in plaats van los te laten gebruikte Yozo zijn hele gewicht om Tatsu tegen de wand te duwen. Hij hoorde de soldaten van de militie naar adem happen. De rollen waren omgedraaid. Nu was Tatsu in het nauw gedreven.

Snel, voordat Tatsu zijn evenwicht weer kon vinden, stapte Yozo naar achteren en nam zijn positie in: rechterbeen naar voren, knieën ontspannen, gewicht laag bij de grond. Met beide handen hief hij zijn zwaard. Met een geconcentreerde blik liet hij het zakken, totdat het gevest zich vlak voor zijn gezicht bevond en de punt van het wapen naar het dak wees.

Hij hoorde zijn eigen ademhaling. Hij was er klaar voor. Meer dan ooit. Hij wist met absolute zekerheid dat hij Tatsu's hoofd binnen een tel kon doorklieven, en aan Tatsu's gezicht te zien wist die dat ook. Uiterst kalm zwaaide hij zijn zwaard naar achteren.

Een stem blafte: 'Genoeg!'

Het was de commandant. De beide mannen bleven doodstil staan. Heel even leken ze net twee standbeelden, halverwege een beweging versteend. Toen lieten ze hun zwaarden zakken, staken die in de schede en bogen voor elkaar.

De commandant had voorovergeleund gezeten en hen aandachtig geobserveerd. Nu rechtte hij zijn rug en keek hevig fronsend van de een naar de ander. 'Je hebt uitheemse gewoonten overgenomen, vriend,' zei hij. 'Je vecht gemeen, maar je hebt eerlijk en overduidelijk gewonnen. Onze vriend hier heeft je flink laten zweten, Tatsu,' voegde hij er met een onzeker lachje aan toe.

Yozo maakte een buiging. Hij kon merken dat de commandant niet te zwaar probeerde te tillen aan Tatsu's verlies, maar het was en bleef een vernedering voor de schermmeester. Yozo had alleen kunnen winnen door zijn toevlucht te nemen tot onorthodoxe methodes, maar onorthodox of niet, hij had de beste zwaardvechter van de commandant verslagen en had daardoor ook de commandant voor schut gezet, zowel in de ogen van diens eigen mannen als in die van de troepen van Enomoto. Van nu af aan zou hij op zijn hoede moeten zijn.

14

'We kunnen maar beter teruggaan naar de barak, dan kun je die wond laten verzorgen,' zei Kitaro.

Yozo knikte en kromp ineen toen hij zijn arm probeerde te bewegen. In het heetst van de strijd had hij niet meer aan zijn schouder gedacht, maar nu voelde het alsof die in brand stond en steeds stijver werd. Hij raakte hem voorzichtig aan en schoof zijn hemd opzij, dat door het opgedroogde bloed aan zijn huid vastgekleefd zat. Het was slechts een vleeswond, maar wel een diepe.

Omdat er in de barakken niemand te bekennen was, gingen Yozo en Kitaro op zoek naar de dokter, een stevige jongeman die samen met hen naar Europa was gereisd en was meegevaren op de Kaiyo Maru. Hoewel hij nog jong was, beschikte hij over een grote kennis van zowel de westerse als de traditionele Chinese geneeskunde. Achter in een van de barakken had hij een geïmproviseerde spreekkamer ingericht waar talloze flesjes westerse medicijnen zij aan zij stonden met ingelegde ginsengwortel, hertengeweien en een indrukwekkende verzameling messen. Er stond zelfs een operatietafel.

Hij verbond Yozo's wond en legde toen een grote bruine bol Chinese kruiden in een aardewerken theepot, goot er water overheen en hing hem boven het haardvuur.

'Drink dit maar op,' zei hij toen hij Yozo even later een beker van het bittere brouwsel gaf. 'Je zult er een tijdje goed van slapen.'

'Ik ga Enomoto zoeken,' zei Kitaro. 'Hij moet weten wat er is gebeurd. Ik kom over een paar uur wel weer bij je kijken.'

Toen Yozo wakker werd, was de schemering gevallen en was de pijn in zijn schouder afgezakt tot een dof kloppen. Een stem met een zangerig Frans accent riep zijn naam.

Langzaam kwam Yozo overeind. 'Ik ben hier!'

Hij hoorde mensen op kousenvoeten door de barak lopen en sloeg het beddengoed opzij. Toen hij de grote hal in liep, zag hij dat de lampen aan de wanden waren aangestoken en dat de soldaten naar binnen stroomden voor de avondmaaltijd. Uit de keuken kwamen heerlijke geuren die zich vermengden met de lucht van zweet en stof.

De stevige gestalte van sergeant Marlin beende over de tatami's naar hem toe. Yozo wist dat de sergeant in zijn eigen land niet als bijzonder lang zou worden beschouwd, maar hier was hij een reus. Hij leek met zijn omvang de hele hal te vullen en moest zich bukken om zijn hoofd niet aan het deurkozijn te stoten. Yozo lachte toen hij de zware trekken en de druipsnor zag, maar zijn lach verdween al snel. Aan het gezicht van de ander zag hij dat er iets heel erg mis was.

'Er is een dode gevallen,' zei Marlin. Zijn stem klonk scherp. 'Op de schietbaan. Een ongeluk.' Er viel een lange stilte. 'Het spijt me, meneer.'

De pijn in Yozo's schouder nam weer toe. Vanwege het drankje kon hij nog niet helder denken en moest hij zijn best doen om te begrijpen wat Marlin zei. Er vielen wel vaker doden; daar was niets aan te doen. Waarom nam Marlin de moeite om hem dat persoonlijk te vertellen?

'U kunt maar beter even komen kijken, meneer. Het ziet ernaar uit dat...'

Een angstig vermoeden wekte Yozo uit zijn verdwaasde toestand. Waar was Kitaro?

Hij rende zonder jas naar buiten, de vrieskou in, naar de schietbaan. Het leek eindeloos lang te duren voordat hij er was, en hoewel hij steeds harder ging rennen, kwam hij voor zijn gevoel maar niet dichterbij. Heel even vroeg hij zich af of hij nog steeds sliep en dit misschien een nachtmerrie was, maar de ijzige wind die zijn gezicht geselde en dwars door zijn dunne uniform sneed, maakte hem duidelijk dat dit geen droom was. De maan kwam al op en wierp een bleek licht over de verderop gelegen gebouwen en de borstweringen, en her en daar lagen modderige hopen sneeuw op de kale aarde. Buiten de muren van het fort huilde een wolf, een melancholiek geluid dat door de heuvels werd weerkaatst.

De schietbaan lag helemaal aan de andere kant van het terrein, ver van de barakken. Yozo kon nog net de omtrek van de doelen in de verte zien. Toen zag hij een donkere, ineengedoken gestalte op de grond liggen, vlak bij het begin van de baan. Hij bleef meteen staan, met bonzend hart. Trillend plantte hij zijn handen op zijn knieën en hapte naar adem. Toen liep hij er heel langzaam naartoe.

Kitaro lag op zijn rug, met zijn mond en ogen open. Zijn bril lag even verderop te glanzen in het licht, de glazen gebroken, en zijn armen met de grote magere handen waren uitgestrekt, alsof hij achterover was gevallen maar geen tijd meer had gehad om zijn val te breken. Op zijn hemd was een grote zwarte vlek te zien.

Yozo liet zich op zijn knieën vallen en staarde zijn vriend aan, in een poging te bevatten wat hij zag. Hij stak een trillende hand uit en raakte Kitaro's koude wang aan. Toen drukte hij zijn vingers op de oogleden en deed ze langzaam dicht.

Hij boog zich verder voorover, rukte Kitaro's hemd open en legde zijn hand op de magere borst. Daar zat slechts één wond, en het was een lange, smalle snee. Een wond veroorzaakt door een zwaard, niet door een schietwapen. Kitaro was met een enkele slag gedood, nog voordat hij de kans had gekregen om zich te verdedigen.

Yozo leunde achterover. Hij had slagvelden gezien waar de lijken zich hadden opgehoopt, hij was vaker dan hem lief was getuige geweest van de dood van anderen. Maar dit was anders; dit was zijn vriend, met wie hij zo veel had meegemaakt. Kreunend pakte hij Kitaro vast en tilde zijn schouders van de grond. Kitaro's hoofd viel achterover, maar Yozo pakte het vast en drukte het even tegen zijn borst voordat hij zijn vriend weer neervlijde. Toen hij Kitaro had leren kennen, was hij een slungelige jongen van zeventien geweest, met ingevallen wangen en slordig zwart haar en een bril met bespottelijk dikke glazen. Yozo had aan boord vaak moeilijke klusjes van hem overgenomen, zoals in het want klimmen om de zeilen vast te zetten. Maar in Holland had Kitaro zich sneller dan wie dan ook aangepast. Hij was net een ekster, die overal kostbare stukjes informatie vandaan haalde.

Al die reizen, al die kennis, de lange reis terug naar Japan en naar het land Ezo – en dat allemaal om hier zo wreed, zo achteloos te worden gedood, met een enkele slag van een zwaard, net vierentwintig jaar oud.

Yozo wreef in zijn ogen. Hier zou iemand voor boeten.

'Ik geef je mijn woord,' beloofde hij Kitaro. Zijn stem klonk hol in de stilte. 'Als ik ooit terugkeer uit deze oorlog, ga ik je familie opzoeken om te vertellen dat je eervol bent gestorven. Ik zal ervoor zorgen dat het hen aan niets ontbreekt. En ik zal je moordenaar vinden en je dood wreken. Dat zweer ik.'

Yozo schrok op toen hij een hand op zijn schouder voelde. Marlin keek met een bezorgd gezicht op hem neer. Yozo schudde zijn hand van zich af en kwam overeind.

Tegen de tijd dat hij besefte waar hij was, stond hij al voor het hoofdkwartier van de militie. Hij voelde zich ongewoon kalm, in alle opzichten beheerst. Het was overduidelijk wie Kitaro had gedood. Het was een zwaardvechter geweest – Tatsu, waarschijnlijk, of een van zijn makkers – en de moord was gepleegd met medeweten en goedkeuring van de commandant, als vergelding voor wat er die ochtend was gebeurd. Misschien was het de commandant zelf wel geweest. Per slot van rekening stond hij erom bekend dat hij zonder aarzelen een man kon doden als die hem had ontriefd.

Wie er ook verantwoordelijk was, Yozo zou hem vinden, hen allemaal, en hij zou wraak nemen. Maar hij droeg geen jas en zijn kleren zaten onder het bloed van Kitaro. Hij veegde zijn gezicht af met een zakdoek en trok zijn uniform recht. Hij zou verstandig te werk moeten gaan.

De groepjes mannen die binnen rondhingen, gaapten hem aan toen hij met ferme passen door de hal liep, naar het deel van het gebouw waar volgens hem de vertrekken van de commandant waren. Stemmen riepen: 'Hé, daar mag je niet naar binnen! Dat is verboden!'

'Ik heb een boodschap voor de commandant,' zei Yozo kortaf. 'Van de gouverneur-generaal. Het is dringend. Ik moet het hem meteen melden.'

De mannen volgden hem toen hij door de verlaten vertrekken liep en de ene schuifdeur na de andere opende. Het licht schemerde langs de randen van het laatste stel deuren. Een paar jongemannen in blauwe jasjes pakten zijn armen vast, maar hij schudde hen van zich af en schoof de deuren open, even knipperend in het plotseling felle licht. Hij stond in een klein vertrek met tatami's op de vloer. De mannen legden bevend van schrik hun zware handen op zijn schouders en dwongen hem in een knielende houding.

De commandant zat midden in de kamer, op zijn knieën, met de strengen geolied haar los langs zijn wangen. Tussen twee vingers hield hij een penseel vast, en voor hem lang een groot vel papier op een doek op de vloer, op zijn plaats gehouden door gewichtjes. De geur van pasgemalen inkt vulde de kamer. In het lamplicht ving Yozo een glimp op van het bleke gelaat met de brede neus en het zware voorhoofd, de geloken ogen en de sensuele mond. Hij kon de poriën in de huid van de commandant zien en rook de stoffige geur van zijn pommade.

Tegenover de commandant knielden twee ondergeschikten, die met een ruk hun hoofd hieven toen Yozo binnenkwam. Yozo voelde zijn huid prikken toen hij het gezicht van Tatsu met de moedervlekken zag.

De commandant moest het tikkende geluid hebben gehoord van de deuren die weer dichtschoven, maar hij schonk er niet de minste aandacht aan. Hij doopte zijn penseel in het plasje inkt op de inktsteen en zette hem daarna in een vloeiende zwarte lijn op het papier; hij tilde de punt iets verder op om de lijn dunner te maken en drukte hem aan het einde met iets meer kracht neer om de lijn zwierig aan te zetten. Yozo keek geboeid toe. Hij had een hekel aan de commandant, maar kon niet anders dan ontzag voor hem hebben.

Vanaf de plek waar Yozo geknield zat, kon hij de woorden lezen: 'Hoewel mijn lichaam op het eiland Ezo zal vergaan...' De woorden straalden van het vel en leken zich in zijn gedachten te branden. Hij zag Kitaro's lichaam, badend in het maanlicht. Uiteindelijk zouden ze allemaal sterven op dit vervloekte eiland.

De commandant spoelde zijn penseel schoon, veegde het af en

legde het op een houder. Daarna strooide hij wat zand over het vel, schudde het heen en weer en knielde even neer om zijn handwerk te bewonderen. Toen draaide hij zich langzaam om en keek van onder zijn zware wenkbrauwen naar de drie mannen op de drempel.

'Tajima,' zei hij op kalme toon, alsof hij in het geheel niet verrast was door Yozo's plotselinge komst. 'Heb je je doodsgedicht al geschreven?'

Yozo kon geen woord uitbrengen. Het bloed suisde hard in zijn oren.

'We zijn aan de verliezende hand in een gevecht voor een bewind dat niet langer bestaat,' zei de commandant met een ernstig gezicht. 'Nu de shogun er niet meer is, zou het een schande zijn als niemand bereid zou zijn hem in zijn ondergang te volgen. Ik zal de beste strijd van mijn bestaan leveren en voor mijn land sterven. Meer glorie kan een man zich niet wensen.'

Yozo greep het gevest van zijn korte zwaard zo stevig vast dat hij het koord in zijn handpalm voelde snijden. Dit was zijn kans om Kitaro te wreken. Hij verzamelde al zijn energie, haalde diep adem en wilde net naar voren springen toen een stevige man naast hem in de deuropening verscheen.

'Het spijt me, meneer.' Marlin legde een hand op Yozo's arm en sprak de commandant in het Japans met dat buitenissige Franse accent aan. 'Mijn vriend hier kwam u het nieuws melden. Naar het schijnt hebben de zuiderlingen het pantserschip in bezit en zullen ze zodra het weer verbetert een vloot hierheen sturen. Als we allemaal ons best doen, meneer, kunnen we ze verslaan. Het Franse leger is het beste ter wereld en de zuiderlingen hebben alleen maar Engelse wapens. U hoeft nog niet te wanhopen, meneer. We zullen die ellendelingen verslaan!'

Yozo staarde de commandant aan. Pas maar op, Yamaguchi, je bent niet onsterfelijk, dacht hij. Je bent een man, net als ieder ander. Ik wacht rustig mijn kans af, mijn tijd zal komen. En ik zal een manier vinden om de dood van mijn vriend te wreken.

Trillend van woede en haat stond hij op, en met Marlins hand op zijn goede schouder liep hij de kamer van de commandant uit.

15

Hana werd met een onverklaarbaar gevoel van opwinding wakker. De zon kwam net op en het rook naar lente, maar in Tama's vertrekken in de Yoshiwara lag iedereen nog te slapen. Dienstmeisjes en helpsters lagen uitgestrekt in de ontvangstkamer en Tama zelf had zich met haar minnaar van die nacht in haar slaapkamer teruggetrokken.

Dit was haar kans. Hana woonde lang genoeg in de Yoshiwara om te weten dat ze niet veel langer in de kooi zou kunnen blijven zitten. Er zou weldra meer van haar worden verwacht, veel meer. Het was tijd om de gok te wagen en nogmaals te proberen of ze kon ontsnappen, wat de gevolgen ook mochten zijn.

Ze trok een onversierd jasje en katoenen sokken aan en liep daarna voorzichtig over de krakende vloer en haastig langs de trap naar beneden. Bij de ingang aarzelde ze even, bevend, en ze dacht aan de laatste keer dat ze daar had gestaan en de dreunende voetstappen achter zich in de gang had gehoord en de stok op haar rug had gevoeld. Maar vandaag was er niemand te zien; de gang was donker en leeg, slechts gevuld met de rekken met sandalen. Ze schoot een paar aan en duwde de gordijnen opzij die voor de deuropening hingen.

Buiten was de hemel stralend blauw. De vogels zongen en een mild briesje speelde met haar rokken. Een mannelijke bediende zat op zijn hurken naast de deur en snurkte zachtjes. Hana keek om zich heen, opgetogen dat ze vrij was, al was het maar voor even.

Buiten waren de ochtendwerkers al bezig: magere schoonmakers met bezems, dragers die wankelden onder de bagage die aan stokken over hun schouders hing, en mannen met kromme beentjes die bijna dubbel bogen door de last van de emmers waarin de uitwerp-selen van die nacht werden afgevoerd. Een man kwam strompelend een huis uit, alsof hij nu pas besefte hoe laat het was, en toen hij zich omdraaide voor een laatste blik ving ze een glimp op van waterige oogjes en donkere stoppels in een ongezond bleek gezicht. Ze dook weg in de schaduwen. Alle ogen leken op haar te zijn gericht.

Opeens klonk er een luide dreun, als een donderslag. Hana schrok op en keek om zich heen, ervan overtuigd dat ze haar achter-na waren gekomen, maar het waren slechts de dienstmeiden die de luiken van het huis aan de overkant openden. Ze had de straat nog niet eerder bij daglicht gezien en keek vol verbazing om zich heen. De gebouwen waren net paleizen, groot en fraai, met wanden van houten latten, veel mooier dan de huizen die ze kende. Gordijnen wapperden als vaandels voor de ruime ingangen heen en weer, en de bovenste verdiepingen hadden balkons, waar het ene gezicht na het andere verscheen. Toch had de straat ook iets afgeleefds, alsof zelfs de huizen moe waren van het feest van de avond ervoor.

Dwars over de lichtbruine gordijnen van het pand dat Hana zo-even had verlaten, stond de naam ervan vermeld: HOEK TAMAYA.

Ze keek even achterom en bleef staan om te bepalen of ze voet-stappen kon horen. Daarna liep ze snel, bijna rennend, de laatste paar meter naar het einde van de straat. Om de hoek lag een brede straat die nog mooier was dan de straat die ze zo-even had verlaten, met in het midden een rij kersenbomen die elk moment konden ontluiken. Uit de kraampjes met etenswaren stegen rookwolkjes op, en de geuren van gegrilde vis en mussen vermengden zich met die van gestoofde groenten. Ze bevond zich op de grote boulevard waar ze een paar maanden geleden ook met Fuyu had gelopen, maar dat leek nu iets uit een vorig leven.

Aan het einde van de laan zag ze de stadsmuur, die zo hoog was dat ze er nooit overheen zou kunnen klimmen. De zware deuren van de Grote Poort waren zo ver mogelijk geopend en een schild-wacht wiens dijen bezaaid waren met tatoeages zat in het zonnetje te dommelen. Ze wist dat er dag en nacht vier schildwachten aan-wezig waren die moesten verhinderen dat de vrouwen zouden ont-snappen en dat de mannen zonder te betalen weg zouden glippen, maar hij leek alleen te zijn. Nadat ze een snelle blik naar links en rechts had geworpen, liep ze zo onopvallend mogelijk naar de poort.

Ze was er bijna toen een vrouw zo snel uit een van de huizen naar buiten rende dat de donkerrode gordijnen voor de ingang wapperden als vleugels. Hana sprong geschrokken naar achteren, maar de vrouw keek haar stralend aan.

'Welkom bij theehuis de Chrysant!' riep ze. 'Kom binnen, kom binnen. Ik ben Mitsu, en dit is mijn theehuis. Ik ben zo blij dat ik eindelijk met u kennis kan maken.'

Hana boog, maar ze begreep er niets van. Ze had deze vrouw nog nooit eerder in haar leven gezien.

'U bent toch Hanaogi-sama? De jongedame over wie iedereen het heeft?' zei de vrouw bijna ademloos van enthousiasme. Ze was heel klein en leek net een vogeltje, met haar fijne gezichtje dat nog steeds mooi was en haar witte haar naar achteren gekamd in een onberispelijke chignon. 'Iedereen vraagt me van alles over u.'

Hana was geschokt. Ze had niet beseft dat nieuws zo snel de ronde zou doen. In het aangrenzende huis duwde een andere vrouw de gordijnen opzij, al snel gevolgd door nog meer vrouwen in nog meer huizen. Het duurde niet lang voordat ze allemaal om Hana heen dromden en zichzelf druk babbelend aan haar voorstelden.

Mitsu lachte, een hoog, schel lachje, en wapperde met haar handen naar de anderen, als om ze weg te sturen.

'De Chrysant is het beste theehuis in de Yoshiwara,' zei ze beslist, op een toon die geen tegenspraak duldde. 'U kunt er zeker van zijn dat de gasten die ik aanbeveel van de beste kwaliteit zijn. Kom nu maar binnen voor een pijp en een kopje thee!'

Elke hoop op ontsnapping leek in elk geval voor vandaag te zijn vervlogen, maar Hana voelde zich op een vreemde manier opgelucht. Per slot van rekening zou vader haar alleen maar een pak slaag hebben gegeven als ze was betrapt, en bovendien had ze geen idee waar ze heen had moeten gaan. Opeens dacht ze aan de vrouw met het lieve gezicht die haar haar deed en haar voordat ze de kooi in werd gestuurd het kammetje had gegeven.

'Ik zou graag eens een kop thee komen drinken, maar niet nu,' zei ze glimlachend. 'Ik was eigenlijk op zoek naar Otsuné, de kapster. Weet u misschien waar ze woont?'

De huisjes in het steegje waar Otsuné woonde waren klein en eenvoudig en stonden zo dicht opeen dat er niet eens een zonnestraal tussendoor kon schijnen. Hana koos zorgvuldig haar weg over de onverharde grond naar een deur waarop Otsuné's naam stond vermeld. Ze schoof hem open en tuurde naar binnen. In hoeken en op planken stonden kistjes vol kammetjes, haarspelden, krulijzers en plukjes berenhaar en potjes met camelia-olie en bintsuké-was. De doordringende lucht van geschroeid haar, haarverf en brandende houtskool vulde de kamer.

Otsuné zat geknield voor een lage tafel en was met haar magere handen bezig haar aan een haarstukje te bevestigen. Ze keek op en begon te stralen toen ze Hana zag. Ze droeg een gestreepte indigoblauwe kimono met een gewatteerde kraag. In het midden van de kamer stond een keramische stoof met houtskool, en een stel kaarsen probeerde de schaduwen te verdrijven.

Ze vulde de theepot en gaf Hana een kopje. Toen ze dat deed, viel er een straal licht op haar gezicht, waardoor de rimpels op haar voorhoofd en rond haar mondhoeken duidelijk zichtbaar werden. Ze had een nogal droevig gezicht, stelde Hana vast.

Hana nipte aan haar thee en begon Otsuné te vertellen over haar bijzondere ontmoeting met Mitsu en de andere eigenaressen van theehuizen.

'Dat heb je heel goed gedaan,' zei Otsuné toen ze klaar was. 'Tante van de Hoek Tamaya zal tevreden over je zijn.'

Hana hield haar adem in en bedacht dat Otsuné haar misschien zou vragen waarom ze alleen over straat had gezworven, maar het leek haar niet veel te kunnen schelen.

'De theehuizen zijn heel belangrijk,' vervolgde Otsuné. 'Daar gaan mannen heen om hun afspraken te regelen. Sommige gaan altijd naar dezelfde vrouw, andere proberen elke keer weer een ander, en weer andere willen niets liever dan door een beroemde courtisane te worden ontvangen. En als ze dat willen, zullen ze heel veel geld moeten meebrengen. Als ze niet weten naar wie ze moeten vragen, kan de eigenares van het theehuis helpen. Zelfs de mannen die je in de kooi hebben gezien moeten nog altijd via het theehuis een afspraak met je regelen. Mitsu was vroeger de beroemdste courtisane van het hele district en ze is nog steeds een legende. Toen ze ermee ophield, kocht haar belangrijkste klant een theehuis voor haar, en de Chrysant is nu het geliefdste theehuis van de stad, met de beste klanten en de beste connecties. Als Mitsu je graag mag, is je bedje gespreid.'

Het lentebriesje waaide door de kieren in de wand en langs het deurkozijn naar binnen, en Hana trok haar jasje dichter om zich heen. Als ze in de Yoshiwara zou blijven, moest ze haar leven draaglijk zien te maken. Tama leek niet eens zo slecht af te zijn.

'Het is me opgevallen dat Tama niet met iedere klant slaapt, ook al betalen ze haar,' zei ze nadenkend. 'Soms zit ze een uur met iemand te praten en sake te drinken en stuurt ze hem daarna gewoon weg, zonder dat er iets is gebeurd.'

'Ja, maar Tama is hier al heel lang, sinds haar kindertijd, en ze is erg slim. Ze beheerst elk kunstje, ze weet hoe ze moet praten, hoe ze zich moet gedragen, hoe ze de oude dames die alles regelen moet behagen. Ze kan zingen en dansen en dichten en thee serveren. Maar uiteindelijk maakt dat allemaal niet uit. Ze heeft nog altijd een grote schuld en zou er alles voor over hebben om zich door iemand vrij te laten kopen. Ze slaapt wel met rijke klanten, geloof me. Vrouwen in ons vak kunnen het zich niet veroorloven kieskeurig te zijn.'

'In ons vak...' Hana staarde haar aan.

De deur gleed open en een mager, grijnzend gezicht keek vragend naar binnen. Het bleek toe te behoren aan een jongen met een magere nek en een smalle borstkas. Otsuné sprong overeind, pakte haar geldbuidel en gaf de jongen een paar muntjes. Hij verdween en kwam even later terug met een paar kommen dampende mie.

'Ik heb gelezen dat het in vroeger tijden anders was, dat sommige courtisanes nooit met klanten sliepen, tenzij ze die heel graag mochten,' zei Hana. Ze sloot haar handen om de kom en snoof de pittige geur op. Als ze dan toch in de Yoshiwara moest blijven, zou ze graag zo'n soort courtisane worden.

Otsuné zette haar kom neer en begon te lachen. 'Ja, daar hoopt iedereen op, en met een gezichtje als dat van jou zou het je misschien nog lukken ook, maar de kans erop is erg klein. De meesten van ons kunnen geen klanten weigeren. Je moet niet vergeten dat het gewoon werk is. Weet je, je moet sake blijven bijschenken en hopen dat hij in slaap valt voordat er echt iets kan gebeuren. Dat is altijd een slimme truc. Er zijn heel veel manieren om er snel vanaf te komen. Tama weet er alles van, en zelfs ik kan je nog het een en ander leren.'

Ze legde haar magere hand op het reepje stof aan de kraag van haar kimono en streelde het, kalmpjes glimlachend, alsof ze aan iets dacht wat haar heimelijk plezier deed.

'Het belangrijkste is dat je nooit moet vergeten dat het werk is, meer niet. Dat zeggen we tegen alle nieuwelingen. En verlies vooral nooit je hart aan iemand. Het grote gevaar wordt niet gevormd door de vreselijke mannen met wie je moet slapen, maar door de degene die je hart steelt. Dat is altijd de verkeerde vent, de knappe jongeling die jouw prijs niet kan betalen. En dan zul je in tranen naar me toe komen en vragen wat je moet doen. Wat het slapen met klanten betreft, misschien krijg je daar vroeg of laat wel plezier in. Je bent toch getrouwd? Je hebt toch met je man geslapen?'

Hana schoof ongemakkelijk heen en weer. 'Ik... ik ken hem amper,' fluisterde ze. 'Het enige wat hij tegen me zei, waren dingen als: "Laat mijn bad vollopen! Haal thee voor me!"'

Ze zag zijn gezicht voor zich, donker en boos. Ze kon de pommade in zijn haar bijna ruiken en dacht aan het mismoedige gevoel dat zich altijd meester van haar had gemaakt wanneer ze een vlaag van dat luchtje opving. Ze hoorde weer zijn blaffende stem: 'Bad!' 'Thee!' 'Eten! Wat, is het nog niet klaar?' en dacht aan hoe ze altijd haar voorhoofd tegen de vloer had gedrukt wanneer hij haar sloeg en schopte. 's Nachts had hij zijn lichaam met zo veel kracht tegen het hare geduwd dat ze haar kaken opeen had moeten klemmen om te voorkomen dat ze het uitschreeuwde van pijn, en telkens wanneer hij een paar dagen thuis was, bleef hij haar vragen of ze al in verwachting was, woedend omdat ze hem nog steeds geen zoon had geschonken.

Ze was niets meer dan een bediende in zijn huis geweest, besefte ze nu. Ze had schoongemaakt en gekookt en was door zijn moeder afgesnauwd en geslagen. Daar was een einde aan gekomen toen de oorlog was uitgebroken; toen had het geleken alsof een god zijn voet op hun kleine mierennest had gezet en een einde had gemaakt aan een leven waarin ze voortdurend op haar hoede moest zijn. Het was verraad om het zelfs maar te denken, maar ze had zich opgelucht gevoeld toen hij ten strijde was getrokken. Een leven als courtisane kon niet erger zijn dan het leven als zijn echtgenote.

'Hij gaf helemaal niets om me,' mompelde ze.

'De mijne wel,' zei Otsuné, die haar kraag bleef strelen. Tot haar grote verwondering zag Hana tranen in haar ogen glinsteren. 'Hij gaf om me.'

In de steeg klonken voetstappen die heen en weer liepen, en schril babbelende vrouwenstemmen drongen tot in het stille huisje door. Het deksel van de ketel op de stoof rammelde zachtjes.

'Wie bedoel je, Otsuné? Je echtgenoot?' vroeg Hana zacht.

'Mijn klant.' Otsuné maakte het voorwerp aan haar kraag los en liet het aan haar zien. Het was een klein, verschoten reepje stof, met rafelige randjes, waarop een zwarte vogel met een groene slang in zijn snavel was geborduurd. Aan het reepje hing een zilveren munt waarin langs de rand een krans was gestanst. Aan de ene zijde stonden woorden die niet langer te lezen waren, aan de andere kant was het profiel van een man met een scherpe neus en een puntbaardje zichtbaar. Hana had nog nooit zoiets gezien.

'Hij heeft me dit gegeven, opdat ik hem niet zou vergeten,' zei Otsuné op gedempte toon. Ze sprak zo zacht dat Hana naar voren moest leunen om haar te kunnen verstaan. Er viel een lange stilte. 'Voordat ik hierheen kwam, was ik de concubine van een man die voor de heer van Okudono werkte. Ik haatte hem, maar mijn ouders waren arm en hadden me aan hem verkocht. Dat was de enige manier waarop we konden overleven.'

Hana staarde naar het reepje stof met de munt en luisterde naar Otsuné's zachte stem. Ze had nog nooit zo veel pijn in iemands woorden gehoord.

'Drie jaar geleden kreeg mijn meester het bevel om terug te keren naar het platteland. Hij liet me in Edo achter, zonder geld, zonder eten. Ik heb drie dagen rondgezworven voordat ik een leeg huis vond. Daar ben ik gaan liggen wachten op de dood.'

Otsuné's gezicht was klein en wit in de schemerige kamer. 'Een man zag me liggen en gaf me een paar rijstballetjes. Hij zei dat hij me nog meer zou geven als ik met hem zou slapen, en dat deed ik dus maar. En zo kwam ik hier terecht. Ik was een laaggeplaatste hoer die bij de Yamatoya aan de Kyomachi 2 werkte; dat is een goedkope tent, niet te vergelijken met de Hoek Tamaya. Ik zat net als jij in een kooi, maar de mannen wilden allemaal jongere meisjes. Ik was niet zoals Tama, ik wist niet hoe ik hun verlangen moest opwekken. En toen verscheen er op een dag een man. Hij was...' Ze zweeg even.

'Hij was wat?' vroeg Hana ademloos.

Otsuné schudde haar hoofd, pakte het reepje stof uit haar handen en hield het even vast voordat ze het weer op haar kraag speldde. 'Hij vroeg telkens weer naar me en zei toen dat hij niet wilde dat ik met anderen zou slapen. Hij kocht me vrij, hij kocht dit huis voor me. Alles wat ik heb, heb ik van hem gekregen.' Ze veegde haar ogen af met haar mouw en vulde opnieuw de theepot.

Hana streelde haar arm. Otsuné was zo mager, niet meer dan een hoopje botten in haar doorgestikte jasje. Hana wilde dolgraag weten wat er van haar klant was geworden, en waarom hij was verdwenen als hij zo veel om haar had gegeven, maar Otsuné zei niets meer. Misschien is hij ook in de oorlog verwikkeld geraakt, dacht Hana. Ze keek om zich heen. Nu haar ogen aan het halfduister gewend waren, zag ze tekenen van de aanwezigheid van een man: een stel enorme laarzen die achter in het schoenenrek waren geschoven, een donkerblauwe obi die haar het soort ceintuur leek die een man zou dragen.

Ze begon in te zien dat een vrouw een erger lot kon treffen dan een positie als vooraanstaande courtisane in de Hoek Tamaya. Ze dacht aan de ingestorte gebouwen die ze tijdens haar tocht door de stad had gezien, aan de vrouwen die zich aan elke voorbijganger hadden aangeboden. Hier, achter de beschutting van de Grote Poort, gingen de zaken in elk geval nog goed.

Ze herinnerde zich dat ze vroeger altijd houtsneden met afbeeldingen van courtisanes uit de Yoshiwara had verzameld, dat ze over hun liefdesleven en kleding en kapsels had gelezen, dat ze die vrouwen had bewonderd en zelfs had geprobeerd hen na te doen. Ze dacht aan haar lievelingsboek en aan die betoverende wereld van Ocho en Yonehachi, die bij haar het verlangen hadden opgewekt om net zo'n romantisch leven te mogen leiden. Zo had ze zich de Yoshiwara altijd voorgesteld.

En nu was ze er zelf.

Er was nog iets: de man die ze bij Kaoru had gezien. Ze wist dat hij een zuiderling en dus een vijand was, maar net als de klant van Otsuné was hij vriendelijk tegen haar geweest. Ze zag nog steeds zijn sierlijke hand met de lange vingers en zijn brede gezicht voor zich, die volle lippen die zich tot een glimlach plooiden. Ze had in haar jonge leventje nog maar zo weinig mannen ontmoet dat ze had gedacht dat elke klant met wie ze zou moeten slapen een monster zou zijn, maar het kon nooit zo erg zijn om met een man als hij te moeten slapen.

Hana haalde diep adem en rechtte haar schouders. Dit was nu haar leven, althans voorlopig. Misschien kon ze ontdekken hoe ze gelukkig moest worden.

16

Tegen de tijd dat Hana de deur van Otsuné's huisje openschoof en de steeg in liep, werden de schaduwen al langer. Op de grote boulevard waren de lantaarns ontstoken en wandelden vroege bezoekers heen en weer of ze verdwenen achter de gordijnen van de theehuizen. Mannen draaiden zich om en keken Hana nieuwsgierig na toen ze voorbijliep. Ze liet haar hoofd hangen en probeerde zich zo klein en onopvallend mogelijk te maken.

Toen ze bij de Hoek Tamaya aankwam, schoof een hand met roze gelakte nagels het gordijn opzij. Er verscheen een gezicht dat nog het meest op een masker leek, witbepoederd, met glanzende zwarte ogen. Kaoro schreed in een wolk van ruisende zijde naar buiten. De zomen van haar kimono's zwierden rond haar enkels.

'Het spijt me dat ik u lastig heb gevallen,' fluisterde Hana. Ze boog zo diep als ze kon en dacht aan die dag, nu alweer maanden geleden, waarop ze onuitgenodigd bij Kaoru naar binnen was gestormd. Sindsdien had ze haar niet meer gezien.

Kaoru staarde met een minzame blik langs haar heen. Ze was een prachtige verschijning in haar rijkelijk geborduurde kimono's en met haar haar opgestoken tot een glanzende wrong die was versierd met kammetjes, edelstenen en haarspelden. Door haar hoge kleppers was ze langer dan andere vrouwen en oogde ze als een godin op een altaar die eerbied afdwong. Mannen bleven staan om naar haar te kijken, maar namen een eerbiedige afstand in acht.

Haar roodgeverfde lippen weken uiteen en toonden een stel tanden die onberispelijk zwart gelakt waren, als een donkere put in haar mond. 'Je zei dat je wilde weten wat er aan het front gebeurt?'

'Op mijn eerste avond hier hoorde ik u zeggen dat de schepen waren uitgevaren,' fluisterde Hana. Het was haar niet ontgaan dat Kaoru's trekken wat waren verzacht. Kaoru had de houding van een echtgenote of een concubine van een daimyo, alsof ze ooit aan het hoofd van een groot huishouden had gestaan, en Hana vroeg zich af of ze misschien een van de vrouwen van de shogun was geweest. Het moest vreselijk zijn om eerst zo'n hoge positie te bekleden en dan in de Yoshiwara te eindigen. Als het echt zo was gegaan, was haar trots het enige wat ze nog bezat. Misschien klampte ze zich er daarom zo aan vast.

'Ik kan je inmiddels nog meer vertellen,' zei Kaoru. 'Ze zijn in Ezo aangekomen en hebben het halve eiland veroverd. Misschien gaan ze op een dag nog wel eens op zoek naar ons.' Er schoot een pijnlijke uitdrukking over haar beeldschone gezicht. 'En wat denk je dat ze zullen doen als ze ons hebben gevonden? Als ze ontdekken dat we met hun vijanden de liefde hebben bedreven? Of ze nu winnen of verliezen, wij delven het onderspit. Ons leven is voorbij, dat van jou en van mij.' Ze herstelde zich en rechtte vol minachting haar rug. 'Van nu af aan blijf jij aan jouw kant van het huis en laat je je niet meer aan mijn klanten zien. Als je geluk hebt, vind je er wellicht zelf een paar.'

Met een mismoedig gevoel liep Hana terug door het huis naar de vertrekken van Tama. Zodra ze de deur openschoof, werd ze omgeven door de geuren van parfum, blanketsel, was en de zure lucht van de lak waarmee tanden werden gezwart. In het reusachtige komfoor in het midden van de kamer gloeiden de kooltjes, en overal brandden lampen en kaarsen. Tama's mooiste kimono's hingen aan de rekken langs de wand, met de dikke doorgestikte zomen uitgestreken zodat het prachtige borduursel zichtbaar was. Het kostbare brokaat glansde dankzij het goud- en zilverkleurige stiksel in het flakkerende licht en gaf het vertrek een rijk en weelderig aanzien.

Hana glimlachte. Afgemeten naar de smaak van samoerai was dit allemaal erg opzichtig en vulgair, en ze wist nog hoe donker en sober de kamers in de duurste samoeraihuizen waren geweest. Zelfs het paleis van de shogun kon niet zo weelderig zijn geweest als dit.

Tot haar komst naar de Yoshiwara had ze nog nooit zoiets gezien, maar tot haar eigen verbazing was ze erop gesteld geraakt. Het leek meer op een onderzees paleis van een drakenkoning dan op een aards onderkomen.

De helpsters waren bezig zich klaar te maken voor de avond en babbelden ondertussen vrolijk met elkaar. Toen ze Hana zagen, schoven ze opzij om plaats te maken voor een van de spiegels. Ze had de indruk dat ze haar bevreemd aankeken, maar niemand vroeg waar ze was geweest.

Tama nipte aan een kop thee en had een gewaad achteloos om haar schouders geslagen. Haar nogal onopvallende gezicht met de hoge jukbeenderen was rood, alsof ze net een bad had genomen. Ze gaapte even en nam een trekje van haar pijp, alsof ze helemaal niet had gemerkt dat Hana weg was geweest.

'Dus je hebt Mitsu ontmoet,' zei ze.

Hana zonk neer op handen en knieën en boog. Tama was haar bondgenoot, dat begreep ze nu wel. Ze wilde haar dolgraag aan haar zijde houden.

'Je bent beslist niet in de wieg gelegd voor de rol van echtgenote,' zei Tama, terwijl ze haar indringend aankeek. 'Dat wist ik al toen ik je voor het eerst zag. Je ziet eruit als een huiskat, maar dat ben je niet. Je hebt klauwen, net als ik. Dat zal ervoor zorgen dat je een goede courtisane wordt.'

Hana haalde diep adem. Tama was gewiekst en wispelturig. Het was beter om haar niet al te rechtstreekse vragen te stellen.

'Ik weet dat ik nooit zo goed zal worden als jij,' zei ze, in de wetenschap dat ook zij gewiekst moest zijn om in dit wereldje te kunnen overleven. 'Maar ik wil het graag leren. Wil je me vertellen hoe het moet?'

Tama keek haar vanuit haar ooghoeken aan en glimlachte. 'Ik ben blij dat je het met me eens bent.' Ze nam nog een trekje van haar pijp. 'Maar ik dacht dat jij hier de slimmerik was. Je kunt toch lezen en schrijven? Kun je verder nog iets?'

'Ik kan redelijk goed dansen, en zingen, en ik kan de koto bespelen. Ik weet wat de regels voor de theeceremonie zijn en hoe je het wierookspel moet spelen...'

'Wat heb je dan verder nog nodig?' zei Tama hatelijk. 'Ik kan je verder niets leren.'

Buiten klonk de stem van een straatventer, en Tama gaf Chidori snel de opdracht om wat medicijnen te gaan kopen.

'Zijn er geen bijzondere dingen die een courtisane moet weten?' fluisterde Hana met hevig blozend gezicht.

Tama tikte haar pijp af tegen de doos met tabak en keek haar veelbetekenend aan.

'Je wilt weten hoe je in de nacht moet zingen, hè?'

Hana knikte.

'Nou, daar weten gekooide vogels zoals wij wel het een en ander van. Voor vanavond heeft Shosaburo me besproken. Als je wilt, mag je wel door de deuren van de slaapkamer gluren. Hij is een bedreven minnaar, erg hartstochtelijk en bijzonder vaardig. Als je wilt, mag je de hele nacht blijven kijken. Dat doen de andere meisjes ook.' Ze kneep haar ogen zo ver samen dat ze niet meer dan spleetjes in haar gezicht waren en liet haar tong langs haar lippen gaan. 'En je hebt gelijk, ik kan je wel het een en ander aan technieken leren. Hoe de stengel van jade zich langs de snaren van de luit beweegt, de achtenveertig standjes, alle geheimen van de weg van de liefde. Je kunt een ware kenner worden. En ook al word je dat niet, dan nog zal ik er plezier in hebben om het je te laten zien.'

Ze pakte een pluk tabak uit het doosje en kneedde die tussen haar vingers voordat ze hem in het kopje van haar pijp stopte. Daarna pakte ze de tang, tilde een gloeiend kooltje uit het komfoor en stak de pijp aan.

'Maar de meeste mannen willen alleen maar dromen,' zei ze.

Haar gezicht was in het licht van het vuur ernstig, bijna verdrietig. Hana zag dat rimpels zich begonnen af te tekenen op haar voorhoofd, dat haar wangen vleziger werden en dat de huid rond haar ogen slap begon te worden. Tama begon haar schoonheid al te verliezen, besefte ze.

'Ze willen zich jong en knap en begerenswaardig voelen, ook al zijn ze nog zo oud en lelijk. Ze willen zo graag geloven dat ze intelligent en gevat zijn, dat ze onweerstaanbaar zijn. Ze willen dat je hen aankijkt met een blik alsof je het niet kunt verdragen van hen gescheiden te zijn, alsof je er alles voor over zou hebben om nog wat meer tijd met hen te mogen doorbrengen. Als je een man dat gevoel kunt geven, is hij voor altijd de jouwe.' Ze trok nadenkend aan haar pijp. 'Je zult het snel genoeg leren, en dankzij dat gezichtje en die uitstraling van je zullen de mannen om je vechten. Maar als je nog iets verfijnder wordt, zul je des te begeerlijker zijn.'

Buiten op de gang klonk het geluid van naderende voetstappen. Tama sperde haar ogen open en fronste. Hana herkende het gevoel van paniek en angst dat in haar binnenste opwelde. Vader moest hebben ontdekt dat ze over straat had gezworven en kwam haar nu straffen.

Toen de deur werd opengeschoven, lieten de vrouwen zich op handen en knieën vallen en drukten ze hun gezichten tegen de vloer.

'Zitten jullie weer tijd te verspillen,' gromde een bekende stem.

Bevend keek Hana op. Ze probeerde niet terug te deinzen toen ze de dikke buik, de hangwangen en de kleine oogjes tussen de huidplooien zag.

'Ben je nog niet aangekleed, jongedame?' Hij keek haar recht aan. 'Er zijn heren die graag met je willen kennismaken.'

Hana keek even vol wanhoop naar Tama, maar Tama staarde naar de vloer. Zelfs zij leek geïntimideerd.

'We hebben ze verteld dat je maagd bent,' zei vader met een verlekkerde grijs.

Hana's hart bonsde hevig. Ze wilde iets zeggen, maar haar mond was kurkdroog. 'Maar...' bracht ze met krakende stem uit, 'dat... ben ik niet.'

'Maak je daar maar geen zorgen over,' snauwde vader. 'Dat zeggen we altijd.'

Tana ging rechtop zitten, bracht haar pijp naar haar mond en nam uitdagend een trekje. Ze blies een kring van rook uit die even boven haar hoofd bleef hangen voordat hij oploste.

'Ze is mijn beschermelinge.' Ze keek vader recht aan. 'U hebt haar onder mijn hoede gesteld en ik ben net begonnen haar op te leiden. Als we nog even wachten, kunnen we nog veel meer voor haar vragen.'

'Maar ze is geen kind meer. Als we nog langer wachten, gelooft niemand meer dat ze nog maagd is.'

Met Tama aan haar zijde durfde Hana het tegen iedereen op te nemen, zelfs tegen vader. Ze dacht aan wat Tama over mannen had verteld, dat ze wilden dromen.

'Laat me deze heren ontvangen,' zei ze zacht. 'Ik zal drinken en praten en zingen en de theeceremonie uitvoeren. Ik kan hen het gevoel geven dat ik hen echt wil leren kennen, en mocht ik dan besluiten om met hen te slapen, dan zal het des te specialer zijn. Als ze niet meteen met me mogen slapen, zullen ze telkens weer terugkomen, totdat het mogelijk is. Kan ik niet op een fatsoenlijke manier aan het district worden voorgesteld? Dat is toch de gewoonte?'

Er verscheen een verweerd gezicht achter vaders schouder. In het flakkerende licht van de kaarsen waren de wanstaltig beschilderde ingevallen wangen en holle ogen duidelijk zichtbaar. Toen veranderde het licht en zag Hana een glimp van de schoonheid die tante ooit moest zijn geweest.

'Ik zei toch al, vader, dat dat meisje pit heeft,' zei de oude vrouw temend. 'Ze heeft gelijk, ze moet op gepaste wijze haar debuut maken. De zaken gaan niet goed, verre van dat. We moeten ons huis weer aantrekkelijk maken, we moeten de klanten eraan herinneren hoe het was toen de Hoek Tamaya de glorie van de Yoshiwara was. Als we haar op de juiste manier voorbereiden, kan ze een van onze beste courtisanes worden. We zullen een uitstekende klant voor haar zoeken, die veel kan betalen.'

Vader keek Hana fronsend en argwanend aan. 'Het is des te beter als je geld kunt verdienen zonder met iemand te hoeven slapen. Maar als je niet binnen een paar dagen meerdere afspraken weet te verdienen, ga je de kooi weer in.'

Hana knikte, dankbaar voor het uitstel. Ze dacht aan de jongeman met het brede gezicht en de sierlijke handen. Als ze haar maagdelijkheid te koop zouden aanbieden, hoopte ze dat hij de hoogste bieder zou zijn.

17

Kitaro lag een maand in zijn graf toen de kersenbomen begonnen te bloeien. Het terrein rond het stervormige fort lag bezaaid met bleekroze bloesem; de blaadjes dwarrelden als wolken door de lucht en vormden hopen op de grond. Vluchten meeuwen zweefden krijsend rond, buizerds stegen hoog op, leeuweriken zongen en enorme kraaien met gele kraaloogjes sperden krassend hun snavels open. Het eiland Ezo was een plek geworden die Yozo zijn thuis durfde te noemen, een plek die het waard was om voor te vechten.

Met de kersenbloesem kwam het nieuws dat acht oorlogsschepen Edo hadden verlaten en naar het noorden opstoomden. Er werd dag en nacht gepost door mannen die de horizon afspeurden en hun telescopen op de haven richtten, maar er gebeurde niets. Er naderde geen vijandelijke vloot die zijn kanonnen op hen richtte.

Op een milde voorjaarsmorgen belegde Enomoto een vergadering in de presidentiële vertrekken. Toen Yozo kwam aanlopen, zag hij strosandalen en leren laarzen in een keurige rij bij de deur staan. Binnen hadden de leiders van de nieuwe republiek zich verzameld, gestoken in uniformen met opstaande kragen en doffe metalen knopen, en met zwaarden aan hun riem. De stille, sterke generaal Otori, die nu minister van Oorlog was, stond zij aan zij met Arai, de minister van Marine, een slungelige man die vroegtijdig kaal werd en met ogen die uit hun kassen leken te rollen wanneer hij zich druk maakte. Ook drie van de negen Franse militaire adviseurs waren aanwezig, gestoken in hun schitterende blauwe jasjes met riemen en gouden epauletten en hun rode broeken: de keurige kapitein Jules Brunet, die nu de op een na hoogste bevelhebber was, en de sergeants Marlin en Cazeneuve, die ieder een bataljon aanvoerden. De Japanners en Fransen waren allemaal begin dertig en praatten op luide, enthousiaste toon, met vlammende ogen, vervuld van hartstocht voor de goede zaak.

Commandant Yamaguchi stond op enige afstand van de anderen om zich heen te kijken en alles in zich op te nemen. Yozo, die sinds de dood van Kitaro niet meer in het gezelschap van de commandant had verkeerd, keek hem even met toegeknepen ogen aan en draaide zich toen met een ruk om. Midden in het vertrek stond een tafel waarop kaarten waren uitgespreid naast een stapel boeken, waaronder twee kostbare boeken over maritieme tactiek die Enomoto uit Holland had meegebracht en had weten te redden toen de Kaiyo Maru verging. Een ander dik boek, *Règles Internationales et Diplomatie de la Mer*, lag opengeslagen op tafel.

Enomoto hief zijn hand en iedereen zweeg.

'Heren,' zei hij. 'Ik heb nieuws.' Hij sprak even plechtig en ernstig als van de gouverneur-generaal van de republiek Ezo te verwachten was, maar zijn ogen fonkelden en rond zijn mondhoeken speelde een glimlach. 'Zoals u allen weet, is het zuidelijke leger op weg hierheen, maar naar het schijnt heeft men moeite met de navigatie van de Stonewall. Kort na het verlaten van Edo kwamen ze al in moeilijkheden, en ze hebben aangemeerd in de baai van Miyako en zijn sindsdien niet van hun plaats gekomen. De bemanning is met verlof aan land gegaan.'

De mannen keken hem even aan en keken toen naar elkaar. Marineminister Arai lachte luid en een paar anderen begonnen te grinniken. Zelfs de commandant glimlachte.

'Ze wachten vast op beter weer,' zei Atai toen iedereen weer een beetje tot bedaren was gekomen.

'Uitstekende zeelieden, hoor,' zei kapitein Brunet sarcastisch. 'Wij zijn erin geslaagd hartje winter hierheen te varen!'

'De bemanning geniet nu ongetwijfeld van de plaatselijke bordelen,' voegde Arai eraan toe. 'We zullen voorlopig wel niets van hen horen.'

'Luister even, heren,' merkte Enomoto op. 'We gaan hier niet zitten wachten tot de zuiderlingen eens een keertje naar ons toe komen. We brengen het gevecht naar de vijand toe. Arai en de commandant hebben een plan bedacht.'

'Nu we de Kaiyo Maru en de Shinsoku hebben verloren, hebben we nog maar zes schepen over, en geen daarvan is zo sterk als de Stonewall,' merkte generaal Otori nuchter op.

'Alles draait om de Stonewall,' zei de commandant. Hij keek even met glanzende ogen om zich heen. 'Als we haar weten te heroveren, hebben we de oorlog gewonnen. En ook al slagen we daar niet in, dan kunnen we de vijand in elk geval flinke schade toebrengen.'

Iedereen zweeg.

'De zuiderlingen denken dat we ons hier schuilhouden,' vervolgde de commandant. 'We zullen hen laten zien dat ze het mis hebben. We zullen met de Kaiten, de Banryu en de Takao naar de Baai van Miyako varen en...'

'Met de Amerikaanse vlag in top!' riep Arai. 'Dat is volgens de internationale regels toegestaan!' Hij sloeg zo hard met zijn hand op de *Règles Internationals* dat er een wolkje stof uit de vergeelde pagina's opsteeg.

'Op het laatste moment zullen we onze vlag hijsen,' ging de commandant op steeds luidere toon verder. 'De Banryu en de Takao gaan langszij bij de Stonewall, en de Kaiten zal al vurend dekking bieden. We enteren het schip, zetten de bemanning gevangen en nemen het bevel over de Stonewall over. Voordat iemand beseft wat er gebeurt, zijn wij alweer terug in Hakodate.'

Het was ontegenzeggelijk een roekeloos plan, besefte Yozo, maar dat waren de beste plannen altijd. Hoewel de mannen vrolijk deden, waren ze zich er maar al te zeer van bewust dat de zuiderlingen een enorme meerderheid vormden en dat het niet lang kon duren voordat ze naar het noorden zouden varen om hen van het eiland te verdrijven en te vernietigen. Tenzij zij het zuidelijke leger een stap voor konden zijn en het konden onderscheppen. Ze stonden in elk geval te trappelen om in actie te komen, en het idee om de zuiderlingen letterlijk te overvallen klonk iedereen als muziek in de oren.

De soldaten waren er klaar voor. Ze waren al zo lang aan het trainen, zowel op de schietbaan als met het zwaard, en ze wilden de vijand dolgraag met eigen ogen zien. Een verrassingsaanval zou wel eens kunnen slagen, en als dat niet zo was... Wel, ze moesten gewoon iets ondernemen. Het was ondraaglijk om hier te blijven wachten totdat ze uit hun hol zouden worden verdreven. Nee, het was beter om van opgejaagde in jager te veranderen! Ze zouden de zuiderlingen eens laten zien dat ze een leger waren om rekening mee te houden. En als ze erin slaagden om de Stonewall in handen te krijgen, dan zouden ze heer en meester zijn over de zee rond Ezo. Ja, vond Yozo, dat was het risico wel waard. Met een beetje geluk zouden ze hun kansen weten te keren en de zuiderlingen voor eens en altijd een lesje kunnen leren.

De woorden van de commandant leken even in de lucht te blijven hangen, maar toen begonnen de mannen te lachen en te juichen en elkaar op de rug te slaan.

De enige die sceptisch keek, was generaal Otori. 'Ze hebben acht schepen.' Hij leek zijn woorden zorgvuldig af te wegen. 'En wij sturen er drie?'

'We zullen hen verrassen,' zei Enomoto met stralende ogen. 'Het geschutsdek van de Stonewall staat natuurlijk vol voorraden en brandhout. Ze zullen niet eens bij hun kanonnen kunnen komen en hun ketels zullen niet branden. Tegen de tijd dat ze klaar zijn voor het gevecht zijn we alweer bijna thuis.'

Nadat de anderen het vertrek hadden verlaten, bleef Yozo nog even achter. Enomoto deed zijn zwaarden af, gooide een paar kussens neer en schonk daarna voor hen allebei een glas Glendronach van een respectabele leeftijd in.

'Jij wilt natuurlijk met hen mee,' zei hij toen ze hun glazen tegen elkaar tikten.

Yozo ging met gekruiste benen op een van de kussens zitten en nam een slokje van het brandende drankje. Hij liet de whisky even door zijn mond gaan voordat hij hem doorslikte. Het zonlicht viel door de papieren schermen op het Hollandse kleed en de palissanderhouten meubels, en heel even vergat hij dat hij op Ezo zat en beeldde hij zich in dat hij terug was in Holland. 'Ik heb genoeg van het stilzitten,' beaamde hij. 'We hebben nog niet echt gevochten, er is nog niet iets geweest wat ik een echte confrontatie zou willen noemen. Goed, we hebben weliswaar het fort Goryokaku en Matsumea veroverd, maar dat waren slechts kleine schermutselingen. Esashi stelde niets voor. Ik zou graag eens willen weten hoe sterk die zuiderlingen precies zijn en wat het ergste is wat ze te bieden hebben.'

'Ik wou dat ik zelf kon gaan,' merkte Enomoto op.

'Dat is de prijs van het succes,' zei Yozo. 'De gouverneur-generaal van Ezo kan niet zomaar zijn post verlaten en aan een doldrieste expeditie beginnen. En hoe zit het met generaal Otori?'

'Hij voert het bevel over het garnizoen en het zal een zeeslag worden, dus hij staat niet volledig achter de plannen.' Enomoto dronk zijn glas leeg en keek Yozo aan. 'Ik wil graag dat jij meevaart op de Kaiten. Niemand kent die achterladers van Krupp beter dan jij.'

Yozo knikte. De Pruisische achterladers die ze vanuit Europa hadden meegebracht waren de beste kanonnen ter wereld, veel dodelijker en doeltreffender dan de oude voorladers, maar ze waren ook veel onbetrouwbaarder en gevaarlijker, en er gebeurden vaak ongelukken. Enomoto en Yozo waren de enigen onder de noordelijke troepen die over een gedegen kennis van de wapens beschikten en wisten hoe ze de kanonnen moesten behandelen.

Enomoto zat voor zich uit te staren. 'Kun je je Herr Krupp en zijn villa in Essen nog herinneren?' vroeg hij.

Yozo dacht aan het buitensporig luxueuze huis van de fabrikant met de lange neus en het vierkante grijze baardje en moest glimlachen. 'Ik zou Villa Hügel eerder een kasteel willen noemen.'

Van al hun avonturen was het bezoek aan Alfred Krupp wel een van de meest bijzondere geweest. Kort na hun aankomst in Europa hadden zij en hun dertien collega's gemerkt dat iedereen hen aanstaarde omdat ze zo'n ongewone aanblik boden, met hun samoerairokken, hun geoliede knotten en gekromde zwaarden, dus ze hadden al snel hun haar geknipt en westerse kleren aangeschaft, zodat ze minder zouden opvallen. Het duurde echter niet lang voordat ze ontdekten dat ze, als ze om een gunst verlegen zaten, het beste hun traditionele kledij, compleet met zwaarden, konden dragen: dan leek niemand te beseffen dat ze slechts eenvoudige leerlingen waren en werden ze behandeld met de egards die bij hoogwaardigheidsbekleders hoorden.

Samen met Akamatsu, een van hun reisgenoten, hadden Yozo en Enomoto een kijkje mogen nemen aan het front van de Tweede Duits-Deense oorlog, waar ze de nieuwe Pruisische achterladers voor het eerst aan het werk hadden gezien. Ze hadden ook gevraagd of ze een bezoek konden brengen aan de fabriek van Krupp in Essen, maar kregen te horen dat dat in oorlogstijd om veiligheidsredenen uitgesloten was. In plaats daarvan werden ze uitgenodigd voor een lunch met de legendarische Alfred Krupp.

'Het was allemaal zo groot!' zei Yozo. Hij herinnerde zich de rit per koets over het landgoed, tussen uitgestrekte gazons door, en de bedienden in livrei die bij de ingang op hen stonden te wachten en hen meenamen naar de enorme ontvangsthal, waar de magnaat met zijn grijze baard en zijn rondborstige vrouw Bertha hen hadden begroet. 'Zei Herr Krupp niet dat zijn villa driehonderd kamers telde?'

'Ik was toen zenuwachtiger dan voor onze audiëntie bij de shogun, kort voor ons vertrek,' zei Enomoto grinnikend.

'Die eetkamer met dat hoge plafond, en al dat bestek,' zei Yozo. 'Ik was zo bang dat ik de verkeerde vork of het verkeerde mes zou gebruiken.'

Hij wist nog dat de moed hem in de schoenen was gezonken toen de bedienden met de ene schaal vlees na de andere waren binnengekomen, allemaal vol grote stukken. Voor hun komst naar het westen hadden ze slechts zelden vlees gegeten – in Japan stond er vooral vis op het menu – en ze hadden hun uiterst best moeten doen om hun waardering te laten blijken voor het machtige Duitse eten. Toch waren ze erin geslaagd in simpel Duits een gesprek te voeren met de invloedrijke industrieel en zijn indrukwekkende echtgenote, en later ook met een aantal van zijn ondergeschikten. Hun kennis over de kanonnen was daardoor aanzienlijk verrijkt.

'Dus ik vaar mee op de Kaiten,' zei Yozo, terugkerend naar het heden. Zijn gezicht vertrok toen hij opeens iets besefte. 'De commandant reist ook op de Kaiten, hè? Zoals je weet, zijn we niet de beste vrienden.'

Enomoto rechtte zijn rug en keek Yozo met een indringende blik aan. Voor even was hij niet langer zijn vriend, maar zijn bevelhebber. 'Commandant Yamaguchi en minister Arai krijgen de leiding over deze operatie. Ze zijn een druistig stel, dus ik heb jou nodig om de rust te bewaren – en als mijn ogen en oren.'

Toen Yozo die middag een kijkje ging nemen in de haven zag hij dat de zeelieden al bijna allemaal aan boord waren gegaan. Ze onderwierpen het schip aan een laatste controle en namen keer op keer alle taken door, zodat iedereen wist wat er van hem werd verwacht en er niets aan het toeval werd overgelaten.

Hij beende over het dek van de Kaiten en probeerde zich een beeld van het schip te vormen. Na het vergaan van de Kaiyo Maru was de Kaiten het vlaggenschip van de vloot geworden. Ze was een raderstoomboot met twee masten en een schoorsteen, iets kleiner dan de Kaiyo Maru, en uitgerust met dertien van de nieuwe Pruisische achterladers. Hij liep van het ene kanon naar het andere en controleerde bij elk ervan of alle onderdelen aanwezig waren, of er voldoende munitie en kruit was en of de lopen niet verstopt waren met lood. Ook verzekerde hij zich ervan dat iedere man die aan de kanonnen stond wist wat zijn taak was.

Toen de drie schepen de volgende dag de Baai van Hakodate verlieten, was het weer mild, al was de wind even krachtig als altijd. Sterke vlagen zwiepten het water op tot hoge golven, zodat de bemanning zijn uiterste best moest doen om de Kaiten op koers vlak langs de kust te houden. Na een paar uur varen raakten de Banryu en de Takao steeds verder achterop, en ten slotte hees de Takao een seinvlag met een rode ruit op een wit vierkant: 'Ik ben ontredderd.' De sterke wind had de Banryu zo ver naar open zee gedreven dat hij niet langer te zien was.

Aan boord van de Kaiten keek de bemanning achterom. Er viel een stilte aan dek.

'En nu?' mompelde een jonge knaap. Hij had nu al een huid die op leer leek, maar Yozo zag dat er onder het gebruinde vel een jongen van hoogstens een jaar of zestien zat. 'Verwachten ze nu dat we alleen verder gaan?'

'Jazeker,' bromde een ander, die in de richting van de officieren op de brug knikte. 'Als die daar iets in hun kop hebben, draaien ze echt niet zomaar om.'

Yozo kneep zijn ogen tot spleetjes en tuurde naar de brug. Kapitein Koga, de kapitein van het schip, was in gesprek met de commandant en marineminister Atai. Even later beende de commandant over het dek naar de plek waar de leden van zijn militie in hun hemelsblauwe jassen zich hadden verzameld.

'Kan ik op jullie rekenen, jongens?' riep hij. 'We zullen de zuiderlingen eens laten merken dat ze niet zomaar ons bezit kunnen afpakken. Het zal een zware strijd worden, maar we hebben wel voor hetere vuren gestaan. We zullen die lafaards eens iets laten zien!'

Een tegen acht. Hun kansen waren nog verder geslonken, besefte Yozo, maar dat maakte de mannen alleen maar meer vastberaden. Hij wilde dat Enomoto aan boord was. Met de commandant aan het hoofd was er geen weg terug, ongeacht hun kansen.

Zodra het de volgende dag licht werd, voerde de Kaiten de baai van Miyako binnen, met de Amerikaanse vlag hoog in zijn grote mast. In de baai lagen acht grote, zwarte oorlogsschepen voor anker, dobberend op de kalme blauwe zee. Ze waren veel groter dan het kleine scheepje waarop Yozo zich bevond. Tussen de schepen lag de Stonewall, laag en lang, als een onheilspellend zeemonster dat op de loer lag. Toen Yozo naar het schip keek, voelde hij onrust in zijn binnenste opwellen. Het was een drijvend fort, veel indrukwekkender dan in zijn herinnering. Snel en dodelijk, 'als een slang tussen de konijnen,' dacht hij, denkend aan de woorden waarmee de Hollandse zeelieden over pantserschepen hadden gesproken.

De schepen vertoonden geen teken van leven. Er steeg geen rook op uit de schoorstenen, de zeilen waren gestreken, en er was geen enkel bemanningslid op het dek aan het werk. Het was net een schilderij.

Tot zijn opluchting zag Yozo een aantal schepen onder buitenlandse vlag in de haven liggen. Misschien zou hun list werken. Hij hield zijn adem in toen de Kaiten voorzichtig haar weg koos tussen de andere schepen door, recht op de Stonewall af. Gek genoeg leek niemand enige aandacht aan hen te schenken.

Ze naderden de Stonewall met een halsbrekende snelheid, en op het allerlaatste moment streken de mannen bij de grote mast de Amerikaanse vlag en hesen ze de vlag van Ezo.

'Banzai!' riepen ze. 'Banzai! Banzai!'

Ze waren inmiddels zo dichtbij dat Yozo de gezichten kon zien van de mannen die haastig aan dek van de Stonewall kwamen. Ze stonden te zwaaien en te wijzen en leken iets te schreeuwen, maar de machines van de Kaiten maakten zo veel lawaai dat ze niet te verstaan waren. Toen de Kaiten hun schip bijna raakte, draaiden ze zich om en vluchtten weg.

'Nu!' riep Yozo. Hij leunde over de rand van het schip en trommelde van pure geestdrift met zijn vuisten op de reling. Ze hoefden de Stonewall alleen maar met hun kanonnen te bestoken, dan zou haar bemanning vluchten en zouden ze het schip moeiteloos kunnen innemen. Hij keek om zich heen en sloeg ongeduldig met zijn vuist tegen zijn vlakke hand, wachtend op het bevel tot vuren. Maar het bevel kwam niet. Hij vloekte hardop. Waar was de commandant in vredesnaam mee bezig?

Een tel later klonk er een oorverdovend gekraak, gevolgd door het geluid van metaal dat uiteen werd gereten en hout dat versplinterde. Yozo werd met kracht naar achteren geslingerd, tot halverwege het dek. Overal om hem heen botsten zeelieden en soldaten tegen masten, kanonnen en reddingsboten. Happend naar adem krabbelde hij overeind en liep strompelend naar de boeg. De Kaiten was frontaal op de massieve ijzeren romp van de Stonewall gebotst. Haar houten boeg was half weggezonken in de romp en werd omgeven door flarden aan stukken gereten metaal en versplinterd hout. Yozo leunde over het kromgetrokken boord. De boegspriet was volledig verwoest, maar voor zover hij kan bepalen, was er alleen schade boven water. Ze was in elk geval nog zeewaardig.

Nu kwam eindelijk het bevel tot vuren. De helft van de mannen rende naar de boorden en nam het dek van de Stonewall onder vuur met hun geweren. De leden van de militie en de soldaten haastten zich onder het slaken van kreten als 'Kom op, geef ze ervan langs!' naar de boeg.

Yozo begreep meteen dat het veel moeilijker zou zijn om aan boord van de Stonewall te komen dan ze hadden gedacht. Tijdens het smeden van al hun plannen had niemand er rekening mee gehouden dat het dek van de Stonewall veel lager lag dan dat van de Kaiten. De mannen zouden vanaf de beschadigde boeg naar beneden moeten springen, wat betekende dat slechts een klein aantal tegelijk aan boord zou kunnen gaan. Boven het geweervuur uit waren de alarmbellen van de Stonewall te horen, en de zuidelijke soldaten kwamen het dek op gestormd, sommige met hun uniform nog maar half aan. Door de rook heen zag Yozo de eerste groep mannen aan boord gaan, maar de zuiderlingen maaiden hen al neer voordat ze de kans hadden gekregen hun zwaard te trekken of hun geweer te richten.

Een tweede groep mannen sprong van boord, maar ze vielen recht op de speren en zwaarden van de zuiderlingen. Yozo hoorde Atai en kapitein Koga vanaf de brug schreeuwen. 'Aan boord! Aan boord!' De commandant liep met ferme passen over het dek op en neer en moedigde de mannen aan. Zijn ogen vlamden en zijn haar wapperde achter hem aan.

Yozo rende van het ene kanon naar het andere om te controleren of iedereen zijn positie had ingenomen en alles aanwezig was. Toen zette hij zijn handen aan zijn mond en schreeuwde: 'Vuur!' Er klonk een enorme dreun, gevolgd door een rookwolk die het dek van de Stonewall aan het zicht onttrok. Toen de rook was opgetrokken, zag hij dat hij het dek bezaaid lag met doden en gewonden. Toen richtte de Kaiten haar kanonnen op de andere oorlogsschepen, die inmiddels terug begonnen te vuren. Het duurde niet lang voordat alles zwart zag van de rook. Kanonskogels en hagel vielen in zee, en overal hing de verstikkende lucht van kruit.

Kogels vlogen over het dek van de Kaiten. Mannen zakten zonder geluid te maken ineen, met een glazige blik in hun ogen, of strompelden voort met armen en schouders waar het bloed uit spoot. De jongen die tijdens de storm op weg naar Ezo zo dapper het stuurwiel van de Kaiyo Maru had vastgehouden, stond vlak naast Yozo en deinsde na een luide knal plotseling terug, met zijn handen voor zijn buik geslagen. Het bloed stroomde tussen zijn vingers door.

Yozo sloeg een arm om hem heen en probeerde hem overeind te houden, maar de jongen slaakte een zucht, verslapte en zakte ineen. Er strompelde een andere jongen langs, van wie de schouder half was weggeschoten. Hoewel Yozo doof was door de dreunende kanonnen en het geschreeuw van de stervende mannen om hem heen probeerde hij te doen waarvoor hij was opgeleid: de kanonnen te laden, te controleren, en bij te springen wanneer er iemand sneuvelde.

Ze vochten nog ruim een uur zo verder voordat ze de stoom uit de schoorstenen van de oorlogsschepen zagen opstijgen. Dat betekende dat de bemanning de motoren had opgestookt, maar voordat de jacht kon beginnen, braakte de Kaiten een laatste spervuur aan kanonskogels uit. Daarna maakte ze zich los van de Stonewall, draaide zich om en voer de haven uit.

Ze voeren dicht langs de kustlijn terug naar Ezo. Het beschadigde schip hing scheef in het water en ploeterde door de golven, maar ze hadden de wind in de zeilen en de motoren draaiden op volle kracht. De mannen die nog op hun benen konden staan, keken vol opluchting om zich heen; ze lachten hijgend en sloegen hun kameraden op de rug. Hun gezichten waren besmeurd met zweet en stof en kruit. De helft van hen zat onder het bloed, maar ze lachten en juichten allemaal. Iedere vijandelijke soldaat die was gedood was een reden tot vreugde. Ze hadden het opgenomen tegen acht oorlogsschepen en waren erin geslaagd uit de haven te ontsnappen zonder te zinken of te worden geënterd of veroverd. De vijand had niet eens voldoende op stoom kunnen komen voor een achtervolging. Dat was genoeg reden tot vreugde.

De commandant beende in zijn leren laarzen over het dek. Hij droeg een zwart leren jasje dat door de wind open werd geblazen, zodat de vuurrode voering zichtbaar werd. Zijn geoliede lokken waaiden rond zijn gezicht. 'Goed gedaan, jongens,' riep hij met stralende ogen. 'We hebben laten zien wat we kunnen!'

Yozo veegde met zijn mouw langs zijn voorhoofd. Het dek lag bezaaid met gewonden, maar ook met doden, van wie sommige in zwarte jassen en andere in hemelsblauwe waren gestoken. Brokken menselijk vlees lagen om hen heen verspreid. De houten planken kleefden van het bloed en de vreselijke stank van de dood hing in de lucht. Het ergste was nog dat ze hun kameraden, de dappere mannen die aan boord van de Stonewall waren gegaan en het hadden overleefd, in handen van de vijand hadden moeten achterlaten.

Hij schudde zijn hoofd. Ze hadden hun uiterste best gedaan om het lot naar hun hand te zetten, ze hadden niet willen afwachten totdat de zuiderlingen naar hen toe zouden komen. Als ze erin waren geslaagd om de Stonewall in handen te krijgen, dan hadden ze nu de kans gehad om het tij te keren en de vijand op afstand te houden. Maar ze waren niet in hun opzet geslaagd, en nu restte hen niets anders dan terug te keren naar Ezo, daar hun stellingen in te nemen en de komst van de vijand af te wachten.

De Kaiten was de volgende morgen nog maar net voor anker gegaan in de Baai van Hakodate toen Yozo door Enomoto werd ontboden. Nog voordat hij de presidentiële vertrekken had bereikt, hoorde hij de ander al heen en weer lopen. Hij schoof de deur open. Enomoto was in zijn militaire uniform gekleed. Zijn haar glansde, zijn knopen fonkelden en zijn zwaard hing aan zijn zijde.

'Dus de commandant heeft ons in de steek gelaten,' snauwde hij. Er zwol een ader op in zijn slaap. 'De grote krijger vergat het bevel tot vuren te geven en dacht er pas aan toen het al te laat was. Hoe kan iemand zoiets vergeten!'

Hij opende de drankkast en schonk een glas whisky voor Yozo in. Hun blikken kruisten elkaar even, en toen verzachtte de uitdrukking op Enomoto's gezicht en schudde hij zijn hoofd. 'Wat is er nu eigenlijk gebeurd? Het is helemaal niets voor de commandant om een fout te maken, en zeker niet zo'n kostbare fout als deze.'

Yozo had in gedachten keer op keer de gebeurtenissen van de vorige dag doorgenomen, in de hoop dat hij zou ontdekken waarom de commandant op het cruciale moment had verzuimd het bevel te geven. Toen herinnerde hij zich weer dat hij op de avond van Kitaro's dood de vertrekken van de commandant was binnengestormd en had gezien dat die zijn doodsgedicht schreef. 'Ik zal de beste strijd van mijn bestaan leveren en voor mijn land sterven,' had hij gezegd. 'Meer glorie kan een man zich niet wensen.'

'Hij is ervan overtuigd dat we gaan verliezen,' zei Yozo langzaam.

'Hij denkt dat we geen kans maken, en dus probeert hij het niet eens meer.'

'Alle goden nog aan toe, waarom heeft hij dan eigenlijk het voorstel tot deze expeditie gedaan?'

Yozo haalde zijn schouders op. 'Misschien dacht hij niet aan een overwinning op zee; misschien zag hij het als een manier om eervol een einde aan zijn leven te kunnen maken en gaf hij daarom niet het bevel tot vuren. Hij wilde dat we de Stonewall zouden rammen, zodat hij een glorieuze dood kon sterven.'

Enomoto ademde luidruchtig uit. 'Een banzai-aanval in de beste samoeraitraditie,' zei hij. 'Gillend als gekken aanvallen, het tegen alle verwachting in tegen de vijand opnemen en eervol sterven.' Hij fronste even nadenkend. 'Maar wij streven hogere doelen na dan de dood. We hebben de Republiek Ezo gesticht. De zuiderlingen zijn weliswaar sterker en groter in getal, maar wij hebben ideeën en idealen.'

'Ja, maar het is een kwestie van survival of the fittest, en de zuiderlingen verkeren in betere conditie dan wij, om nog maar te zwijgen van hun overmacht.' Yozo staarde naar het Hollandse tapijt en dacht aan hoe hij samen met Kitaro en Enomoto herinneringen aan hun verre reis had zitten ophalen. En de volgende dag had Kitaro de dood gevonden. Hij dacht vaak aan zijn vriend, hij miste diens gevoel voor humor en had geen vrede met zijn dood – en hij was niet vergeten dat hij hem had beloofd dat hij op een dag, als de oorlog voorbij zou zijn, die dood zou wreken.

'Het was een goede kerel, de jonge Kitaro,' zei Enomoto zacht. Hij knikte even. 'Ik mis hem ook. We moeten ervoor zorgen dat we deze oorlog winnen, dan is hij niet voor niets gestorven.'

18

De laatste kersenbloesem was van de bomen gevallen en de wilde lelies en azalea's konden elk moment gaan bloeien. De heuvels rond het fort kregen een stralend groene kleur die her en der werd onderbroken door bosjes wilde bloemen in felroze, geel, blauw en paars. Vluchten ganzen trokken langs de hemel, zeearenden scheerden laag over en talloze andere vogels – soorten die Yozo nooit eerder had gezien – zongen, kwetterden en piepten.

Maar er was weinig tijd om te genieten van de weidse hemel boven Ezo en de wilde dieren die de heuvels en bossen bewoonden. Net als alle anderen was Yozo dag en nacht in touw; hij gaf leiding aan de groepen mannen die aarde schepten om de verdedigingswerken van de stad te versterken, hij stelde kanonnen op rond de haven en hij liet een palissade optrekken rond de landengte. Ze bereidden zich voor op de invasie die, zo wisten ze, onvermijdelijk was. Enomoto had soldaten langs de kust naar Esashi en Matsumae gestuurd om de garnizoenen te versterken; Esashi was de plek waar ze de Kaiyo Maru hadden verloren, en in Matsumae stond het uitgebrande kasteel dat de commandant vijf maanden eerder met ijzige doeltreffendheid had weten te veroveren. De grootste concentratie troepen werd gestationeerd in het fort; zij moesten de baai en de stad Hakodate verdedigen. Hakodate was net een spookstad. Iedereen die had kunnen vluchten, was vertrokken.

Toen de lente plaatsmaakte voor de zomer kwamen er steeds meer berichten dat de zuidelijke vloot naar hen op weg was. Korte tijd later bereikte hen het nieuws dat de vijand Esashi had ingenomen.

Yozo was op een morgen na zijn dagelijkse ronde langs de verdedigingswerken net op weg terug naar het fort toen er een soldaat te paard in volle galop langs hem reed. Zijn gescheurde uniform wapperde in de wind. Yozo ging hem zo snel hij kon achterna en haastte zich naar de vertrekken van Enomoto. Hij was net bezig zijn strosandalen uit te trekken toen zijn vriend aan kwam lopen, met een officieel bericht in zijn hand. Yozo kon aan het gezicht van de ander al zien dat het geen goed nieuws was.

'Matsumae is gevallen,' concludeerde hij.

Enomoto knikte grimmig. 'Onze mannen hebben dapper gevochten en hebben, toen de kanonskogels op waren, de achttienponders op een bepaald moment zelfs met munitie voor twaalfponders geladen, maar het mocht allemaal niet baten.'

'Hebben we veel mannen verloren?'

'Te veel. Degenen die het hebben overleefd, zijn naar het volgende dorp langs de kust gevlucht en hebben zich daar verschanst, maar lang zullen ze het niet volhouden. Het kan niet lang duren voordat de vloot hier aankomt.'

Zes dagen later, op een warme zomerse morgen, werden in de hele stad de noodklokken geluid. Aan de horizon waren acht oorlogsschepen zichtbaar die op weg waren naar de baai. Enomoto had Goryokaku, dat verder landinwaarts lag, verruild voor Kamida, een fort dat strategisch naast de ingang van de haven lag. Yozo had zich bij hem gevoegd en zag de acht schepen door zijn telescoop naderen. Ze werden aangevoerd door de Stonewall, die als een lange grijze streep door het water schoot. De drie overgebleven schepen van de noordelijke vloot die veilig waren teruggekeerd – de Kaiten, de Chiyoda en de Banryu – voeren al schietend heen en weer en probeerden zo te voorkomen dat de vijand de baai zou binnenvaren. De bemanning van de Takao, die door motorproblemen niet verder had kunnen varen, was gevangengenomen, en twee andere schepen waren verloren gegaan bij de strijd om Matsumae en Esashi.

'Ik zou daar ook moeten zijn,' zei Yozo met een boos gezicht. Hij balde zijn vuisten.

'Hier heb ik meer aan je,' zei Enomoto. 'We moeten een strategie uitstippelen.'

Tegen het vallen van de avond zag Yozo een witte flits aan de hemel, gevolgd door een dreun zo luid als een donderslag. Een wolk zwarte rook verspreidde zich over het water en een van hun drie schepen kwam stil te liggen.

'De Chiyoda is ontredderd!' riep Yozo. 'Blijkbaar zijn de motoren geraakt.'

'De andere schepen moeten hem maar naar het fort slepen,' zei Enomoto. 'Als de kanonnen nog werken, kunnen we hem in elk geval nog gebruiken om ons te verdedigen.'

Ze keken elkaar even aan. Ze hadden al een groot deel van de manschappen verloren, en nu was een van de schepen ook nog ontredderd. Opeens klonk er een luide dreun recht boven hen en sloeg een projectiel in naast Kamida. Mannen renden heen en weer met emmers water om het vuur te blussen.

Enomoto, Yozo en hun soldaten slaagden erin de vijand nog een paar dagen op afstand te houden, maar ten slotte slaagden de zuiderlingen erin de stad te belegeren. De haven stroomde vol met vijandelijke schepen die vuur en vernietiging brachten. De overgebleven noorderlingen, die inmiddels uitgeput waren, konden niets anders doen dan zich tot het uiterste verdedigen terwijl het net zich steeds verder rond hen sloot.

Het was een prachtige middag aan het begin van de zomer, en Yozo zat ineengedoken achter een aarden wal de haven in de gaten te houden. Zijn gezicht was zwart van het roet en zijn handen waren verbrand. De smaak van kruit was niet uit zijn mond te verdrijven en zijn kin ging schuil achter een dikke baard. Hij had zich al dagen niet meer gewassen. Hij was in een vechtmachine veranderd. Hij richtte, vuurde, herlaadde. Hij richtte, vuurde, herlaadde. Wanneer de loop van zijn geweer oververhit raakte, doopte hij die even in een emmer water.

De mannen die opeengepakt aan zijn zijde zaten, vuurden de ene patroon na de andere af. Granaten vlogen over hun hoofden en kwamen achter hen op het terrein rond het fort neer, terwijl om hen heen de lijken en verminkte ledematen steeds talrijker werden. Er was geen tijd om de doden te begraven, niemand kon aan de lijkenlucht ontsnappen. Yozo liet zich plat op de grond vallen toen er weer een granaat over hen heen vloog, krabbelde daarna weer overeind en vuurde.

Bij het vallen van de avond bleef hij waar hij was en deed hij, indien mogelijk, af en toe een dutje te midden van zijn medesoldaten. Toen de zon de volgende morgen opkwam en de verwoeste bolwerken en sprietjes gras die tussen de modder omhoogkwamen in een stralend licht liet baden, zag hij dat een paar van zijn makkers van de tijdelijke rust gebruik hadden gemaakt en bezig waren een massagraf te graven. Op hetzelfde moment viel hem iets ongewoons op. Er heerste een doodse stilte in de haven.

Hij tuurde over de rand van de wal en zag dat de oorlogsschepen zich allemaal hadden teruggetrokken, alsof dat een vooropgesteld plan was geweest. Hij ging rechtop staan en zag tot zijn verbazing dat er een schip onder Franse vlag de monding van de haven naderde. Voor zover hij wist, stonden de Fransen aan hun kant, maar het schip kon ongehinderd verder varen, zonder dat de zuiderlingen het een strobreed in de weg legden.

Hij draaide zich om en zag dat Marlin naast hem kwam staan, zijn telescoop aan zijn oog zette en die vervolgens grommend weer liet zakken. '*Merde*,' mompelde hij. 'Lafaards.'

Tussen het schip en de wal werd een aantal berichten doorgeseind, en vervolgens liet men vanaf het Franse schip een sloep te water die door de baai naar het fort voer. Yozo vond het net een waterkever.

Van de negen Franse officieren waren er drie gedood of gevangengenomen, en sergeant Cazeneuve was zwaargewond geraakt. Yozo keek vol ongeloof toe toen kapitein Brunet en drie van zijn Franse collega's zich een weg baanden door de soldaten aan de waterkant en her en der over de lijken stapten waarmee de grond bezaaid lag. Een van hen hield de Franse vlag omhoog, een ander zwaaide met een witte vlag. Ze legden de sergeant op een brancard en namen hem mee. Yozo ving een glimp op van zijn lijkbleke gezicht en zijn in smoezelig verband gewikkelde lange ledematen. Ze laadden hem in de sloep en stapten toen zelf in.

Yozo sloeg het tafereel met een mengeling van woede en angstige verwachting gade. Dus hun Franse vrienden hadden besloten hen in de steek te laten en namen nu de benen. Dat betekende dat het echt een verloren zaak moest zijn.

Kapitein Brunet stond bij de boeg van de sloep, een kleine, elegante man met een snor die samen met het bootje op de golven op en neer deinde. Hij keek naar de aarden wal waar Yozo en Marlin stonden, zwaaide even en zette toen zijn handen aan zijn mond. Zijn woorden waren over het water heen duidelijk te horen.

'Marlin! *Venez! Vite, vite!*'

Marlin schudde vastberaden zijn hoofd.

'Ga dan, dit is je kans,' zei Yozo. 'Waarom zou je sterven voor onze goede zaak? Je hoeft niet te vrezen voor eerverlies. Ga, grijp je kans. Ga!'

Marlin legde zijn hand op Yozo's schouder. 'Ik hoor hier thuis,' zei hij. 'Laat die rotzakken maar vluchten. In Frankrijk wacht er niets op me, behalve het schavot.'

Yozo slikte. Marlin was koppig, besefte hij, even koppig als een Japanner, en ook hij werd gedreven door zijn eergevoel. De twee mannen bleven zij aan zij staan kijken naar de sloep die door de baai voer en naar de piepkleine gestalten die aan boord van het Franse schip klommen.

Na het vertrek van de Fransen konden de noordelijke troepen niets anders doen dan zich voorbereiden op het einde. Yozo wist niet meer hoe lang ze al vochten, hij wist alleen dat hij door zou gaan zolang er nog iets van leven in hem zat. Op het terrein van het fort bloeide een eenzame azalea; kwetsbare roze bloesem op rotsachtige grond. Wat ooit een met gras begroeid heuveltje was geweest, was nu een omwoelde modderpoel. De zon scheen meedogenloos op zijn leren helm. De zomer liet zich in al haar kracht gelden.

Op de twintigste dag van het beleg viel de vijand al voor zonsopgang aan en bestookte de stad en het fort met granaten. Er was nog maar weinig van de stad over, alleen wat verkoolde houten balken die uit hopen puin staken.

Opeens merkte Yozo dat het grote kanon op de oostelijke hoek van het fort was stilgevallen. De soldaten die het bedienden, waren geraakt en lagen ineengedoken op de grond.

'Marlin! Hierheen!' riep hij.

Samen met Marlin klom hij over de halfverwoeste muur van het fort, strompelde naar het kanon, herlaadde het en richtte het op het pantserschip en de rest van de vloot. De schepen richtten op hun beurt hun wapens recht op het kleine fort, maar Yozo en Marlin bleven laden en vuren, zonder te letten op de granaten die om hen heen neerkwamen. Op de een of andere manier wisten ze stand te houden.

Yozo had net een granaat over het water afgevuurd toen er een klap als een donderslag klonk, die luid door de bergen werd weerkaatst. In de baai schoot een kolom van vuur omhoog, gevolgd door dikke zwarte rook vermengd met brokken puin. Yozo staarde er verbluft naar en begon toen hardop te lachen. Het was een voltreffer geweest, recht in de munitiekamer van het vijandelijke schip.

Hij keek vol verwondering naar het schip dat onder water verdween en het water in een enorme draaikolk met zich mee zoog, kronkelend als een slang. De kracht van de stroom was zo hevig dat hij andere schepen met zich mee dreigde te sleuren, en grote golven sloegen stuk op de kade. Ten slotte staken alleen de boegspriet en de fokkenmast nog uit het water omhoog. Lijken dobberden in het rond. De bemanningsleden die nog leefden, klampten zich vast aan stukken wrakhout of probeerden wanhopig zwemmend de wal te bereiken. Rook vulde de hemel, zo dicht en donker dat het leek alsof de schemering over de stad en het fort was gevallen.

Yozo en Marlin sloegen elkaar op de rug en lieten luide vreugdekreten horen, die al snel door de mannen beneden op de wal werden overgenomen.

Maar hun vreugde was van korte duur. Het duurde niet lang voordat ze achter zich een luid gebrul hoorden. De vijand was omhooggeklommen langs de bijna loodrechte helling van de Hakodate, de berg die een natuurlijke verdediging voor de stad vormde, en de zuiderlingen kwamen nu in grote groepen naar beneden. De noordelingen waren aan alle kanten ingesloten. Heel even slaagden ze erin de vijand op afstand te houden, maar ze kwamen steeds dichterbij en dreven Yozo, Marlin en hun strijdmakkers verder te-rug in de richting van de waterkant. Daar voerden ze hun gevecht van man tot man, met zwaarden, pieken en bajonetten, met alles wat ze maar konden vinden, totdat de aarde onder hun voeten kle-verig was van het bloed. Overal lagen lijken; noorderlingen, zui-derlingen, mannen die nog maar net waren gesneuveld en lijken die al waren opgezwollen. Soldaten lagen over de grond verspreid en hingen half over muren of rotsen, daar waar ze waren gesneu-veld.

Door de rook heen ving Yozo een glimp op van commandant Ya-maguchi, die met zo'n angstaanjagende uitdrukking op zijn gezicht tussen de vijandelijke rangen door beende dat zelfs de meest gehar-de zuiderlingen aarzelden en angstig terugdeinsden. Soms probeer-de een van hen hem de weg te versperren, maar hij maaide hen met een enkele beweging van zijn zwaard neer. Bijna niemand leek op hem te durven schieten, en de weinige mannen die dat wel deden, misten hun doel.

Toen de avond viel, klonk er een luide dreun. De Kaiten, het eni-ge schip dat de noorderlingen nog over hadden, ontplofte. Ze gloei-de even wit als een stookketel en barstte in een vlaag van verzengen-de hitte uit elkaar. Een spookachtig licht viel over de verwoeste huizen en straten van de stad. Her en der brandden vuurtjes, en de berg die achter de stad oprees, werd volledig aan het zicht onttrok-ken door een dikke rookwolk.

Yozo was doof van het geknal van geweren en granaten, het ge-kletter van zwaarden en de oorlogskreten vermengd met het ge-schreeuw van de stervenden, maar hij hield vol, zwaaiend met zijn zwaard en de kolf van zijn geweer. Ten slotte wist hij door de rangen van de zuiderlingen heen te breken en strompelde hij, struikelend over de lijken van de gevallenen, door de lege straten achter een scherpschutter aan.

Hij dook weg tussen de overblijfselen van de verwoeste gebou-wen, die lange schaduwen wierpen, en klom over bergen puin. Vlie-gen zoemden en de lucht was gevuld met as. Yozo's kleren waren aan flarden gescheurd; hij zat onder de sneden en blauwe plekken en zijn oren suisden van de herrie van het gevecht, maar hij werd slechts door één ding gedreven, en dat was zijn verlangen de scherp-schutter te vinden en te doden.

Hij ving een glimp op van een schaduw die tussen twee verwoes-te muren bewoog en rende zo snel als hij kon de hoek om, maar toen bleef hij als aan de grond genageld staan, met hevig bonzend hart. De man die hij voor een scherpschutter had aangezien, was niet de vijand. De twee mannen keken elkaar van enige afstand aan, gescheiden door een verlaten straat.

'Tajima!'

Yozo kon de schorre kreet van commandant Yamaguchi ondanks het lawaai van de strijd duidelijk horen. Het gezicht van de com-mandant was vuil en vertrokken, besmeurd met bloed en vegen modder en buskruit, en Yozo wist dat hij zelf een even vreselijke aanblik bood.

'Onze tijd is gekomen, Tajima,' zei de commandant grommend. 'Vandaag zullen we in dienst van de shogun sterven. We kunnen het net zo goed als mannen onder elkaar afmaken en samen de volgen-de wereld betreden.' Hij keek Yozo vol minachting aan. 'Ik zou je eigenlijk koud moeten maken omdat je een van mijn mannen met je uitheemse trucjes voor schut hebt gezet, maar je bent het niet eens waard om mijn zwaard mee te besmeuren.'

De zon stond groot en rood aan de hemel en vleermuizen scheer-den laag boven Yozo's hoofd rond. De commandant stond hem met vlammende ogen aan te kijken, scherp afgetekend tegen de straat vol verwoeste gebouwen achter hem. De geluiden van de ontplof-fingen en geweervuur leken in de verte weg te sterven.

Hij dacht aan Kitaro's lichaam dat daar in het maanlicht had ge-legen en raakte opnieuw vervuld van woede en haat. Het bloed suis-de in zijn oren. Hij wist dat hij geen schijn van kans zou maken als hij de commandant nu met zijn zwaard te lijf zou gaan, en dan zou Kitaro nooit worden gewroken. Hij tastte naar een patroon, schoof het in zijn geweer en zette dat aan zijn schouder.

Heel even aarzelde hij, met zijn vinger rond de trekker. Op het onder vuur nemen van een eigen officier stond de doodstraf. Hij zou zijn eer verliezen, voor de krijgsraad worden gesleept en ter dood veroordeeld worden. Maar de oorlog was voorbij en ze zouden toch allemaal sterven. Hij bracht zichzelf in herinnering dat de commandant veel van zijn eigen troepen ter dood had gebracht. Hij had de lijst met regels in de oefenhal zien hangen, regels die allemaal eindigden met dood door rituele zelfmoord. Als de commandant zou sneuvelen, zouden zijn mannen zijn voorbeeld moeten volgen. Dat was nog de meest bloedstollende regel van allemaal geweest.

Toch slaagde Yozo er niet in de trekker over te halen. Het gezicht van de dode Kitaro doemde in zijn gedachten op. Hij had beloofd hem te wreken, hij had zijn woord gegeven, en de plicht om wraak te nemen was belangrijker dan al zijn andere plichten. Het was een kwestie van eer. Hij moest de commandant als een hond afschieten, even meedogenloos als Kitaro was gedood.

Yozo klemde zijn vinger strakker om de trekker. Er klonk een knal, oorverdovend luid. Er schoot een rookpluim uit de loop en de kolf van het geweer werd door de kracht van het schot tegen zijn schouder gedrukt.

Door de rook heen zag hij de commandant half ineenzakken. Zijn ogen en mond stonden wijdopen en het bloed spoot uit zijn buik. Hij deinsde langzaam en met zwaaiende armen achteruit. Heel even kruiste zijn blik die van Yozo, en Yozo meende een bijna verbaasde uitdrukking op het gezicht van de ander te zien. Toen viel de commandant achterover en hoorde Yozo dat hij met een plof de grond raakte.

Met trillende benen rende Yozo naar hem toe. Hij wilde zeker weten dat de ander echt dood was, maar toen zoefde er een kogel langs zijn oor. Met een ruk draaide hij zich om, en hij ving een glimp op van een zwart uniform en een kegelvormige helm. Het was de zuidelijke sluipschutter naar wie hij op zoek was geweest.

Yozo wist dat hij zijn wapen op de vijand moest richten, maar het kon hem niet langer schelen of hij zou blijven leven of niet. Het doodsgedicht van de commandant weerklonk in zijn gedachten: 'Hoewel mijn lichaam op het eiland Ezo zal vergaan...' Hij was al die maanden blijven leven omdat hij wist dat hij Kitaro moest wreken. Nu had hij dat gedaan, en nu kon hij eervol sterven.

Yozo draaide zich om naar de kanonnen van de vijand, en terwijl hij dat deed, zag hij zijn leven aan zich voorbijtrekken. Ja, dacht hij, zo hoort het. Hij zou hier naast de commandant sterven, en ook zijn lichaam zou op het eiland Ezo vergaan.

Zomer

19

Hana haakte de tenen van haar rechtervoet onder de bovenkant van haar klepper en tilde die een stukje op om te voelen hoe zwaar hij was. De grote zware kleppers leken net glanzende zwarte hoeven en maakten haar zo lang dat ze over alle anderen heen kon kijken. Buiten hoorde ze de menigte mompelen en de brandweerlieden met hun stokken op de grond stampen, zodat de ijzeren ringen bovenaan rinkelden. 'Naar achteren, naar achteren!' riepen ze. 'Maak plaats voor Hanaogi van de Hoek Tamaya!'

Ze was perfect opgemaakt, van het rode bloemblaadje op haar onderlip tot aan haar wit bepoederde handen en voeten. De nagels van haar tenen waren gebet met saffloersap, zodat ze een bleekroze kleur hadden gekregen, en haar haar was met olie bestreken en opgevuld en in een enorme krans rond haar hoofd geboetseerd, in de vorm van een doorgesneden perzik. Zilveren kwastjes bungelden op haar rug, en haar hoofdtooi, versierd met zilveren en schildpad haarspelden en stukjes parelmoer, was zo zwaar dat haar hals er pijn van deed. Haar borst kriebelde van de warmte onder de weelderige kimono's, maar ze merkte het amper. Ze had heel andere dingen aan haar hoofd.

'Weet je zeker dat het goed zal gaan?' fluisterde ze met een laatste wanhopige blik op Tama, die net haar obi rechttrok. Tama was net als Hana in rijk versierde kimono's gehuld, maar droeg eroverheen een jas van brokaat, die op de schouders was versierd met een geborduurde witte kraanvogel en op de rug en panden met een schildpad in goud en zilver.

'Ja, natuurlijk. Richt je nu maar helemaal op je achtje.' Tama glimlachte, zodat heel even haar zwartgeverfde tanden in haar witte gezicht te zien waren. 'Doe maar precies wat ik je heb geleerd.'

'Wat is er?' vroeg tante, zwaar ademend. Ook zij droeg haar beste kimono, een elegant gewaad van zwarte zijde met een rode obi. Haar ogen waren opvallend geel in haar bleke gezicht, en haar mond was als een felrode snee.

'Hetzelfde als altijd,' zei Tama. 'Wat ze moet doen als hij merkt...'

De oude vrouw vertrok haar lippen tot een glimlach en klopte Hana op haar arm.

'Maak je daar maar geen zorgen over, liefje,' zei ze kirrend. 'Hij is zo opgewonden dat hij niets in de gaten heeft. Dat hebben ze nooit.'

'Zorg er maar voor dat hij zich vermaakt,' zei Tama. 'Doe wat ik je heb geleerd, dan komt het goed. En nu ophouden met piekeren. Het is tijd om te gaan.'

De deur werd opengeschoven. Een warme, vochtige bries stroomde naar binnen en voerde verlokkende geuren met zich mee: geroosterde mussen en paling, houtskool en houtvuur, de paarse irissen die langs de grote boulevard in bloei stonden. De jongste hulpjes trokken een ernstig gezicht en liepen plechtig naar buiten; Chidori hield Hana's rookwaar, gewikkeld in een lap zijde, in haar mollige handje, en Namiji droeg haar schrijfgerei. De vier helpsters – Kawanoto en Kawayu, de mollige, glimlachende Kawagishi en de lange, ranke Kawanagi – liepen op volgorde van lengte achter hen aan, de kleinste voorop, en waren allemaal gehuld in rode kimono's. Na een gepaste pauze paradeerde Tama op haar hooggehakte kleppers naar buiten. De doorgestikte zomen van haar kimono's zwaaiden heen en weer.

Tante deed Hana's kraagjes recht, schikte de strik op haar obi en trok de zomen van haar kimono's precies over elkaar. 'Denk eraan, neem de tijd,' zei ze. 'Hoofd omhoog. Zorg ervoor dat ze naar je moeten opkijken!'

Hana tilde haar rokken met haar linkerhand op en legde haar rechterhand op de schouder van een van de mannelijke bedienden. Daarna haalde ze diep adem en liep de drukkende warmte in. Er werd hoorbaar naar adem gehapt, daarna viel er een stilte. De mannen staarden haar als betoverd aan. Hana keek hen tussen haar wimpers door aan; ze zag bleke geschoren kruinen, glanzende knotten, opengesperde ogen en opengevallen monden. Ze mocht dan een stuk vee zijn dat aan de hoogste bieder werd verkocht, ze zou nooit iets laten merken van de woede of pijn die dat bij haar opwekte. Ze zou ervoor zorgen dat ze naar haar opkeken, precies zoals tante al had gezegd. Ze maakte zich zo lang mogelijk en keek recht voor zich uit. Elke beweging, elk gebaar diende volmaakt te zijn.

Hana had het lopen van het achtje geoefend totdat haar benen pijn deden en ze blaren op haar voeten had van de riempjes van haar kleppers. Het was al moeilijk genoeg om op dergelijk hoog en onhandig schoeisel haar evenwicht te bewaren, laat staan sierlijk en verleidelijk te lopen en haar voeten zo uitdagend neer te zetten dat haar lichaam bekoorlijk heen en weer deinde – en dit was de eerste keer dat ze het in het echt moest doen.

Ze hield haar rechtervoet scheef, zodat haar klepper bijna helemaal gekanteld hing, en maakte een schoppende beweging naar voren en beschreef een halve cirkel in het stof. Het was zo stil dat ze de binnenkant van haar schoeisel over de grond hoorde schrapen. Haar rokken vielen open, zodat de toeschouwers een glimp opvingen van een slanke witte enkel en karmozijnrode crêpe de chine, maar daarna vielen de zware lagen stof weer over elkaar. Ze zette haar voet voor zich neer en draaide hem zo dat het net leek alsof ze het karakter voor het cijfer acht maakte. Toen haalde ze diep adem, wiegde voorzichtig van voor naar achter en zwaaide, terwijl ze ondertussen haar schouder en heup bewoog, haar linkervoet naar voren. Ook hiermee beschreef ze een boogje voordat ze hem naast haar rechtervoet zette.

Naast haar bewoog Tama zich met dezelfde ongelooflijke passen voort. Chidori en Namiji liepen voorop, als twee kleine bootjes die twee grote schepen voortsleepten, en een vloot aan helpsters en bedienden vormde de achterhoede. Voor en achter de vrouwen liepen de mannelijke bedienden. Een van hen droeg een grote lantaarn met het wapen van de Hoek Tamaya, een pioenroos, twee anderen hielden geoliede parasols boven de hoofden van Hana en Tama, en weer anderen duwden de toeschouwers opzij en haastten zich om de weg vrij te maken van twijgjes en dode bladeren.

Hana ademde de vochtige lucht van de zomeravond in en merkte dat ze helemaal opging in het tromgeroffel, het gerammel van de ringen aan de stokken van de brandweerlieden en het geroezemoes van de toeschouwers. Dankzij haar hakken was ze zo lang dat ze over de zee van hoofden heen kon kijken en de rijen rode lantaarns aan de dakspanten zag hangen. Ze verspreidden zo veel licht dat het wel dag leek. Onder haar hoorde ze opgewonden gefluister: 'Het is Hanaogi, Hanaogi! Zo mooi als in een droom.'

De stoet liep van de Hoek Tamaya over de Edo-cho 1 naar de poort aan het einde van de straat en daarna over de grote boulevard naar theehuis de Chrysant, dat vlak bij de Grote Poort lag. Op een gewone dag zou die wandeling Hana slechts een paar minuten hebben gekost, maar nu duurde het meer dan een uur.

In de theehuizen langs de boulevard waren tokkelende shamisens, tikkende kopjes sake en gelach en gezang te horen. Mannenstemmen vermengden zich met de hoge tonen van de vrouwen, en toeschouwers dromden samen op de balkons om naar de stoet beneden te kijken.

Bij de ingang van het theehuis hielpen bedienden Hana uit haar kleppers te stappen. Mitsu zat op haar handen en knieën te wachten. 'Welkom, welkom,' riep ze uit.

Hana keek haar glimlachend aan. Sinds hun eerste ontmoeting, maanden geleden, had Hana veel feestjes in het theehuis bezocht, maar ze zat ook vaak overdag, wanneer er geen klanten waren, op het bankje buiten een pijp te roken. Ze waren inmiddels goede vriendinnen.

Mitsu leidde het gezelschap een schemerige gang in en schoof een deur open. Chidori en Namiji liepen als eersten naar binnen, beleefd knikkend. Daarna volgden de helpsters, en vervolgens schreed Tama naar binnen. Hana, die op de gang geknield zat, hoorde haar luid en duidelijk roepen: 'Heren, een warm welkom voor onze nieuwe parel, Hanaogi!'

Met neergeslagen ogen liep Hana langzaam naar binnen.

Ze bevond zich in een banketzaal die glansde van het goud en door sputterende kaarsen in grote gouden kandelaars werd verlicht. Mannen met blozende gezichten zaten met gekruiste benen aan lage tafeltjes vol schalen met eten en flessen sake. Tussen hen in zaten geisha's en een paar narren.

In het midden zat de man die voor alles had betaald, de man die vanavond haar klant zou zijn. Hana glimlachte toen ze het brede gezicht en de sensuele mond zag. Hij keek haar met een verlangende blik in zijn scheefstaande ogen aan.

Het was een vreemde gedachte dat ze hem beter kende dan haar eigen echtgenoot. Ze hadden sake met elkaar gedronken en gepraat; hij had tegen haar gezegd dat ze beeldschoon was en hij had haar vriendelijk behandeld en cadeautjes voor haar gekocht: rollen stof voor kimono's, duur beddengoed. Hij had haar zelfs persoonlijke vragen gesteld, maar ze had haar antwoorden zo vaag mogelijk gehouden. Hij was niet op een klassieke manier knap, wist ze, maar hij was duidelijk intelligent en ambitieus. Hij was jong, een paar jaar ouder dan zij, en straalde een aantrekkelijke energie uit. En ze had al geweten dat hij een zuiderling was. Naarmate ze meer aan zijn accent gewend raakte, klonk het haar minder hard in de oren.

Tot nu toe had Hana de veroveraars van hun stad als onbeschaafde bruten beschouwd; ze had tegen zichzelf gezegd dat de oorlog snel ten einde zou zijn en dat ze dan allemaal verdwenen zouden zijn. Maar de berichten werden alleen maar erger. Er kwam niemand naar haar zoeken; niemand eiste haar op, voldeed haar schuld en nam haar mee. En het waren goede klanten, de zuiderlingen. Ze maakten afspraken met haar, ze betaalden hun rekeningen.

Ze had slechts één zorg: deze man had voor haar maagdelijkheid betaald, maar hij zou weldra ontdekken dat ze helemaal geen maagd meer was. 'Zo gaat het bij iedereen,' had Tama haar verteld, 'vrouwen verkopen hun maagdelijkheid keer op keer. De wetenschap dat hij de eerste klant van een beroemde courtisane is, zal voor hem goed genoeg zijn.' Toch vroeg ze zich af hoe hij zich zou voelen wanneer hij het ontdekte. Ze hoopte maar dat ze alles zou onthouden wat Tama haar had geleerd.

Het leek eindeloos lang te duren voordat Tama klaar was met haar rokken gladstrijken en een roodgelakt schoteltje ophief dat tot aan de rand met sake was gevuld. 'Heren, dit is waarlijk een dag vol voorspoed,' zei ze opgetogen. 'Laten we drinken op Masaharu-sama, onze gastheer, en op Hanaogi, de nieuwe courtisane van de Tamaya!'

De mannen, de courtisanes, geisha's en narren hieven allemaal hun rode schoteltjes en dronken de koude sake op. 'Masaharu-sama! Geluksvogel!' riep een van hen. 'Maak er wat moois van!' riep een ander.

Een van de gasten stond op en hield een toespraak waarin hij zei dat Masaharu's militaire verrichtingen en stralende loopbaan in het niet vielen bij zijn verovering van de bekoorlijkste courtisane die de Yoshiwara ooit had gekend. Hij ging maar door, met dubbele tong sprekend, en zijn ogen waren net spleetjes in zijn opgezwollen gezicht.

Masaharu schoof ongeduldig heen en weer. Ook zijn gezicht was rood. Misschien had hij zo veel gedronken dat hij na het eten meteen in slaap zou vallen, bedacht Hana. Ze wist niet of ze dat vervelend zou vinden of niet.

Het banket was eindelijk afgelopen en Hana was terug in haar kamer in de Hoek Tamaya. Haar helpsters maakten haar hoofdtooi en haarspelden los, trokken haar een dun, bijna doorzichtig nachtgewaad aan en knoopten de obi zo losjes vast dat die gemakkelijk te verwijderen was. Ook stopten ze opgevouwen velletjes vloeipapier tussen de ceintuur.

Ze aarzelde even, haalde diep adem en schoof de deur naar de slaapkamer open. Masaharu zat gevlijd tegen een armleuning van zijn sake te nippen en rookte een pijp met een lange zilveren steel. De kimono's die ze die avond had gedragen hingen uitgespreid over de rekken en glansden van het zilver- en gouddraad. Het beddengoed van gewatteerde damast en de zwarte fluwelen deken lagen al uitgespreid. Er brandden een paar lampen. Ze schoof de deur achter haar dicht en hij stak een hand naar haar uit.

'Nooit heeft een man het zo lang volgehouden met slechts de aanblik van jouw beeldschone gezicht als beloning!' zei hij, terwijl hij zijn lange slanke vingers naar haar uitstak. Ze was zich bewust van de zwakke geur die van zijn huid opsteeg, van zijn tanige ge-

184

zicht met de hoge jukbeenderen, van de opwinding die in zijn ogen brandde. 'Je hebt me betoverd.'

Ze bleef staan en keek hem aan, zich bewust van de aanblik die ze bood: een slank lichaam dat niet langer in lagen zware stof was gehuld, maar slechts in een lang, los nachtgewaad van lichte, doorschijnende zijde.

'Ik weet hoe mannen zijn,' zei ze plagend. 'Jullie jagen zo graag, maar als jullie het hertje eenmaal hebben gevangen...'

'Ah, maar jij bent niet zomaar een hertje...'

Hij stak zijn hand uit en gaf een rukje aan haar obi, zodat haar gewaad openviel. Toen pakte hij haar handen beet en trok haar boven op hem. Lachend probeerde ze zich te verzetten, maar hij was te sterk voor haar. Hij rolde zich om en drukte zijn mond op de hare en ze voelde een tinteling door zich heen gaan, alsof er diep in haar binnenste iets wakker werd geschud. Ze besefte dat ze nog nooit eerder zachte lippen op de hare had gevoeld en niet had geweten hoe opwindend dat kon zijn. Wanneer ze met haar echtgenoot had geslapen, was dat altijd bruusk gegaan, 's avonds laat, in het donker. Ze had altijd gehoopt dat het snel voorbij zou zijn en had liggen wachten totdat hij boven op haar in elkaar zeeg en haar wegduwde. Ze had nooit gedacht dat het zo kon zijn.

'Laat me eens naar je kijken,' zei Masaharu. Hij trok aan de kraag van haar gewaad en begon aan de zachte huid van haar hals te likken en te knabbelen.

'Ik kan gewoon niet geloven dat ik je helemaal voor mezelf heb,' fluisterde hij. Hij likte haar hals en borst en sloot zijn lippen toen om haar tepel. Ze huiverde en sloot haar ogen toen ze voelde dat zijn hand de binnenkant van haar zachte witte dijen beroerde. Tama had haar geleerd hoe ze de schijn moest wekken dat ze opwinding voelde, maar ze wist dat dat vanavond niet nodig zou zijn.

Voorzichtig duwde hij haar benen uiteen. Ze was blij dat haar haar netjes geknipt en geëpileerd was. Tama had haar verteld dat een man aan de mate van verzorging van het haar van een vrouw kon bepalen hoe bedreven ze was in bed. Het zelfvertrouwen waarmee Masaharu haar aanraakte, maakte haar duidelijk dat hij ervaren was.

Ze voelde de warmte van zijn adem toen hij haar bekeek en mompelde: 'Zo mooi, net een roos,' en toen zachtjes begon te strelen en trekken en duwen, elke plooi verkennend totdat hij het allergevoeligste plekje had gevonden dat nog nooit eerder door iemand was aangeraakt.

'Het kostbare sieraad,' fluisterde hij, en ze voelde dat zijn tong de sappen oplikte die uit haar opwelden en herinnerde zich dat Tama had verteld dat mannen het vocht van een vrouw beschouwden als het elixer van het leven. Toen trok er een krachtige rilling door haar heen en kon ze niet langer helder denken; het gevoel bleef haar overspoelen totdat ze niet meer besefte wat hij deed en ze het uitschreeuwde met een stem die ze amper als de hare herkende.

Na een tijdje hees ze zich op haar elleboog overeind en streek met haar vingers over Masaharu's slanke jonge lijf, vol bewondering voor zijn gladde huid en sterke spieren. Met Tama's aanwijzingen in gedachten liet ze haar tong over zijn borst en tepels gaan, proevend van de zoute smaak en genietend van zijn verrukte gekreun. Toen nam ze zijn penis in haar mond, zijn stengel van jade, zoals Tama hem noemde, en begon te likken en te zuigen; ze bespeelde zijn geslacht als een instrument en probeerde zijn genot zo lang mogelijk te rekken. Ze hoorde hem kreunen toen ze hem bijna tot een ontlading bracht, hield toen even op en voerde hem opnieuw bijna tot een hoogtepunt.

Ten slotte klom ze boven op hem en begon te bewegen en voelde de warmte in haar spuiten toen hij zijn rug kromde en een kreet slaakte.

'Je bent wreed,' zei hij hijgend. 'Ik wilde mijn zaad sparen. Nu zullen we weer helemaal opnieuw moeten beginnen.'

Lachend sloeg ze haar armen om hem heen. De nacht was nog jong.

20

Er was een maand verstreken sinds Hana haar debuut had gemaakt. Er werd nu van haar verwacht dat ze meer met klanten deed dan sake drinken en een gesprekje voeren, maar er waren ook andere, minder opvallende veranderingen. Ze werd anders behandeld en voelde zich ook anders. Natuurlijk was ze een gevangene die een schuld moest terugbetalen en waren er klanten met wie ze liever niet had geslapen, maar dat was nu eenmaal het lot van een vrouw. Ze had ook geen genoegen beleefd aan het slapen met haar echtgenoot. Wanneer ze nu terugkeek op haar oude leven, voelde het alsof ze toen meer een gevangene was geweest dan nu.

Hana hield het meest van de vroege middagen, wanneer er nog geen klanten waren en ze met haar haar in een slordige knot en gehuld in een dunne zomerkimono rustig een pijp kon roken of van gekoelde thee uit een dikke keramische beker kon nippen, zichzelf af en toe koelte toewuivend. Nadat ze op een drukkend warme zomerdag een bad had genomen en zich had aangekleed, kuierde ze naar het huis van Otsuné, dat om de hoek lag, ondertussen nadenkend over wat Otsuné op de dag na haar debuut had gezegd.

Ze hadden gekoelde boekweitnoedels zitten eten die Otsuné bij een passerende straatventer had gekocht. Ze doopten die in de kleine kopjes saus die was gekruid met mierikswortel en bosuitjes en zogen ze daarna slurpend op.

'Tante is trots op je,' had ze gezegd. 'De zaken gingen slecht in de Hoek Tamaya, zoals overal in de wijk, maar nu heb jij alles weer tot leven gewekt. De mannen zijn dol op je, zegt Tama. Je leven als echtgenote is gewoon een verspilling van je talenten geweest.'

'Ik heb slechts een paar klanten,' zei Hana glimlachend. 'Tante heeft gezegd dat ik zo vaak nee mag zeggen als ik maar wil en de mannen naar believen kan laten wachten.'

'Omdat ze dan meer naar je gaan verlangen en tante nog meer aan je zal kunnen verdienen,' bracht Otsuné haar op ernstige toon in herinnering. 'Vergeet niet dat het alleen maar om geld gaat.'

Hana glimlachte in zichzelf. Het was warm en vochtig en de zon scheen meedogenloos op haar neer. Bij alle huizen hingen er op de verdiepingen bamboeschermen voor de ramen, zodat het binnen donker en koel zou blijven. Ze hoorde de windorgels tinkelen en rook de bloemen die langs de lanen van de Yoshiwara waren geplant. Op straat boog iedereen voor haar wanneer ze langsliep.

Ze besefte nu pas dat ze geluk had gehad, maar ze wist dat haar succes als courtisane afhankelijk zou zijn van de mate waarin ze een sfeer van geheimzinnigheid kon bewaren. Zolang ze buiten bereik van de meeste mannen bleef, kon ze genieten van een leven zoals Tama dat leidde, maar zodra haar schoonheid minder zou worden, zou het voor haar voorbij zijn. Als een papieren bootje op de stroom dobberen, onwetend van de modder op de bodem en het harde leven buiten de stadsmuren: dat was de vergankelijke wereld. Hier in de stad zonder nacht leidden zij en haar medecourtisanes een leven als uit een sprookje, in een wereld waar de tijd stil leek te staan. Daarom kwamen mannen hierheen, om de grimmige werkelijkheid van het leven aan de andere kant van de muur, aan de overzijde van de Slotgracht van de Zwarte Tanden, te kunnen vergeten.

Er waren genoeg mannen die er een fortuin voor over hadden om een paar uur te kunnen doorbrengen met de nieuwste courtisane. Oude mannen met rimpelige gezichten en slappe lijven die echter zo grappig en gevat waren dat ze hen telkens weer wilde ontmoeten. Andere mannen wilden alleen even praten of zich door haar laten omhelzen en knuffelen alsof ze hun moeder was. Een hooggeplaatste ambtenaar had tegenover haar zijn hart gelucht en als een klein kind zitten huilen.

Hana maakte een zorgvuldige keuze uit al die mannen, en slechts een paar werden haar geliefden. Sommigen van hen waren seksuele virtuozen die dolgraag verschillende technieken wilden proberen, hun ledematen in alle mogelijke houdingen bogen en er te allen tijde voor zorgden dat ze hun zaad niet verspilden. Anderen wilden elke lichaamsopening verkennen of bestelden er nog een vrouw of een jongen bij. Weer anderen brachten handboeken mee en zorgden ervoor dat ze alles uitprobeerden. Maar de meesten wilden zich simpelweg vermaken.

Ze volgde Tama's instructies die moesten voorkomen dat ze in verwachting zou raken, uiterst zorgvuldig op. Ze wist op welke dagen van de maand de kans op zwangerschap het grootst was en weigerde dan met klanten te slapen, of ze schoof opgevouwen papieren doekjes naar binnen die als bescherming moesten dienen. Ze liet ook twee dagen achter elkaar bijvoet op haar buik verbranden, een handeling die bescherming moest bieden voor het komende jaar. Ze wist dat de meeste bedienden en een groot deel van de courtisanes kinderen van de vrouwen in de wijk waren, maar ze had ook de verhalen gehoord over vrouwen die tijdens de bevalling waren overleden of een onkundige poging tot het afbreken van een zwangerschap niet hadden overleefd. Ze diende tegen elke prijs te voorkomen dat ze in verwachting zou raken.

Hana was op sommige minnaars meer gesteld dan op andere, maar ze hield de waarschuwing van Otsuné, dat het allemaal niet meer was dan een spel, voortdurend in haar achterhoofd. Romantiek en diepe gevoelens speelden geen rol, het ging simpelweg om plezier maken en genieten, en het allerbelangrijkste was dat ze nooit, maar dan ook nooit haar hart aan een man mocht verliezen. Het ging slechts om lichamen, niet om harten, zei ze tegen zichzelf. En natuurlijk bleef het een zakelijke overeenkomst en werd de hele verhouding gekleurd door het feit dat er werd betaald.

De mannen die er geld voor over hadden om tijd met haar te mogen doorbrengen, wisten – of dat gold in elk geval voor de oudere mannen onder hen – maar al te goed dat ze alleen maar zei dat ze alleen hen liefhad en aanbad omdat ze haar er geld voor gaven. Ze wisten dat ze deed alsof en dat ze dat tegen iedere man zei. Toch waren sommige jongere mannen zo van haar onder de indruk dat ze uit verlangen naar haar zo vaak mogelijk te zien bereid waren bankroet te gaan.

Hana wist dat de Yoshiwara voor al die mannen een droomwereld was waar ze konden ontsnappen aan de saaie werkelijkheid van echtgenote, kinderen, huis en werk. Natuurlijk waren al die mannen getrouwd, maar in haar nabijheid konden ze zich anders gedragen. Hun echtgenotes waren door hun families voor hen gekozen en ze moesten een gepaste afstand houden, maar bij haar konden de mannen zich ontspannen; ze konden plagen, lachen, flirten en zich als kleine jongens gedragen. Ze hoefden niet hun waardigheid op te houden of te vrezen voor de indruk die ze in het openbaar maakten. Ze betaalden voor de vrijheid om te zijn wie ze maar wilden. Niemand maakte zich enige illusies, en juist dat maakte het spel zo volmaakt.

Wanneer Masaharu naar haar vroeg, zorgde ze er altijd voor dat ze beschikbaar was en bracht ze zichzelf in herinnering dat het ook voor hem een spel was, al merkte ze dat ze soms wenste dat het anders kon zijn.

Hana schoof de deur van Otsuné's huisje open en hoorde de dunne houten latjes kraken in hun groeven. Ze stapte naar binnen en snoof waarderend de geur van verbrand haar en haarverf op. Otsuné had het altijd wel ergens druk mee. Achter in het huisje stonden een spinnewiel en een weefgetouw, en wanneer ze niet bezig was haar werktuigen schoon te maken of een pruik in elkaar te zetten, zat ze te kaarden, te spinnen of te weven.

Maar vandaag was het binnen stil. Het weefgetouw ratelde niet en de houtskool in het komfoor was gedoofd. Otsuné zat aan de tafel die midden in het vertrek stond, met haar hoofd in haar handen. Ze keek op toen ze Hana binnen hoorde komen. Haar gezicht was bleek, haar ogen waren rood en gezwollen.

'Wat is er?' vroeg Hana geschrokken. Ze liep snel naar haar vriendin toe, maar bleef staan toen ze de krant op tafel zag liggen. Ze wist dat het nieuwe bewind kranten had verboden omdat die partij kozen voor de noorderlingen en dat de meest uitgesproken redacteur in de gevangenis zat. Niemand had nog enig idee wat er precies gebeurde.

Heel even durfde Hana niet te kijken, maar toen hurkte ze neer, greep bij wijze van steun de rand van de tafel vast en staarde niet-begrijpend naar de piepkleine karakters.

'Er is een Frans schip in Yokohama aangekomen,' fluisterde Otsuné. Ze veegde met haar mouw langs haar ogen.

Hana staarde haar verbijsterd aan. 'Betekent dat... dat het voorbij is?'

Hoewel het een warme dag was, huiverde ze. Als de oorlog echt voorbij was, dan kon dat alleen maar betekenen dat hun troepen hadden verloren en dat de zuiderlingen de winnaars waren. Het zou ook betekenen dat ze erachter moest zien te komen wat er van haar echtgenoot was geworden. Bij de gedachte aan hem voelde ze walging en angst. Stel dat hij haar ging zoeken en haar hier in de Yoshiwara aantrof? Dan zou hij niet eens de tijd nemen om te vragen wat ze hier deed. Hij zou haar meteen doden, daar twijfelde ze niet aan.

Otsuné's handen trilden. Ze zag er zo hulpeloos en verloren uit, zo anders dan gewoonlijk, dat Hana nog banger werd.

'Die namen zijn zo moeilijk.' Otsuné's stem klonk dof van wanhoop. 'Ik heb geprobeerd om ze te ontcijferen. Hier staat dat er gevangenen aan boord zijn, Fransen die aan de kant van onze mannen hebben gevochten. Niet iedereen is gevangengenomen; sommigen zijn gedood.' Ze staarde naar de kleine tekentjes. 'Nee, niet gevangengenomen, ze hebben zich overgegeven. Ze schrijven vreselijke dingen over hen. Hier staat: "De Franse lafaards hebben de noordelijke troepen in de steek gelaten..." Hoe durven ze dat te zeggen? Dat is niet waar. Het zijn dappere, trouwe mannen; ze zijn hier bij onze mannen gebleven terwijl ze net zo goed terug hadden kunnen gaan naar hun eigen land. Er staat dat ze nu naar Frankrijk worden gestuurd en dat ze daar berecht zullen worden. Ongetwijfeld zullen ze dan de opdracht krijgen om harakiri te plegen, of wat ze ook doen in Frankrijk.' Ze liet haar hoofd op haar armen rusten. 'Ik blijf maar naar die lijst met namen kijken, maar ik kan die van hem niet vinden. Het is zo erg dat ik niets weet,' fluisterde ze.

'Je klant...' Hana hapte naar adem toen ze opeens begreep waarom Otsuné zo van streek was.

'Als hij dood is, wil ik het weten,' zei Otsuné snikkend. 'Ik wil er niet aan denken dat hij ergens op Ezo door de wilde dieren wordt verslonden. Als hij dood is, moeten ze hem hierheen brengen, zodat hij kan worden begraven.'

'Je klant was een buitenlander?'

'Ja.'

Hana kon nog net een kreet onderdrukken. Ze had de lange, slungelige buitenlandse zeelieden met hun roze gezichten en grote neuzen in hun buitenissige uniformen over de grote boulevard zien lopen en in steegjes zien verdwijnen. Ze hadden de reputatie dat ze altijd voor problemen zorgden en zochten hun vertier doorgaans in de goedkoopste huizen. Ze had altijd gedacht dat dat kwam omdat alleen de meisjes van het laagste allooi buitenlanders als klanten wilden hebben en had er nooit bij stilgestaan dat ze iemands vaste klant konden zijn.

Otsuné opende een la in een van de grote kasten die langs de wand stonden en haalde er een houten doosje uit. Ze zette het op tafel, deed het open en haalde er een lok lichtbruin haar uit. Het lag als een streng zijde in haar hand, niet zo robuust en sterk als Japans haar, maar eerder dun en breekbaar.

'Toen ik bij de Yamatoya werkte, kwamen er wel eens buitenlanders binnen, al waren die er toen nog niet zo veel. Militairen, soldaten. Ik weet nog dat ik op een dag in de kooi zat – ik zal het nooit vergeten – en dat er opeens een man verscheen, een man met grote ronde ogen. Hij staarde naar me, en ik dacht: waarom ik? De andere mannen gaapten de andere meisjes aan, die veel jonger waren, maar hij leek mij leuk te vinden. En toen maakte hij een afspraak met mij. De andere meisjes wilden geen buitenlanders, die vonden ze eng, en ze wilden niet het risico lopen dat hun gebruikelijke klanten hen zouden afwijzen als bekend zou worden dat ze met een buitenlander hadden geslapen. Maar er waren niet veel mannen die mij wilden, en dus zei ik dat ik het zou doen. Aanvankelijk was ik ook bang, maar hij was lief en vriendelijk.

En daarna vroeg hij elke keer naar mij. In mijn ogen zag hij er aanvankelijk ook grotesk uit, maar ik raakte aan hem gewend. Het ging hem niet zozeer om seks, meer om vriendelijkheid en tederheid. Hij wilde het gevoel hebben dat iemand iets om hem gaf. En hij sprak onze taal. Hij snauwde me niet af, gaf geen bevelen en sloeg me niet, hij gedroeg zich helemaal niet als een man, en daardoor ging ik hem steeds aardiger vinden.

En toen kocht hij me vrij. Hij zei dat hij een huisje voor me zou zoeken en dat voor me zou kopen. Maar toen liep alles anders, zoals je wel weet, en kreeg hij het bevel terug te keren naar zijn land, maar dat weigerde hij. Hij zei dat hij bij de mannen wilde blijven die hij had opgeleid.'

Otsuné reikte naar haar kraag en maakte het reepje stof met het metalen schijfje los. Toen liet ze haar ellebogen op tafel rusten en keek ernaar. Haar handen trilden. Heel even hield ze het stukje stof tegen haar lippen.

'Op een dag kwam hij me vertellen dat hij een tijdje wegging en hij gaf me dit, een versiering die hij altijd op zijn jasje droeg. Hij knipte een lok van zijn haar af en zei dat ik die moest bewaren. Ook gaf hij me geld, alles wat hij had. En dat was het dan. Ik heb hem daarna nooit meer gezien. En nu weet ik niet eens of hij nog leeft of niet. Ik mis hem zo... Die grote handen van hem, die rare neus. Ik wou dat ik zijn naam hier ergens zag staan...'

Ze wendde zich af, met een gezicht dat glom van de tranen, en frummelde aan de theepot.

'Misschien is hij ontsnapt,' zei Hana. 'Misschien is hij op weg hierheen. Je moet niet wanhopen.'

'Maar er is steeds meer bewaking,' zei Otsuné met een angstig gezicht. 'Heb je dat niet gemerkt? Bij de Grote Poort word je voortdurend aangehouden, en dat kan alleen maar betekenen dat de oorlog echt voorbij is en dat de noordelijke troepen op de vlucht zijn geslagen. Je weet net zo goed als ik dat er maar één plek is waar de politie nooit zal komen: hier, de Yoshiwara. Daarom komt iedereen die zich wil verstoppen altijd hierheen.'

Hana pakte haar handen vast en streelde die. Misschien was de heer van Otsuné ook op weg hierheen. Ze hoopte het met heel haar hart.

Hana liep haastig door de poort die toegang bood tot Edo-cho 1, met haar blik op de grond gericht en haar gedachten ver weg. Het liep tegen het einde van de middag en op straat wemelde het van de mensen. Vrouwen liepen al de met latten afgescheiden salons binnen en hier en daar jengelden de shamisens. Grote groepen mannen vulden de boulevard en gaapten haar fluisterend aan toen ze snel langsliep. Opeens kwam de kleine Chidori uit de Hoek Tamaya naar buiten gestormd, met wapperende rode mouwen en een brief in haar hand. Ze boog toen ze Hana zag en rende daarna door de poort in de richting van een van de theehuizen. De belletjes aan haar mouw rinkelden.

De menigte viel stil en deinsde achteruit toen er buitenlanders in hun vreemde uitdossingen voorbij kwamen. Hana bekeek hen nieuwsgierig en dacht aan wat Otsuné haar had verteld. Ze kon zich maar moeilijk voorstellen dat ze ooit met zo iemand zou slapen, laat staan dat ze iets om zo'n man zou geven.

Ze wilde net de gordijnen van de Hoek Tamaya opzijschuiven toen ze een zenuwachtige jonge vrouw op het bankje buiten zag zitten. Ze had de kleding en haardracht van een vrouw uit de stad, maar haar kimono was vrij opzichtig en fel van kleur en haar haar zat vol spelden. De vrouw draaide zich naar haar om en werd lijkbleek, alsof ze een spook zag. Hana staarde haar verwonderd aan. De ander kwam haar bekend voor.

Opeens wist ze het weer, en haar schrik was zo groot dat ze zich omdraaide en weg begon te rennen. Achter haar klonken voetstappen en een hand pakte haar mouw vast. Ze hapte naar adem, opnieuw verstrikt in de nachtmerrie die ze op de Japandijk had beleefd, toen ze was meegesleept naar de Yoshiwara.

'Wat moet je?' riep ze uit. Haar stem klonk schril van paniek. 'Laat me met rust.'

'Hana-sama, Hana-sama,' zei de vrouw. 'Ik ben het, Fuyu.'

Hana huiverde toen ze dacht aan de blik waarmee Fuyu naar tante had gekeken. Ze was niet vergeten wat ze had gezegd: 'We kunnen vast wel tot overeenstemming komen.' Ze herinnerde zich het pakhuis, de boeien, de ontzetting die ze had gevoeld toen ze had beseft dat ze was verkocht.

Met een ruk draaide ze zich om. Het volle gezicht met de ver uit elkaar staande ogen en de welgevormde mond was bijna knap te noemen, maar Hana zag ook de geslepen blik in Fuyu's ogen en het trekje rond haar lippen.

'Weet je niet meer wie ik ben?' vroeg Fuyu. 'Ik ben degene die je hierheen heeft gehaald.'

Hana trok haar mouw uit Fuyu's greep. 'Je hebt me verkocht!' zei ze. 'Je hebt geld aangenomen!'

Fuyu staarde naar de grond. 'Ik heb geen geld aangenomen,' mompelde ze. 'Ik heb je geholpen.'

Hana fronste vol ongeloof. 'Ik heb je niets te zeggen.' Ze begon terug te lopen naar de Hoek Tamaya, maar Fuyu kwam naast haar lopen en begon bijna ademloos tegen haar te praten.

'Wil je niet weten wat er allemaal in Edo gebeurt? Mijn meester is een pandjesbaas. In barre tijden zijn er veel mensen die iets willen verpanden, dus het gaat hem voor de wind, en hij hoort altijd allerlei nieuwtjes.'

Hana verhoogde haar tempo en probeerde Fuyu af te schudden. Ze begreep niet waarom Fuyu haar bleef volgen.

'De stad is half verlaten,' zei Fuyu. 'Het leven onder een bezetter valt niet mee. Je bent hier tussen de rijstvelden beter af, hier gaan de zaken goed. Er komen vast heel veel klanten die van je diensten gebruik willen maken.'

Hana was bijna bij de ingang van de Hoek Tamaya, maar Fuyu volgde haar nog steeds op de voet, onophoudelijk babbelend.

'De nieuwe regering is eigenlijk al een feit, ik kan me niet voorstellen dat onze soldaten die nog omver kunnen werpen. Er gingen geruchten over een republiek Ezo, maar niemand gelooft dat de shogun ooit opnieuw aan de macht zal komen, dus ik denk dat we met de zuiderlingen moeten leren leven. Ik heb gehoord dat ze behoorlijk op jou gesteld zijn.'

Toen Hana de gordijnen voor de ingang opzijschoof, ging Fuyu voor haar staan. 'Kan ik misschien iets doen om het goed te maken? Kan ik misschien een bericht voor iemand doorgeven?'

Hana voelde een steek van pijn toen ze dacht aan het grote lege huis, aan haar dienstmeid Oharu en de oude Gensuké die ze in de stad had achtergelaten. Ze wilde hen dolgraag laten weten dat ze nog leefde, ze wilde weten waar ze waren. Maar ze wist dat dat niet zonder risico zou zijn. Als haar echtgenoot nog leefde, zou hij on-getwijfeld naar huis gaan en vragen waar ze was. Maar ze had een zekere verantwoordelijkheid ten opzichte van Oharu en Gensuké. Ze kon hen niet laten geloven dat ze dood was.

'Kom maar mee naar binnen,' zei ze ten slotte. 'Ik zal je een brief meegeven, als je me belooft dat je die zult bezorgen.'

21

Yozo opende zijn ogen en bewoog zijn lippen. Hij had een bittere smaak in zijn mond. Zijn ledematen voelden stijf en beurs aan, zijn kleren waren vies, zijn haar was vuil en zat vol klitten en hij kleefde van top tot teen van het zweet. Maar hij leefde nog, en dat was het enige wat telde. Hij leefde nog.

Hij zat in een bamboekooi, zo veel wist hij nog, die zo klein was dat hij zijn hoofd stootte wanneer hij rechtop probeerde te gaan zitten. Hij hoorde het geschuifel van voeten en het gegrom van de dragers, die in koor grauwden bij elke zwaaiende beweging van de kooi. Aan de andere kant van de bamboewand bewogen schaduwen heen en weer, en opeens viel er licht door een spleet tussen de latten. Hij boog zich voorover en drukte zijn oog tegen de kier. Mannen met strohoeden en zwarte jasjes, bewapend met speren en zwaarden, marcheerden scherp afgetekend tegen de hemel voort, omgeven door een krans van zonlicht. Hij mocht dan halfbeneveld zijn, hij herkende een zuidelijk uniform zodra hij het zag. Zijn gezichtsuitdrukking verharde en hij balde zijn vuisten, waardoor de touwen waarmee hij was geboeid dieper in zijn polsen sneden. Achter de soldaten strekten boomstammen zich uit, even hoog en recht als de tralies van een cel.

Hij probeerde te bepalen waar hij was en waarheen hij werd gevoerd: hij bevond zich in een stoet van kooien die, zo vermoedde hij, ergens door de bergen in het noordelijk deel van het vasteland werd gedragen. Waarschijnlijk waren ze op weg naar Kodenmacho, de gevangenis in Edo, waar een proces en terechtstelling zouden plaatsvinden. Als dat zo was, mocht hij zich gelukkig prijzen als hij nog voor aankomst zou sterven.

Een mug landde op zijn wang. Yozo schudde woest zijn hoofd en hield zijn blik gericht op het driehoekige stukje geweven bamboe en de speldenprikjes daglicht die door de kieren vielen. Zelfs onder de bomen was de hitte verstikkend.

Gelukkig was zijn vreselijke hoofdpijn afgezakt tot een dof gebons en was het kloppende gevoel in zijn arm en schouder draaglijk. Hij dacht aan het laatste gevecht, net als tijdens zijn koortsaanval, toen hij in gedachten keer op keer bij het verwoeste huis de hoek om was gegaan en de commandant over straat had zien sluipen. Hij zag dat de ander zich omdraaide, hij zag aan het donkere gezicht dat de commandant hem had herkend, hij hoorde de barse stem die hem uitdaagde. Hij wist nog dat hij zijn geweer had gericht, het schot had gehoord en de commandant had zien vallen. Pas toen had hij beseft dat er nog iemand was. Hij had een zwart uniform en een kegelvormige helm gezien, en hij herinnerde zich dat het hem niet eens had kunnen schelen of hij zou sterven of niet.

Maar wat was er daarna gebeurd? Dat was de echte nachtmerrie. Wat was er van Enomoto en zijn strijdmakkers geworden? Van al die vrienden die aan zijn zijde hadden gestreden? Hij nam aan dat ze allemaal gesneuveld waren, of net als hij opgesloten zaten in kooien en naar Edo en het executieveld werden gebracht. Hij dacht aan al die jaren die hij werkend en lerend in Europa had doorgebracht. Al die tijd, om ten slotte hier te eindigen, als een beest in een kooi, ineengedoken in zijn eigen vuil.

Hij gromde en schoof heen en weer, hij stak woedend zijn voet naar voren in een poging de dragers uit hun evenwicht te brengen. Er sloeg een speer tegen de zijkant van de kooi, gevolgd door een barse brul, en hij zonk weer ineen in het gefilterde schemerlicht.

Langzaam veranderde het licht buiten de kooi. Aan de andere kant van de kier werd het bos dichter en werden de schaduwen langer. De kooi begon scheef te hangen, eerst bijna onmerkbaar, later zo sterk dat Yozo tegen de achterwand werd gedrukt. Hij hoorde de dragers vloeken en steunen, hij hoorde hun zware ademhaling en merkte dat hun voetstappen steeds trager werden. Na een tijdje leken ze na elke stap halt te moeten houden om de kooi te kunnen optillen. Verder was het opvallend stil, alsof de rest van de stoet verder was getrokken en zij waren achtergebleven.

Er klonk geritsel en een zacht gekraak, alsof er een dier, mogelijk een hert, door het bos bewoog. Daarna een hoog, krijsend geluid – een aap? – en opeens kwam het hele bos tot leven. Er klonk luid gekras en gefladder van vleugels, en de takken kraakten en kreunden.

Opeens kwam er uit het niets een luchtstroom, eerder wind dan geluid, en viel de kooi met een bons op de grond. Hij stuiterde een keer en sloeg toen hard tegen iets aan. Yozo, die zich tot een bal had opgerold om zich te beschermen, hief voorzichtig zijn hoofd. De stilte werd verbroken door een doffe dreun, een vreemd gegorgel en een zachte, diepe snauw. Toen verscheen er een monsterlijke schaduw die hoog boven hem oprees. Het wezen kwam dichterbij; het was te groot voor een mens, maar te klein voor een beer. Yozo staarde ernaar, verdoofd maar geboeid: het leek hem een heel wrede manier om aan zijn einde te komen, verscheurd te worden door een wild beest.

Toen hoorde hij tot zijn grote verbazing een stem zeggen: 'Pas op!'

Een mes sneed door de bamboe grendel heen en de deur van zijn kooi werd geopend. Er verscheen een gezicht als van een bergdemon, met een lange neus en grote ronde ogen. Yozo's mond vertrok tot een grijns die zo breed was dat zijn gekneusde gezicht pijn deed en zijn gebarsten lippen scheurden. Hij kende die staalblauwe ogen en dat bleke vel, al was de vierkante kaak nu door lichtbruine stoppels bedekt.

'Marlin!' zei hij, happend naar adem.

De Fransman legde een besmeurde vinger tegen zijn lippen. Er verschenen nog meer gezichten rond de kooi, en sterke handen tilden Yozo omhoog en sneden zijn boeien door. Hij bleef even op de grond liggen en schudde met zijn armen en benen om het gevoel terug te krijgen. Zijn polsen waren rood en opengeschuurd, zijn haar zat aan elkaar gekleefd van het vuil en het zweet en er zat iets hards op zijn zij, als een korst. Voorzichtig raakte hij het plekje aan en voelde een steek van pijn. Het was blijkbaar een oude wond die uit zichzelf was genezen.

Langzaam kwam hij overeind en keek om zich heen. Mannen in zwarte jasjes lagen her en der tussen het struikgewas, met gewonde of gebroken ledematen. Bloed welde op uit de keel van een van hen, bloed sijpelde in een gestage donkere stroom uit de arm van een ander. Vlakbij lag een afgehakte hand. Een man met een baard en een breedgerande strohoed was bezig de kling van zijn grote mes met een doek schoon te vegen, een ander raapte gevallen zwaarden en speren bijeen. Een van de mannen kwam naar Yozo toe en zei met een zwaar noordelijk accent iets tegen hem en gaf hem een geruststellend klopje op zijn schouder. Het waren kleine, magere mannen die zich zo lichtvoetig als herten bewogen. Berenjagers, vermoedde Yozo. Dit was het land van de beren.

Achter hem klonk een zacht gegrom, afkomstig van een stel honden die vier dragers bewaakten die aan een boom waren gebonden. De beesten lieten hun tanden zien, de haren van hun witte pels stonden overeind. Yozo draaide zich om en zag dat Marlin over het pad naar hem toe gelopen kwam. Hij droeg niet langer zijn Franse uniform, maar een katoenen jasje zoals Japanse boeren droegen, en de hielen van zijn grote ruwe voeten staken half uit zijn strosandalen. Zijn haar was over zijn oren heen gegroeid en zijn gezicht was bedekt met een ruige baard. Hij zag er anders uit, vond Yozo, anders dan vroeger. Dat kwam niet alleen door zijn kleren; hij oogde jonger, vrolijker. Zijn ogen glansden en zijn tred was veerkrachtig, alsof hij tegelijk met zijn uniform ook de verantwoordelijkheden had afgeschud.

Hij liep naar de dragers, die beefden van angst en hun lippen zo ver optrokken dat Yozo hun tandvlees kon zien.

'Het spijt me, jongens,' zei hij op luchtige toon. 'Of jullie gaan met ons mee, of ik snijd jullie de keel door. Ik kan niet het risico lopen dat jullie ons zullen verraden.'

'We zijn noorderlingen, heer,' zei een van hen met een stem die beefde van angst. Het was duidelijk dat de zuiderlingen de plaatselijke bewoners hadden gedwongen tot het dragen van de kooien.

Marlin fronste even, alsof hij over de mogelijkheden nadacht. 'Dan zal ik jullie laten gaan. Maar vergeet niet, als er problemen komen, dan weten de honden jullie te vinden, waar jullie ook zijn.'

Marlin keek voor een laatste keer de open plek rond en haakte daarna zijn arm door die van Yozo. Een van de jagers deed hetzelfde bij zijn andere arm. Yozo kreunde in verweer toen hij de pijn in zijn gewonde arm voelde. Nadat ze hem hadden opgetild, vervolgde het gezelschap zijn weg door het bos.

De jagers liepen voorop; ze schoten tussen de bomen door, omzeilden rotsen en sprongen over beekjes met een gemak alsof ze elk blad en elke steen in het bos kenden. Ze doorkruisten een dal dat werd omringd door varens, struiken en hoge bomen en klauterden aan de overkant langs een met grote rotsblokken bezaaide helling omhoog. In de beschutting van een heuveltje bevond zich een geïmproviseerde hut, bedekt met takken en twijgjes, die zo goed gecamoufleerd was dat hij deel uit leek te maken van het bos. Ze duwden de deur open en hurkten binnen hijgend neer, luisterend of ze werden gevolgd. Buiten heerste stilte, op het zingen van de vogels en het ruisen van de wind door de bomen na.

Marlin haalde een metalen fles van zijn riem en drukte die tegen Yozo's lippen. Water. Hij dronk gretig en voelde de kracht in zijn ledematen terugkeren.

De jagers hadden hun hoeden afgezet, en hij zag dat hun gezichten net boomschors leken, verweerd en vol diepe groeven, en dat hun ogen onder hun ruige haar glansden als bessen.

Yozo knikte bij wijze van dank en besefte dat hij er waarschijnlijk veel woester en viezer uitzag dan zij.

'Mijn broer kan in zijn eentje een beer aan,' zei een van de jagers met een knikje naar zijn metgezel. Yozo zag dat er een berenklauw aan een koord om zijn nek hing. 'Voor een paar soldaten draait hij zijn hand niet om.'

'Wil je iets eten?' vroeg een ander. Hij haalde een stel bruine, stinkende reepjes uit zijn zak en stak die Yozo toe. 'Bergwalvis,' zei hij. Hij grijnsde en liet een stel rotte tanden zien. 'Zo noemen jullie laaglanders dat toch?'

Yozo kreunde en liet zijn hoofd zakken.

'Ik heb rijstballetjes,' zei Marlin, die tussen zijn spullen zocht en een in bamboeblad gewikkeld pakje tevoorschijn haalde. Yozo vouwde het open en nam voorzichtig een hapje, en toen nog een.

Het was warm en benauwd in de hut, die wanden van onbewerkt hout en een deur gemaakt van takken had, en in een van de hoeken lag een bergje zwart bont dat een bedompte geur afscheidde. Een berenvel. Een van de jagers, die in de deuropening stond, floot even, een zacht, aanhoudend geluid dat op het zingen van een vogel of de kreet van een dier leek.

'Hoe... Hoe zijn jullie hier beland?' vroeg Yozo met schorre stem. 'Wat is er met Enomoto gebeurd, en met de anderen?'

Marlin sloeg zijn ogen neer en wreef even met zijn strosandaal over de grond. 'Later,' mompelde hij. 'Als je wat aangesterkt bent.'

'Nee, nu,' zei Yozo vastberaden.

Marlin trok een mes uit zijn riem en begon aan een tak te snijden, die hij telkens weer omdraaide in zijn handen.

'Het was kort nadat jij was verdwenen,' zei hij ten slotte. 'De commandant was ook weg. We hadden de helft van onze manschappen verloren, we hadden bijna geen munitie meer en we wisten dat we allemaal zouden sterven als de gevechten nog veel langer zouden duren. Enomoto zat in zijn vertrekken. De ramen waren kapot en het was een ruïne, maar die drankkast van hem had op de een of andere manier alles overleefd. Hij schonk ons allemaal een glas in van die whisky waar hij zo gek op was.'

Hij zweeg, en Yozo hoorde buiten takken kraken en twijgjes knappen, alsof er iets heel groots langsliep.

'En toen?' vroeg hij.

'En toen ontbood generaal Otori me. Hij wilde dat ik zou helpen om Enomoto over te halen om zich over te geven.'

'Zich overgeven?' zei Yozo, woedend en ongelovig. 'Enomoto?'

Marlin knikte. 'Het was wel duidelijk dat dat het laatste was wat hij wilde. De zuiderlingen waren een stel lafaards, volgens hem. Ze hadden alleen maar een voorsprong weten te boeken omdat de Amerikanen de Southwall aan hen hadden overgedragen, en omdat ze simpelweg met meer waren. Hij wilde per se tot het bittere einde vechten. En als het moest, zou hij door zijn eigen hand sterven, zei hij.'

Yozo zag het vertrek voor zich en dacht aan de laatste keer dat hij Enomoto had gezien.

'Jullie Japanners met jullie samoerai-trots,' zei Marlin. Hij maakte een snuivend geluid, uit bewondering of ongeloof; dat kon Yozo niet met zekerheid zeggen. 'En toen zei Otori: "Als je per se wilt sterven, dan kan dat altijd nog." Zo zei hij het. We hebben nog veel te doen, bedoelde hij. Het was niet nodig om overhaast voor de dood te kiezen.'

Marlin zweeg even. Zijn gezicht betrok toen hij terugdacht aan wat er was gebeurd. 'Ik kon merken dat hij de vinger op de zere plek had gelegd. Enomoto liep een tijdje te ijsberen en zei toen: "Onze mannen zijn trouw tot in de dood. Ze verdienen te leven. Ik zal mezelf overgeven, op voorwaarde dat zij vrijuit zullen gaan." Dat heeft hij gedaan, en Otori heeft zich ook overgegeven.'

Dus Enomoto had zich overgegeven. In dat geval was het echt voorbij. Yozo sloeg zijn handen voor zijn gezicht. Al die keren dat Enomoto en hij samen aan de whisky hadden gezeten, al die diepgravende gesprekken die ze hadden gevoerd over al die dingen die ze wilden veranderen als ze eenmaal terug zouden zijn in Japan. Enomoto had de zuiderlingen verslagen en was met de vloot naar Ezo gevaren, Enomoto had aan de wieg gestaan van de Republiek van Ezo, waar iedereen gelijk was, en Enomoto had democratische verkiezingen georganiseerd. Als iemand het verdiende te leven, dan was hij het.

'Je had hem moeten redden!' zei hij kreunend. 'Hem, in plaats van mij. Wat heb je nu aan mij?'

'Enomoto is een trots man,' zei Marlin. 'Die had zich vast niet laten redden. Bovendien waren wij met ons drieën en wemelde het voor aan de stoet van de soldaten. We hadden niet eens in zijn buurt kunnen komen. Daarom besloot ik jou te bevrijden. Per slot van rekening zijn we wapenbroeders.'

'Hoeveel van jouw mannen zijn door de zuiderlingen gevangengenomen?' wilde Yozo weten.

'Ze hebben de lagere rangen laten lopen en alleen de leiders opgepakt. Ik zat verscholen achter een muur en zag dat ze iedereen in kooien stopten. Toen ik zag dat een van de gewonden verdraaid veel op jou leek, besloot ik een kans te wagen en heb ik de achtervolging ingezet.'

Hij bleef aan zijn tak snijden en Yozo had de indruk dat Marlin hem niet wilde aankijken. Misschien had iemand hem op de commandant zien schieten en deden de wildste geruchten de ronde. Iedereen wist dat ze niet met elkaar overweg hadden gekund. Even was hij weer terug in de verwoeste stad en zag hij dat gezicht voor zich, herinnerde hij zich Kitaro en richtte hij zijn wapen...

'Wat commandant Yamaguchi betreft,' zei Marlin, alsof hij Yozo's gedachten kon raden, 'niemand weet wat er met hem is gebeurd. Hij is halverwege de slag verdwenen. Waarschijnlijk ligt hij ergens onder een berg lijken.'

'En jij?' vroeg Yozo langzaam. 'Hoe heb jij weten te ontsnappen?'

'De zuiderlingen stonden niet echt te trappelen om me gevangen te nemen. Je kunt wel een buitenlander doden, maar als je er eentje oppakt, heb je heel wat uit te leggen aan het bewind in Edo. Bovendien hadden ze vast geen kooi die groot genoeg was voor mij.'

Een van de jagers stak met behulp van wat vuursteen een kaars aan en zette die in een holte in de wand. In het flakkerende licht deden Marlins grote neus en diepliggende ogen hem meer dan ooit op een demon lijken.

'Ik zag dat ze de kooien op een boot laadden en heb toen een boot gezocht die me naar het vasteland kon brengen. Ik wilde het konvooi volgen, maar begreep al snel dat ik dan te veel de aandacht zou trekken. De mensen hier hebben nog nooit buitenlanders gezien, en ik had overal waar ik kwam veel te veel bekijks. Het leek me dus beter de stadjes zo veel mogelijk te mijden en in de bergen te blijven, in de hoop dat ik het konvooi ergens zou zien. Ik wist dat de soldaten de grote weg naar het zuiden zouden moeten nemen. Onderweg kwam ik mijn vrienden hier tegen, en we hebben onze kans afgewacht.'

'Dank je,' zei Yozo met een buiging. 'Je hebt mijn leven gered.' Hoewel hij zwak en koortsig was, twijfelde hij er niet aan wat hij nu moest doen. Hij keek Marlin recht aan. 'Dus nu moeten we hetzelfde voor Enomoto en Otori doen.'

Marlin knikte grimmig. 'Ik wist wel dat je dat zou zeggen,' zei hij, 'maar het zal niet gemakkelijk worden.'

'We hebben samen zo veel meegemaakt, Enomoto en ik,' zei Yozo. 'Ik kan hem nu niet aan zijn lot overlaten, dan zullen ze hem voor het gerecht slepen en ter dood veroordelen.'

'Hij wordt erg streng bewaakt, en Otori ook, dus als we het willen proberen, zullen we meer mannen moeten verzamelen. En vergeet niet dat jij nu ook een voortvluchtige bent. Maar als je het erop wilt wagen en het konvooi naar Edo wilt volgen, dan kun je op me rekenen.'

Buiten op de helling klonken de geluiden van zware lichamen die naar beneden kwamen, en de twee honden stormden naar binnen, hijgend, met hun tong uit hun bek en hevig kwispelend. De jagers aaiden de dieren en gaven ze klopjes en wierpen ze repen gedroogd berenvlees toe.

'Laten we er nu eerst maar voor zorgen dat je weer een beetje mens wordt,' zei Marlin tegen Yozo. 'Ik breng je wel naar de rivier, dan kun je je wassen. Dat is hard nodig.'

22

Yozo kroop dicht tegen de grond gedrukt door de bosjes. Nu ze al meer dan een maand onderweg waren, kon hij even bedreven als een berenjager met het landschap versmelten. Er zoefde een kogel over zijn hoofd die zich onschadelijk in een boomstam boorde, en achter hem stierven de geluiden van dreunende voetstappen en brekende takken langzaam weg. De begroeiing werd minder dicht en hij klauterde de helling op, baande zich een weg tussen de opeengepakte bomen door en sprong over de bergjes dode bladeren die onder de dikke takken lagen. Even bleef hij staan om zijn voorhoofd af te vegen en op adem te komen. Niet ver bij hem vandaan schoot een grote schaduw door het woud: Marlin.

Boven op de heuvel viel het licht in speldenprikjes tussen de bladeren door. Yozo klauterde over takken en wortels en sloop door de bosjes totdat hij in het zonlicht stond. Daar liet hij zich happend naar adem op de grond vallen. Hij bevond zich hoog boven een heldergele vlakte, op een brede strook land die was bedekt met een dik tapijt van gras en wilde bloemen. Marlin plofte naast hem neer en ze bleven even hijgend liggen, onder een zon die vanuit een heiige blauwe hemel op hen neerscheen.

Toen Yozo weer een beetje op adem was gekomen, drukte hij zijn oor tegen de grond en luisterde ingespannen. Stilte. Voorzichtig hief hij zijn hoofd. Het dons van distels zweefde voorbij en de geur van bloemen hing in de lucht. Vogels scheerden langs de hemel en ergens boven hun hoofden gakten wilden ganzen.

'We zijn ze kwijt,' zei hij met een triomfantelijke lach.

'Die komen wel weer terug,' zei Marlin. 'Ze zullen ons spoor volgen, we zijn niet zo moeilijk te vinden. Je zou in je eentje beter af zijn, vriend.' Er verscheen een grijs op zijn brede gezicht.

Yozo grijnsde ook. Hij kon nog doorgaan voor een boer, met zijn katoenen jasje, zijn haar boven zijn voorhoofd afgeschoren en de rest opgebonden tot een losse knot, maar Marlin torende boven iedereen uit. Hier in het noorden bevonden ze zich op bevriend terrein en verwelkomden boeren en dorpelingen hen als helden; ze kregen te eten en konden zich overal schuilhouden. Wanneer er soldaten uit het zuiden bij de boeren aanklopten, werden ze voorgelogen en de verkeerde kant opgestuurd.

De twee mannen bleven zo veel mogelijk in de bergen, zodat ze grensposten konden vermijden, en wanneer ze niets anders konden doen dan de grote weg volgen, zette Marlin een strohoed op die even groot was als een mand, waardoor hij net een bedelmonnik leek. Toch bleven ze de aandacht trekken.

'Niemand zal een monnik van jouw omvang ooit iets te eten aanbieden,' had Yozo tegen hem gezegd.

De vlakte strekte zich onder hen tot aan de horizon uit, als een zee van gouden rijst die elk moment kon worden geoogst, verdeeld in een lappendeken van ongelijke vierkantjes. Dwars over de vlakte slingerde een dunne lijn die aan weerskanten door bomen werd omzoomd en waarover zich piepkleine stipjes voortbewogen. Yozo tuurde naar beneden, zoekend naar een konvooi met kooien, maar hij zag niets.

Toen kon hij aan de horizon een donkere vlek onderscheiden, met erboven een waas van rook.

'Daar!' riep hij uit. Hij kneep zijn ogen tot spleetjes. 'Is dat... Edo?'

Marlin hees zich op zijn elleboog omhoog en beschermde zijn ogen met zijn grote hand tegen de zon. 'Het is jammer dat je die telescoop bent kwijtgeraakt,' zei hij.

Yozo knikte. 'Dat moet Edo zijn, dat kan niet anders. Het is alleen de vraag wat we gaan doen als we daar aankomen. We moeten naar mannen op zoek gaan en plannen maken.'

'Enomoto zit waarschijnlijk al in de cel op zijn proces te wachten.'

'Tenzij hij heeft kunnen ontsnappen, wat hem kennende best waarschijnlijk is.' Yozo wist dat de kans net zo groot was dat Enomoto niet meer leefde, maar hij was bang dat hij het lot zou verzoeken als hij dat hardop zou zeggen. Toch moesten ze in elk geval proberen te ontdekken wat er was gebeurd.

Hij liep over het reepje land en vond een geitenpaadje dat langs de klif naar beneden voerde. Met Marlin in zijn kielzog daalde hij voorzichtig de helling af, van het ene rotsblok naar het andere klauterend. Tegen de tijd dat ze onder aan de helling waren aangekomen, waren de schaduwen al behoorlijk lang geworden. De rijstvelden kwamen tot aan de voet van de heuvel en volgden de contouren ervan, en ze volgden het smalle paadje dat tussen de akkers door voerde, met hun blik voortdurend op de weg gericht. Toen het te donker werd om verder te gaan, zochten ze hun toevlucht onder een groepje bomen en gaven zich met rammelende magen over aan de gedachte dat het een lange nacht zou worden.

Opeens sprong er een konijn uit het struikgewas tevoorschijn dat hen aankeek. Zijn neusje trilde. Marlin dook er meteen op af, greep het dier bij de oren en liep er trots mee in zijn handen heen en weer. Ze wisten allebei dat het riskant zou zijn om een vuur te maken, maar ze zaten ver van de weg en de bebouwing, verborgen tussen de bomen. En ze hadden zo veel honger dat het hen eigenlijk niet kon schelen. Yozo sprokkelde wat brandhout bijeen en maakte een plek vrij, Marlin sneed het konijn de keel door en vilde het. Zodra het vlees gaar was, schrokten ze het hongerig weg. Het was de eerste fatsoenlijke maaltijd in dagen.

De volgende dag kwamen ze bij een rivier, die ze stroomafwaarts volgden totdat ze een punt vonden waar het water zo laag stond dat ze naar de overkant konden waden. De andere oever was dicht begroeid met zilverkleurig pluimgras. De vederachtige pluimen staken hoog boven hun hoofden uit.

'Het ziet eruit als een moeras,' zei Marlin. 'We moeten goed oppassen, anders zakken we er nog in weg.'

Yozo zette een paar stappen tussen de pollen gras en stampte hard op de grond. De bodem was droog en stevig.

'We hebben geen keuze,' zei hij, 'maar hier zullen we in elk geval geen sporen achterlaten. Als het niet gaat regenen, hebben we een kans dat we het redden.'

Ze liepen voorzichtig achter elkaar aan door het hoge gras, de stengels vertrappend en de pluimen opzijduwend. De enige geluiden die te horen waren, waren het geritsel van de bladeren, het gekraak van hun strosandalen en het gekwetter van de kleine vogeltjes die van de ene stengel naar de andere wipten. Yozo hield de zon in de gaten en hoopte maar dat ze in westelijke richting bleven lopen. Ze bevonden zich diep in het moeras toen de bodem veranderde, en eerst vochtig en daarna drassig werd. Yozo trok zijn strosandalen uit en liep op blote voeten verder. Hij voelde dat hij bij elke stap verder in de bodem wegzakte en dat de modder hem leek vast te houden wanneer hij zijn voet optilde. De zon scheen meedogenloos op hen neer. Hij veegde het zweet weg dat in zijn ogen liep en voelde dat zijn benen pijn deden omdat het zo veel moeite kostte om ze telkens uit de modder te trekken. Marlin liep soppend achter hem en vloekte hoorbaar.

'We zijn er zo doorheen,' zei Yozo, die opgewekter probeerde te klinken dan hij zich voelde. Toen hij naar de zee van gras om hen heen keek, besefte hij met een schok dat ze de weg kwijt waren. Tijdens een gevecht wist hij in elk geval nog waar hij de vijand kon vinden en hoe hij die moest bestrijden, maar hier, in deze wildernis vol wuivende pluimen, had hij geen idee wat hij moest beginnen.

Hij tuurde tussen de stengels door en zag dat het land niet al te ver voor hen iets hoger leek te liggen.

'Ik denk dat de grond daar droog is,' zei hij op onbekommerde toon, terwijl hij zijn opluchting probeerde te verbergen.

Tegen de tijd dat ze onder aan de helling aankwamen, waren ze allebei uitgeput. Yozo begon te klimmen, maar bleef staan toen hij opeens iets hoorde. Eerst leek het niet meer dan een fluistering, amper hoorbaar tussen het geruis van het gras en het getik van de kiezeltjes die onder hun voeten naar beneden gleden. Maar al snel werd het geluid sterker en opvallender: stemmen, en het gedreun en gestamp van voetstappen.

Yozo probeerde zo onopvallend mogelijk over de rand te kijken. Een kreun van ongenoegen ontsnapte aan zijn lippen. Voor hen bevond zich een hoge aarden wal, die dwars over de vlakte liep en hen de weg versperde. Het was een enorm bouwwerk, vele malen hoger dan een manslengte. Ze waren zo dichtbij dat hij de bleke strowanden van kraampjes boven op de wal kon zien, en de mensen die eroverheen liepen. Wat de weg betreft, die waren ze volledig uit het oog verloren.

'Ik weet niet wat dat is, maar het staat tussen ons en Edo in,' zei hij somber. 'We moeten er op de een of andere manier overheen zien te komen.'

Hij draaide zich om naar Marlin en keek zijn vriend toen vol ongeloof aan. De Fransman stond te stralen, alsof hij zojuist eigenhandig een heel leger had verslagen.

'Het is de Japandijk, vriend,' riep hij uit. Hij leek zijn opwinding amper te kunnen verbergen. Uit de kraampjes boven aan de wal steeg rook op, en de heerlijke geuren van etenswaren zweefden naar hen toe.

Yozo keek Marlin boos aan en gaf hem een tik tegen zijn schouder. Niemand mocht hen horen.

'Begrijp je het dan niet?' zei Marlin. 'Dat is de Yoshiwara! We zijn er bijna. Daar kunnen we ons verstoppen.'

Yozo's mond viel open, maar toen drongen de woorden tot hem door en begon hij te lachen. De Yoshiwara, de ommuurde stad. Daar had hij al jaren zelfs niet meer aan gedacht. Maar Marlin had gelijk, dat was een land op zich, met eigen wetten en eigen ordehandhavers. Eenmaal binnen zouden ze veilig zijn – als ze erin zouden slagen om binnen te komen. Hij fronste even nadenkend en probeerde zich te herinneren hoe het eruitzag.

'We zouden eerst de bewakers moeten passeren, maar die laten ons er nooit door,' zei hij. 'We zien eruit als zwervers. Dus het enige wat we kunnen doen, is zo dicht mogelijk bij de voet van de dijk zien te komen en die blijven volgen tot aan het einde van de palissade. Daar moeten we de Slotgracht van de Zwarte Tanden zien over te steken en over de muur moeten klimmen. Het zal niet gemakkelijk zijn, maar we hebben het toch al tot hier gered. Het zal ons wel lukken.'

'Waarom wachten we niet tot vanavond, dan kunnen we ons tussen de anderen mengen.' Marlin trilde van opwinding. 'We hoeven alleen maar naar de bovenkant van de dijk zien te komen.'

Yozo keek naar zijn vriend, naar dat vierkante gezicht, het slappe bruine haar en de snor en de lange armen en benen die zo opvallend uit het katoenen jasje en de broekspijpen staken. Bespottelijker kon niet.

'Ons onder de anderen mengen? Jij? En er zullen soldaten zijn die papieren controleren, en die heb jij niet.'

'Ze kennen me,' zei Marlin op luchtige toon.

'Ze kennen je?' Yozo schoot in de lach.

'Natuurlijk.' Marlin stond nog steeds te grijnzen. 'Als iemand vraagt wat we komen doen, dan zeg je gewoon dat je mijn bediende bent. Laat het maar aan mij over.'

Yozo slaakte een zucht. Het was het idiootste plan dat hij ooit had gehoord, maar Marlin leek zeker van zijn zaak, en tot nu toe had zijn vriend het altijd bij het rechte eind gehad. 'We kunnen ons tot het vallen van de avond beter rustig houden,' zei hij met tegenzin.

Ze schoven weg van de rand van de dijk en probeerden het gras niet te veel te laten bewegen, uit angst dat ze anders hun aanwezigheid zouden verraden, en vonden ten slotte een plekje in de schaduw van een stel pluimen, buiten bereik van de brandende zon, waar ze ineengedoken gingen zitten wachten.

De Yoshiwara. Yozo was een man van de wereld, hij was zelfs in het westen geweest, maar ook hij voelde een vlaag van opwinding. Toen hij nog een jongen was geweest, had het een van de betoverendste plekken op aarde geleken. Iedereen had het over de courtisanes en de geisha's die daar werkten en kende de namen van de beroemdste onder hen. Net als alle andere jongemannen had Yozo ervan gedroomd om met een beeldschone courtisane aan zijn arm rond te lopen en door iedereen die de Yoshiwara kende te worden bewonderd.

'Dus je weet hoe het daar is,' zei hij tegen Marlin.

'Net zo goed als jij weet hoe het er in de Pigalle of op de wallen in Amsterdam aan toe gaat.'

'Mijn vader nam me voor het eerst mee toen ik dertien was,' zei Yozo. Hij deed zijn ogen dicht en hoorde weer de diepe stem van zijn vader. 'Je moet een echte man worden,' had hij gezegd. Daarna was Yozo naar het buitenland vertrokken en deel geworden van een andere wereld, en sinds zijn terugkeer had hij geen enkele keer meer aan de Yoshiwara gedacht. De oorlog had alle aandacht opgeëist.

Maar nu, terwijl de zon langs de hemel kroop, stond hij het zichzelf toe te dromen. Wat was dat een geweldige plek voor een jonge knaap geweest: de glimlachende, wenkende vrouwen in hun prachtige zijden gewaden, die hem aankeken met blikken die zo veelbetekenend waren dat hij tot aan zijn haarwortels moest blozen. Vervolgens was er die eerste ontmoeting met een courtisane geweest, een sleep van rode rokken, wolken parfum. Hij kon zich haar glimlach en zachte witte handen nog goed herinneren. Sindsdien had hij vele vrouwen leren kennen die dat beroep uitoefenden, maar geen van hen was zo zachtaardig en bedreven in de vleselijke lusten geweest. Dromerig vroeg hij zich af wat er van haar was geworden – en hoe de Yoshiwara er nu aan toe zou zijn. Ook daar moest de oorlog zijn sporen hebben achtergelaten.

Marlin had gelijk: het was de volmaakte schuilplaats. Als samoerai diende hij zijn zwaarden bij de poort achter te laten, wist hij nog, en daarmee ook zijn positie in de samenleving. Buiten de muren van de Yoshiwara keken samoerai neer op kooplieden, die ze als vulgaire wezens beschouwden die hun handen met geld bezoedelden, maar binnen viel elk onderscheid weg. Sterker nog, in de Yoshiwara waren de kooplieden als koningen geweest die uitgedost als hoge adel rondliepen; ze gaven feesten en nodigden courtisanes uit. Zelfs boeren waren welkom, mits ze geld meebrachten.

Toen de schemering viel, zochten Yozo en Marlin zich een weg door het laatste stukje moeras naar de voet van de dijk. Yozo bekeek de ruwe aarden wal aandachtig en begon toen zo soepel als hij kon omhoog te klauteren, zoekend naar houvast voor zijn handen en voeten. Hij was net halverwege toen hij lawaai onder zich hoorde. Marlin was naar beneden gegleden en had een lawine aan steentjes en aarde met zich meegevoerd. Yozo hief zijn hoofd op en verwachtte dat er talloze ogen op hen neer zouden kijken, maar het gedreun van de voetstappen en lawaai van andere drukte op de weg boven hen waren zo luid dat alle geluiden die zij maakten met gemak werden overstemd.

Boven op de dijk lag een weg die werd omzoomd door kraampjes waar van alles te koop was: etenswaren, houtsneden, souvenirs en boeken, en elke vermomming die een man zich maar kon wensen, van doktersgewaad tot valse knot. De weg werd verlicht door lantaarns. Mannen haastten zich voorbij, met hun ceintuurs modieus laag rond hun heupen, en dragers vervoerden in gezwinde pas hun palankijns.

In de verte waren de vage omtrekken te zien van gebouwen die dicht opeengepakt stonden. Rook steeg op van de daken. De Yoshiwara. De wijk rees als een sprookjesstad uit de vlakte omhoog, drijvend in het donker, vol dansende lichtjes die mannen lokten alsof het motten waren, even aanlokkelijk als Amira Boeddha's paradijs in het westen. Boven het gestamp van de voetstappen uit hoorden ze de klanken van muziek en feestgewoel die hun kant op zweefden.

Yozo veegde de aarde van zijn kleren en haalde een hand door zijn haar. 'Gelukkig is het avond,' zei hij. Hij wikkelde een sjaal rond zijn hoofd, zodat alleen zijn ogen en neus zichtbaar waren. Hij had gedacht dat Marlin zijn hoed zou opzetten, maar tot zijn grote verwondering paradeerde de Fransman net zo zelfverzekerd verder als om het even welke losbol die op zoek was naar vertier. 'Denk erom, houd je mond,' zei hij over zijn schouder. 'Laat het gesprek maar aan mij over.'

Ze voegden zich tussen de andere mannen op de weg, die Yozo zo onopvallend mogelijk probeerde te bekijken. Het waren, aan de accenten te horen, voornamelijk zuiderlingen. Onbeschaafde boeren, ondanks de opzichtige gewaden. Het idee dat deze mannen niet alleen zijn land bezet hielden, maar ook nog eens met de vrouwen hier sliepen, vervulde hem van woede. Hij raakte het mes aan dat in zijn ceintuur zat weggestopt, maar toen voelde hij de hand van Marlin op zijn arm. De Fransman had gemerkt hoe kwaad hij was.

Ze hadden bijna de afslag bereikt die naar de Yoshiwara leidde toen ze een groepje soldaten zagen dat midden op de weg stond en iedereen die langsliep tegenhield. Marlin liep tussen hen door alsof ze lucht voor hem waren, en Yozo wilde met gebogen hoofd zijn voorbeeld volgen toen een lelijke man met een rond hoofd en een zwart uniform hem de weg versperde.

'Papieren,' blafte hij met een zwaar zuidelijk accent.

Yozo greep naar zijn mes, maar voordat hij iets kon doen, had Marlin zich met een ruk omgedraaid en hem bij zijn kraag gegrepen. 'Idioot!' snauwde hij in het Engels, terwijl hij hem wild door elkaar schudde. 'Je bent veel te sloom. Schiet eens op.'

De monden van de bewakers vielen open. 'Halfgare dwaas,' zei Marlin, en hij gaf Yozo een oorvijg.

De bewakers deinsden terug en maakten nerveus een buiging, duidelijk vol ontzag voor die reus van een buitenlander. Marlin liep met zelfverzekerde tred verder en Yozo liep achter hem aan, inwendig grijnzend, maar schuifelend en over zijn hoofd wrijvend als een onnozele bediende.

Hij feliciteerde zichzelf net dat ze erin geslaagd waren te ontsnappen toen er een groepje slungelige buitenlanders van achteren naderde en daarna aan beide kanten naast hen kwam lopen. Yozo herkende hun uniformen. Engelse zeelieden, ruige mannen met verweerde gezichten en de vlezige geur die nu eenmaal altijd om buitenlanders heen hing.

Ze sloten Marlin in en bleven vlak voor hem staan. Het was duidelijk dat de bewakers en Yozo voor hen niet eens bestonden. Marlin stapte eerst naar de ene en toen naar de andere kant, maar de zeelieden deden hetzelfde en bleven hem de weg versperren.

'Jij bent een Fransoos, hè?' zei eentje van hen in het Engels. 'Ik dacht dat ze jullie eruit hadden geschopt.'

'En wat moet je hier, in je apenpakkie?' vroeg een ander.

Hij gaf Marlin een duw zodat die een paar stappen naar achteren moest doen. Het was veel te riskant om hier in een gevecht verzeild te raken, en Yozo wist dat de bewakers zouden ontdekken wie ze waren als ze te veel aandacht zouden trekken.

'Willen jullie soms naar de Yoshiwara?' zei Marlin op minachtende toon tegen de Engelsen. 'Ze laten jullie echt niet binnen als jullie herrie gaan schoppen.'

Hij stapte om hen heen en volgde snel het zigzaggende pad dat langs de helling naar beneden naar de Grote Poort voerde. Yozo volgde hem op de voet. Als in een droom liep hij langs de wilg, en hij zag het bekende pannendak van de poort, de geopende massieve houten deuren en de grote rode lantaarns aan weerskanten van de ingang. De bewaker, een forse kerel met een dikke stierennek en gespierde armen die waren bedekt met tatoeages, stapte naar voren toen hij Marlin zag en begon breeduit te grijnzen.

'Shirobei,' zei Marlin. 'Zit je hier nu nog steeds?'

'*Monsieur*,' zei de bewaker. 'Welkom terug. We hebben op u gewacht. Vallen die mannen u soms lastig?'

En zo kon Yozo zomaar naar binnen lopen. Meegevoerd in de stroom bezoekers keek hij om zich heen, naar de schitterende gebouwen en de rijen rode lantaarns. Hij ademde de geuren van zoete parfums in en voelde zijden stoffen langs zijn huid strijken wanneer sierlijke wezens met witgeschilderde gezichten lichtvoetig voorbijliepen en weelderig geklede kinderen zich een weg door de drukte baanden.

Voor hem zag hij het bruine hoofd van Marlin op en neer deinen boven de mensenmassa. Die volgde de hoofdstraat en sloeg even later een steegje in. Verwonderd volgde Yozo zijn voorbeeld.

23

Hana stond bij de Grote Poort van de Yoshiwara en nam met een beleefde buiging afscheid van een jongeman met zware wenkbrauwen die in een draagstoel stapte. Hij stak zijn hoofd naar binnen, trok het toen weer terug en keek haar aan met een uitdrukking van bijna vermakelijke wanhoop, terwijl zijn bedienden hem tot spoed maanden. Er werd beweerd dat hij snel was opgeklommen binnen de nieuwe bureaucratie en dat hij een belangrijke positie op het ministerie van Financiën bekleedde, maar in haar aanwezigheid had hij zich als een mokkende kleine jongen gedragen.

Doorgaans nam ze binnen afscheid van haar cliënten, maar hij had zo zielig gesmeekt of ze mee wilde lopen naar de poort dat ze uiteindelijk had ingestemd. Het was nog vroeg, bedacht ze, en er zouden weinig mannen op pad zijn die haar konden zien. Bovendien zou ze niet opvallen omdat ze een oude haori over haar nachtgewaad had aangetrokken en bijna niet was opgemaakt.

Tot nu had Hana ervoor gezorgd dat ze niet door de Grote Poort naar buiten keek. Ze hoorde thuis in de Yoshiwara en ze wist al dat de buitenwereld verboden terrein voor haar was. Maar vandaag wierp ze toch een blik naar buiten, zich afvragend of ze een boodschapper zou zien die met een brief van Oharu en Gensuké de helling afgedaald kwam. Ze had Fuyu meer dan een maand geleden een bericht voor hen meegegeven, maar ze had nog steeds geen antwoord ontvangen.

Achter de bomen, aan de andere kant van de poort, zag ze de kronkelende weg die naar de hoger gelegen Japandijk leidde. De dijk in de verte leek net een grote muur die de vlakte doorsneed. Bovenop liepen gestalten voorbij, scherp afgetekend tegen de bleke hemel en af en toe verdwijnend achter de kraampjes met hun strowanden die glansden in het licht van de zon. Een haan verbrak kraaiend de stilte van de morgen. Het weer was heerlijk koel geworden.

De wind die door de poort blies, voerde de geuren van de stad mee, geuren die ze al bijna was vergeten, en geluiden als gerammel en gebons en kinderstemmen. Ganzen vlogen krijsend over het moeras. Hier in de Yoshiwara was haar wereld beperkt tot vijf straten, maar ze herinnerde zich nu met een steek van verlangen dat de wereld buiten de Grote Poort eindeloos was. Een wandeling van een uur door het moeras en de rijstvelden zou haar naar Edo voeren, de stad die, zo herinnerde ze zich, ze nu Tokyo moest noemen, en een voettocht van enkele dagen door eindeloze heuvels en dalen zou haar naar Kano brengen, waar ze was opgegroeid. Geheel onverwacht merkte ze dat ze het huis van haar ouders voor zich zag, met de vervallen poort en de grote portiek en de ruime beschaduwde kamers. In deze tijd van het jaar zouden de regendeuren nog steeds opengeschoven zijn, zodat de bries door het huis kon waaien.

Op net zo'n zonovergoten morgen als deze had ze afscheid genomen van haar ouders. Ze wist nog dat ze hen had zien wuiven toen ze uit de bruidsdraagstoel naar buiten had gegluurd: haar vader zo lang en ernstig en haar moeder die klein en rond, ineengedoken in zijn schaduw, haar tranen wegknipperde. Ze had gezegd dat ze zo trots was omdat Hana een goed huwelijk zou sluiten, en Hana had geantwoord dat ze haar best zou doen om de eer van de familie hoog te houden. Ze wist nog dat ze hen in de verte steeds kleiner had zien worden. Ze dacht nu met zo veel verlangen aan hen dat de tranen in haar ogen sprongen.

Een kraai kwam luid krassend op de palissade naast haar neer en deed haar opschrikken uit haar gemijmer. Overal om haar heen bogen vrouwen voor hun minnaars die terug de helling opklauterden en wolken stof deden opwaaien. Bij de Achteromkijkwilg draaiden ze zich om voor een laatste blik op de vrouw met wie ze de nacht hadden doorgebracht. Ook de jongeman die in zijn draagstoel stapte, keek haar een laatste keer aan.

'Ik kan het niet verdragen,' zei hij gekweld. Hana vond dat hij er maar vreemd uitzag, in zijn strakke broek en jasje in westerse snit boven keurig vastgebonden strosandalen en tabi-sokken. 'Zodra ik mijn hielen heb gelicht, zul je me vergeten, dat weet ik zeker. Dan heb je het veel te druk met al die andere minnaars van je.'

Ze glimlachte naar hem zoals een moeder naar een lastig kind zou lachen. 'Stel u niet zo aan,' zei ze lachend. 'U weet dat ik alleen van u hou. Ik kan de rest niet weigeren, dat is mijn werk, maar ik geef alleen om u. Ik zal geen oog dichtdoen totdat we elkaar weerzien. Ik zal de hele tijd aan u denken.'

'Dat zeg je tegen iedereen,' sprak hij meewarig, maar toch glimlachte hij. Ze zag dat hij zich bukte en in de houten kist stapte, zijn sandalen uittrok en zijn benen onder hem vouwde. De dragers tilden de draagstoel op hun schouders en liepen op een drafje naar boven. Hana bleef gebogen staan totdat hij uit het zicht verdwenen was.

Toen de laatste klanten waren vertrokken keken de vrouwen bij de poort elkaar lachend aan. Nu hadden ze een paar kostbare uren voor zichzelf. Hana liep gapend terug naar de Hoek Tamaya. Ze verheugde zich op een paar uur ongestoord slapen. Ergens in de verte luidde een klok, en het getsjirp van de krekels zwol aan en stierf weer weg, om vervolgens weer luider te worden. Hun zang had nu een herfstachtige klank. Uit de huizen in het steegje klonk het ritmische gestamp van de hamers van de papiermakers. De hele Yoshiwara leek in een soort sluimering te vervallen.

Hana liep net langs theehuis de Chrysant toen de gordijnen voor de ingang met een ruk opzij werden geschoven.

'Hanaogi-sama, Hanaogi-sama!' riep een stem.

Hana kon nog net voorkomen dat ze geschrokken naar adem hapte. Mitsu, die er altijd zo onberispelijk uitzag, zelfs 's morgens vroeg, droeg een sjofele katoenen kimono en jas en was helemaal niet opgemaakt. Haar oude gezicht had de kleur van perkament, haar ogen waren half verborgen in de plooien van haar huid en haar haar stond in een ongekamde witte bos rond haar hoofd, maar tot Hana's grote verbazing stond ze bijna te dansen van opwinding. Ze keek links en rechts de straat in, alsof er zeker van wilde zijn dat niemand haar kon horen, en haastte zich toen trippelend als een duif met kleine stapjes naar Hana toe.

'Ik heb zulk heerlijk nieuws!' Ze verborg haar glimlach achter haar hand. 'Saburo is terug!'

Hana keek haar verwonderd aan, zich afvragend welk nieuws ervoor had gezorgd dat Mitsu zich zo buitengewoon gedroeg. 'Saburo?' herhaalde ze.

'Saburosuké van het huis Kashima,' zei Mitsu, die elke lettergreep met een hoofdknik kracht bijzette. Ze liet haar hoge, schelle lach horen. 'De buurt komt weer tot leven! We doen weer zaken!'

'Saburosuké Kashima...'

Zelfs op het platteland had Hana van de familie Kashima gehoord. Voordat ze was getrouwd, had haar moeder een bediende naar de winkel van Kashima in Osaka gestuurd om de rode zijde voor haar bruidsgewaad te bestellen. Niemand had mooiere zijde, had ze op besliste toon gezegd. De familie Kashima was onvoorstelbaar rijk en heel erg machtig. Ze had gehoord dat ze beide partijen in de burgeroorlog financieel hadden gesteund, zodat het niet zou uitmaken wie er zou winnen: zij zouden er altijd garen bij spinnen.

'Natuurlijk kwam zijn klerk meteen naar mij toe, naar de Chrysant,' zei Mitsu kraaiend. Ze legde een hand op Hana's arm. 'Hij is een man met smaak, hoor. Hij weet dat dit het beste theehuis van de stad is.'

Ze keek Hana stralend en met fonkelende ogen aan. 'Voordat de oorlog uitbrak, was hij onze beste klant. Ooit heeft hij alle meisjes in de Yoshiwara ontboden, alle drieduizend, en de Grote Poort laten sluiten zodat hij de hele nacht zijn eigen feest kon vieren. Onze koks zijn dagenlang bezig geweest! Hij heeft zelf van al de betere meisjes geproefd en zei dat hij op zoek was naar de perfecte vrouw. Maar toen brak de oorlog uit en is hij naar Osaka vertrokken, zoals al onze beste klanten. En nu is hij weer terug. En weet je wat zijn klerk tegen me zei? Weet je wat het eerste was wat hij zei?'

Hana schudde haar hoofd.

'Hij zei: "Mitsu-sama, wie is toch die Hanaogi over wie we telkens zo veel horen? Mijn meester wil haar ontmoeten. Je moet haar meteen voor hem bespreken." Zie je, zelfs in een tijd van oorlog heeft jouw faam zich over het hele land kunnen verspreiden.'

Er leek een stilte over de straat te vallen en Hana voelde nervositeit in zich opborrelen. 'Maar ik ben al besproken,' zei ze langzaam. 'Ik heb in de komende maanden geen enkele dag vrij.'

'Ik heb wat afspraken verschoven,' zei Mitsu kordaat. 'Je zult hem vanavond ontvangen.'

Er holden twee kinderen in felgekleurde kimono's langs, die elkaar kraaiend en giechelend achterna zaten.

'Maar...' Masaharu, haar geliefdste klant en de man die voor haar debuut had betaald, had voor die avond met haar afgesproken. Hana vergat nooit de goede raad die Otsuné haar had gegeven: vergeet niet dat je voor hem slechts een speeltje bent. Hij betaalde voor zijn genot en meer was het niet en ze zorgde er altijd voor dat ze op afstand bleef en niet haar hart aan hem verloor. Maar ondanks al haar pogingen keek ze toch uit naar zijn bezoekjes. 'Maar wat zullen mijn klanten zeggen als ze hier komen en merken dat hun afspraak is afgezegd?'

'O, die geldt nog wel, maar voor een later tijdstip. Het is juist goed om ze te laten wachten, daar worden ze alleen maar begeriger van.'

'Maar Masaharu is mijn oudste klant.'

'Dat zal best, maar hij is ook een nieuweling hier, en hoewel Masaharu goed in de slappe was zit, is Saburo een veel belangrijker klant. Tante en vader kennen hem erg goed, en Tama ook. Ze zullen dit nieuws heerlijk vinden.' Ze lachte schel. 'Saburo is terug! Het wordt weer net als vroeger. O, daardoor voel ik me weer jong.'

Het voelde alsof er een steen in Hana's maag lag. 'Als ik hem niet aardig vind, hoef ik niet met hem te slapen,' mompelde ze. 'Hij zal me het hof moeten maken, net als alle anderen.'

Er verschenen rimpels op Mitsu's voorhoofd. Net als alle andere vrouwen had ze geen wenkbrauwen en was er slechts een schaduw te zien op de plek waar ze ze had afgeschoren.

'Doe niet zo dwaas,' zei ze. 'Het doet er helemaal niet toe of je hem aardig vindt. Ik vergeet telkens dat je hier nog niet zo lang bent. Hij is een erg belangrijk man.'

Hana slikte. 'Is hij oud of jong?' wilde ze weten. 'Is hij knap? Slim?'

'Hij is rijk, meer hoef je niet te weten. Ga maar naar huis en slaap nog wat. Vanavond zul je je energie hard nodig hebben.'

Voordat Hana nog iets kon zeggen, was Mitsu weer haar theehuis binnengetrippeld. De gordijnen zwaaiden achter haar heen en weer.

Met tegenzin zette Hana een paar stappen in de richting van de Hoek Tamaya. Ze kon zich de opwinding daar goed voorstellen. Tante en vader zouden erop aandringen dat ze met deze man zou slapen en Tama zou zeggen dat dit een geweldige kans voor haar was. Ze schopte wat stof omhoog. Telkens wanneer ze de hoop durfde te koesteren dat ze baas over haar eigen lot kon worden, gebeurde er weer iets wat haar eraan herinnerde dat ze niet meer dan een slavin was. Ondanks al die mooie kleren was ze het bezit van deze mensen.

Ze had de poort bereikt die naar Edo-cho 1 en de Hoek Tamaya leidde en bleef even staan, spelend met haar waaier. Ze zou Otsuné opzoeken. Die zou wel weten wat ze het beste kon doen.

Een paar tellen later stond Hana voor Otsuné's deur en probeerde die open te schuiven. Maar hij zat op slot. Verbaasd hield ze op. Niemand deed ooit de deur op slot, zeker Otsuné niet. Ze morrelde weer aan de deur, zich afvragend of hij misschien klem zat, en begon er toen aan te rammelen.

Misschien was haar vriendin wel ziek geworden. Ze bonkte op de deur en riep: 'Otsuné! Ben je thuis?'

Toen hoorde ze voetstappen aan de andere kant van de deur, gevolgd door het geluid van iets zwaars dat werd verplaatst. Ze slaakte een zucht van verlichting toen de deur op een kier werd geopend.

'Wat is er? Lag je nog te slapen?' vroeg Hana, terwijl ze de deur verder opende.

Een straal bleek zonlicht viel op de sandalen die voor de deuropening lagen en op de tree die naar Otsuné's kamertje leidde, zodat de vormen nog meer diepte kregen. Hana zag haar eigen schaduw eroverheen vallen, zwart en scherp afgetekend. Maar toen ze verder naar binnen liep, zag ze dat afgezien van die smalle rechthoek van licht verder alles in duisternis was gehuld en dat het binnen even vochtig en afgesloten was als in een badhuis. Otsuné heeft de regendeuren dichtgedaan, dacht Hana verbaasd.

Toen greep een stel handen haar ruw bij de schouders. Hana uitte een kreet van schrik toen haar aanvaller haar met een ruk omkeerde en opzij duwde. Ze viel naar voren en stak haar handen uit om haar val te breken, maar toen struikelde ze over een stel sandalen, verloor haar evenwicht en viel alsnog. Ze hoorde de bons waarmee het schoenenrek op de grond viel toen achter haar de deur met kracht werd gesloten. Meteen was de kamer in diepe duisternis gehuld. Ze hoorde het geluid van de grendel die op zijn plaats werd geschoven.

Ze was verblind door de plotselinge overgang van licht naar donker en tastte om zich heen, bevend van schrik en angst, zoekend naar iets vertrouwds. Ze hapte geschrokken naar adem en deinsde terug toen haar hand opeens langs ruwe stof streek. Ze hoorde iemand ademen, ze rook het zweet van een man en de stank van vuile kleren, en ze voelde de warmte van een lichaam vlak bij haar. En toen haar ogen aan het donker gewend waren, kon ze een schimmige gestalte onderscheiden.

Het was een krankzinnige, of een bedelaar, bedacht ze, en ze kon haar eigen hart horen bonzen. Hij was hier vast binnengedrongen en had Otsuné gedood en nu zat ze met hem opgesloten. Ze probeerde te schreeuwen, maar de man greep haar vast en sloeg zijn hand met zo veel kracht voor haar mond dat ze het zweet en stof op zijn huid kon proeven. Ze voelde zijn lichaam tegen het hare en probeerde zich van hem los te maken, maar zijn greep werd alleen maar steviger. Er welde paniek in haar op toen ze schopte en sloeg, happend naar adem, en ze twijfelde er niet aan dat hij haar dadelijk tegen de grond zou drukken en haar kimono van haar lijf zou trekken. Hij dwong haar op haar knieën te gaan zitten en bleef zijn hand tegen haar mond gedrukt houden.

'Je hoeft niet bang te zijn. Ik zal je geen pijn doen,' zei hij zacht. 'Probeer zo weinig mogelijk geluid te maken.'

Ze keek naar hem op en deinsde terug toen ze een glimp opving van ongekamd haar, een donkere baard en ogen die glansden in het dunne streepje licht dat door de kier tussen de regendeuren door viel.

'Vergeef me,' zei hij. 'Ga alsjeblieft niet schreeuwen.'

Ze knikte bevend en hij liet haar los. Ze balde haar vuisten en dacht aan de dolk in haar obi. Als hij ook maar een centimeter zou bewegen, zou ze hem neersteken.

'Waar is Otsuné? Wat heb je met haar gedaan?' fluisterde ze op felle toon.

'Ze komt zo terug,' zei hij. 'Ik ben... op bezoek. Het spijt me dat ik je zo heb laten schrikken.'

Hij knielde tegenover haar neer en hield zijn ogen vol argwaan op haar gericht, en het viel haar op dat hij de houding had van een militair: hij hield zijn knieën iets uit elkaar en zijn rug kaarsrecht. Zijn gezicht zat onder de littekens en was besmeurd met modder, maar verder oogde hij heel erg kalm. Hij keek haar schattend aan, met opgetrokken wenkbrauwen, alsof hij zich afvroeg wat voor wezen hij had gevangen.

Opeens drong het tot haar door. Hij was vast voortvluchtig, hij was ongetwijfeld een soldaat van het noordelijke leger. Daarom zat de deur op slot en waren de regendeuren dicht. Hij was op de vlucht. Hij had meer reden tot angst dan zij.

'Ik zal je niet verraden,' zei ze zacht. Ze merkte dat haar vrees wegebde. 'Iedereen hier komt uit Edo en is trouw aan de goede noordelijke zaak.'

De man ademde hoorbaar uit en keek haar van onder zijn dikke haar met een donkere blik aan.

'Er is geen noordelijke zaak,' sprak hij bitter. 'Het is voorbij.'

Dus hij had in het noorden gevochten, besefte ze, misschien zelfs wel zij aan zij met haar echtgenoot. Misschien wist hij wat er van hem was geworden. Maar de gedachte aan haar echtgenoot herinnerde haar er ook aan dat dat deel van haar leven voorbij was. Ze was nu een courtisane, en haar echtgenoot zou haar nooit terugnemen, wat er ook gebeurde.

De man vertrok zijn gezicht tot een kwade grimas. 'Ik heb buiten op straat gezichten van zuiderlingen gezien,' zei hij. 'Ik heb hun stemmen gehoord. Jullie vrouwen verkopen je lichaam aan de vijand.'

Hana deinsde terug alsof hij haar had geslagen. 'We moeten allemaal een manier vinden om te overleven,' zei ze ten slotte met trillende stem. 'Ik leef nog, jij leeft nog. We kunnen maar beter niet vragen hoe dat komt.'

De man liet zijn schouders hangen. 'Vergeef me,' zei hij, en Hana voelde medeleven opwellen. Hij had voor hun zaak gevochten en was verslagen. Misschien was hij wel gewond geraakt, misschien was hij gedwongen geweest de vreselijkste wandaden te begaan, en nu was hij naar Edo teruggekeerd, in lompen gehuld, niet in staat om met opgeheven hoofd rond te lopen – het was niet voor te stellen hoe erg dat moest zijn. Ze stak haar hand uit en legde die op de zijne.

'We hebben allebei geleden,' zei ze vriendelijk. 'Maar op de een of andere manier hebben we het gered. Dat is het enige wat ertoe doet.'

Hij keek naar haar op, en opeens was ze blij dat ze een simpel gewaad droeg, als dat van een dienstmeid, en niet in de weelderige kledij van een courtisane was gehuld.

'Ik ben Hana,' zei ze, en ze glimlachte.

24

Er liep een tintelende rilling over Yozo's rug toen hij de hand van het meisje op de zijne voelde. Het was binnen zo schemerig dat hij slechts het ovaal van haar gezicht zag, bleek als de maan, en het zwarte haar dat los over haar rug hing. Hij was zich bewust van haar zachtheid, van haar vriendelijke toon en kalme aanwezigheid, en van de geur van haar mouwen en haar haar. Ze was jong, dat hoorde hij aan haar stem, en klein, want toen hij haar had vastgepakt, was het alsof hij een vogeltje in zijn handen hield. Haar aanraking wekte gevoelens in hem op waarvan hij het bestaan was vergeten. Nu wist hij weer dat hij ooit een ander leven had geleid, een leven waarin mannen niet vochten en er vrouwen waren met een zachte huid en vriendelijke stemmen. Toen had het geleken alsof een onmetelijk aantal kansen hem toelachte; nu was hij alleen maar bezig met overleven.

Hij zat nu al het grootste deel van de dag in dit huis opgesloten, en dat voelde bijna nog erger dan de bamboe kooi. Het was hier krap en vol, en het ergste was nog dat Marlin voordat hij er die ochtend met die vrouw vandoor was gegaan er op had gestaan dat de regendeuren gesloten zouden worden, waardoor Yozo nu op de tast in het donker moest rondscharrelen, bijna stikkend door de stank van houtskool en verbrand haar. Yozo had het gevoel dat hij in de hel was beland. Hij hoorde thuis op een schip dat de oceanen bedwong, hij hoorde samen met zijn mannen in Edo of met de berenjagers in de bergen tegen de vijand te vechten; hij hoorde niet hier in een piepklein huisje te zitten wachten totdat iemand hem zou komen afmaken.

Hij had net vloekend heen en weer gelopen toen er iemand op de deur had gebonsd. Soldaten, vermoedde hij, en hij had zijn dolk uit zijn riem getrokken. Toen had hij een vrouwenstem gehoord en zijn wapen weer weggestopt. In een eerste opwelling had hij haar vastgepakt en naar binnen gesleurd, zodat de buren haar niet konden horen, maar pas toen ze binnen stond, had hij zich afgevraagd wie ze eigenlijk was. Aanvankelijk had hij gedacht dat ze te verfijnd was om een meisje uit de Yoshiwara te zijn, maar hij moest bekennen dat zijn herinneringen aan de bezoekjes die hij samen met zijn vader had gebracht in het gunstigste geval vaag waren.

En toen had ze haar hand op de zijne gelegd. Hij wist dat hij eruitzag als een wildeman en dat hij zich ook zo had gedragen, maar toch was ze niet bang voor hem.

Er klonk een snelle klop op de deur, en toen nog één: het teken dat hij met Marlin had afgesproken. Yozo schoof de grendel opzij en de grote Fransman liep stommelend naar binnen, waarbij hij bijna de deur uit zijn voegen duwde omdat hij moest bukken om te voorkomen dat hij zijn hoofd stootte. De vrouw trippelde achter hem aan, met in elke hand een bundeltje.

'O, wat is het hier benauwd!' riep Otsuné uit. Ze zette haar bundeltjes neer, vouwde haar waaier uit en begon als een bezeten te wapperen. 'Grote broer, je moet haast wel stikken hier. Hana, ben jij dat?'

Marlin beende door de kamer en schoof de regendeuren open. Toen licht en lucht naar binnen stroomden, draaide Yozo zich om, benieuwd naar het gezicht van het meisje. Ze was naar Otsuné toe gerend om haar te begroeten en knielde nu buigend neer. Het zonlicht tekende zich scherp af op haar slanke lichaam en het zwarte haar dat over haar rug viel en liet het patroon van witte chrysanten op haar indigoblauwe kimono duidelijk uitkomen.

Yozo haalde diep adem toen hij de stand van haar ogen, het fijne neusje en de kleine volle lippen zag. Hij had het bij het verkeerde eind gehad, ze was wel degelijk een meisje uit de Yoshiwara. Dat zag hij meteen, aan haar zelfverzekerde houding, aan de ontspannen manier waarop ze zich in het bijzijn van mannen gedroeg. Ze knielde niet zwijgend neer en rende evenmin naar een kamer aan de achterkant van het huis om zich daar te verstoppen, zoals de echtgenote van een samoerai zou doen; nee, ze leek van zijn aandacht te genieten. Toch had ze tegelijkertijd iets onschuldigs, alsof ze dit beroep nog niet zo heel lang uitoefende.

Ze wendde zich tot Marlin, alsof ze hem nu pas zag staan, en sloeg toen haar handen voor haar mond en deinsde terug, met grote ogen, alsof ze een monster had aanschouwd. De mannen begonnen te lachen. Heel even zag Yozo zijn vriend zoals zij hem moest zien: een boom van een kerel met handen als kolenschoppen, een grote neus, stralend blauwe ogen en benen als boomstammen. Marlin was echt een reus in een poppenhuis.

Otsuné maakte een van de bundeltjes open en haalde er rijst gewikkeld in bamboebladeren en schaaltjes met ingemaakte groenten, gestoofde aubergine en plakjes gebakken tofoe uit. Hana stak haar haar op in een knot, waardoor de zachte blanke huid van haar nek zichtbaar werd, en liep naar een kist die tegen de wand van de kamer stond om dienbladen, eetstokjes en sauzen te pakken. De vrouwen zetten de schaaltjes op de dienbladen en boden die aan Yozo en Marlin aan. De beide mannen aten gretig en genoten van elke hap. Het was maanden geleden dat ze zo'n heerlijk maal hadden gehad.

'Je moest je maar eens gaan wassen, vriend,' zei Marlin, die met de rug van een harige hand zijn snor afveegde. 'Wassen en scheren. Dan zul je weer een beetje beschaafd zijn.'

Otsuné dartelde rond alsof het bedienen van haar geliefde en zijn vriend het enige doel in haar leven was. Ze liet zich op haar knieën voor Yozo vallen en keek hem aandachtig aan.

'Hana,' zei ze. 'We moeten ervoor zorgen dat onze Yozo buiten niet opvalt. Zijn haar moet geknipt. Wat denk jij? Het kapsel van een samoerai of van een koopman? Of kan hij beter voor een westers kapsel kiezen, net als de zuiderlingen?'

Hana hield haar hoofd scheef. 'Nou, hij heeft in elk geval haar genoeg,' zei ze. 'Genoeg om ermee te doen wat je maar wilt.' Ze wendde zich tot Yozo. 'Otsuné weet alles van haarknippen.'

'Ik doe meestal het haar van vrouwen,' zei Otsuné lachend. 'Maar ik denk dat dit me ook wel lukt.'

Hana fronste. 'Ik denk niet dat er iemand zal zijn die gelooft dat je een koopman bent.' Ze deed alsof ze serieus was, maar Yozo zag dat er een glimlach rond haar mond speelde. 'Daar ben je veel te slank voor. De kooplieden die ik ken, zijn allemaal dik en bleek en hebben blubberende buiken omdat ze alleen maar binnen zitten om hun geld te tellen. En je moet zeker geen samoerai willen zijn. Dan zou je voortdurend bij vechtpartijtjes betrokken raken. Nee,' zei ze, terwijl ze op haar knieën ging zitten. 'Ik denk dat je je uit moet geven voor een van die knapen die de boel bewaken en klanten achtervolgen die niet willen betalen. De inwoners van de Yoshiwara zullen weten dat je hier nieuw bent, maar de klanten merken er niets van, en de klanten zijn degenen over wie je je zorgen moet maken. Otsuné, je moet hem maar aan tante van de Hoek Tamaya voorstellen, dan vindt die wel een baantje voor hem. Zeg maar dat hij je neef van het platteland is, dat verklaart waarom hij hier niet eerder is geweest.'

Otsuné gaf Yozo een kom die ze met warm water had gevuld. Hij liep naar buiten en kleedde zich achter het huis uit tot op zijn lendendoek en waste zich zo goed als hij kon.

'En als je weer een beetje toonbaar bent, moet je meteen naar het badhuis gaan,' merkte Hana streng op toen hij weer binnenkwam. Yozo keek haar even boos aan en wendde toen zijn blik af, kwaad dat ze nu al zo veel macht over hem leek te hebben. Ze wond hem moeiteloos om haar vinger en hij leek niet te kunnen voorkomen dat hij elke keer weer haar kant opkeek.

Hij ging zitten. Otsuné knipte zijn baard zo kort mogelijk af, sleep een scheermes op een steen en begon met vaardige bewegingen met het lange mes zijn kin en wangen te scheren. Daarna knipte ze zijn haar. Hij bleef rustig zitten terwijl de dikke zwarte plukken om hem heen op de lap vielen die ze op de houten vloer had uitgespreid en genoot van haar zachte aanraking. Ze masseerde zijn hoofdhuid, boog hem van de ene kant naar de andere, en hij voelde een onbekende lichtheid en koelte rond zijn oren ontstaan. En dan was Hana er ook nog, in haar katoenen kimono, die hun theekopjes opnieuw volschonk. Yozo probeerde haar te negeren, maar het ontging hem niet dat ze nieuwsgierig naar hem keek en haar ogen verder opensperde toen de laatste plukken van zijn baard en lokken stoffig haar op de grond vielen en zijn jonge gezicht onthuld werd. Het ontging hem evenmin dat ze verlegen haar blik afwendde toen ze merkte dat hij naar haar keek.

Toen Otsuné een stap naar achteren deed om haar werk te bewonderen, kwam Hana naar hem toe en ging naast hem zitten.

'Op een dag, grote broer,' zei ze terwijl ze naar hem opkeek, 'moet je me vertellen waar je allemaal bent geweest en wat je hebt gedaan. Ik wil alles weten.'

Haar stem was zacht en laag. Toen ze Otsuné had geholpen, had ze met speelse, hoge stem gesproken, als een meisje uit de Yoshiwara, maar nu klonk ze zo ernstig dat hij niet wist wat hij moest antwoorden.

'Ik zal het je vertellen, dat beloof ik,' zei hij. 'Op een dag.'

Hij rechtte zijn schouders. Hij moest oppassen, zei hij tegen zichzelf. Hij kon het zich niet veroorloven om door deze vrouw te worden afgeleid, niet nu hij Enomoto en zijn andere kameraden moest zien te vinden.

Het tweede bundeltje van Otsuné bevatte keurig opgevouwen kleren, waaruit Yozo een donkerblauw werkmansjasje koos. Hij stak zijn dolk in zijn riem en rolde toen een handdoek op die hij om zijn hoofd bond. De vrouwen, die op hun knieën tegenover hem zaten, keken eerst hem en toen elkaar aan en glimlachten.

'Uitstekend,' zei Otsuné. Ze wendde zich tot Marlin, die als een gevelde boomstam op zijn rug lag, met zijn hoofd op een kussen, en zo de halve kamer vulde.

Yozo sprong overeind en liep naar de deur.

'Niet zo snel, vriend,' zei Marlin, die een hand uitstak en hem bij zijn mouw pakte. 'Er zijn spionnen in de Yoshiwara en je wordt gezocht. Geef me even de tijd om wat onderzoek te doen voordat je buiten rond gaat zwerven. Mij kennen ze hier.'

'Wees alsjeblieft voorzichtig,' zei Otsuné, die Yozo met grote ogen aankeek. 'Breng ons niet in de problemen, zeker niet nu ik net mijn Jean terugheb. Nu de oorlog voorbij is, zullen de voortvluchtigen zich vooral hier verstoppen, dat weten de zuiderlingen ook. Er wordt beweerd dat er nu al politieagenten op straat rondlopen, vermomd als klanten, zodat ze zich ongezien onder de bezoekers kunnen mengen.' Tranen glinsterden in haar ogen.

'Ik heb hem zo gemist,' zei ze zacht. Ze legde een hand op Marlins stevige dij. 'De Yoshiwara is altijd een wereld op zich geweest, waar de mannen van de shogun nooit kwamen, maar de nieuwe machthebbers tonen geen eerbied voor de gewoonten van vroeger.'

Yozo zuchtte. Het was ontroerend dat zijn vriend, deze onbehouwen buitenlander die hij altijd als een eenzame banneling in zijn land had beschouwd, op een toegewijde vrouw had kunnen rekenen die op hem wachtte.

'Ik denk niet dat de politie veel oog zal hebben voor een eenvoudige bediende als er ook een reus van een Fransman in de stad rondloopt,' zei hij. Hij klopte Otsuné op de schouder. 'Maar maak je geen zorgen, ik wacht nog wel even een paar uur.'

In de verte klonk het gedempte beieren van een tempelklok, dat over de akkers naar de kleine huisjes zweefde die de achterafsteegjes van de Yoshiwara omzoomden. Het geluid echode door het kamertje en liet de papieren deuren rammelen in hun kozijnen. Hana werd bleek.

'Ik wist niet dat het al zo laat was,' fluisterde ze. 'Ik wilde je nog zo graag spreken, Otsuné, maar nu heb ik geen tijd meer.'

Otsuné streelde haar hand. 'Ik weet al wat je me wilde vragen.' Ze keek even naar de twee mannen, boog zich toen naar Hana toe en zei op zachte toon: 'Die man over wie iedereen het heeft... Sommigen zeggen dat hij een monster is, maar hij is gewoon een man, weliswaar rijker dan andere mannen, maar met dezelfde lusten. Zorg ervoor dat hij meer dan genoeg te drinken en te eten krijgt, dan komt het allemaal wel goed. Kom morgen maar hierheen om te vertellen hoe het is gegaan.'

Yozo keek van de een naar de ander. Hij had geen flauw vermoeden waar ze het over hadden, maar Hana keek opeens heel erg opgejaagd, als een wild dier dat in een val was gelopen.

'Je hoeft niets te doen wat je niet wilt,' zei hij tegen haar. 'Wij zijn er nu, Marlin en ik. Wij kunnen je beschermen.'

Marlin ging rechtop zitten. 'Ja, natuurlijk. We zullen niet toestaan die iemand je pijn doet,' verklaarde hij met zijn diepe basstem.

'Ik moet doen wat me gezegd wordt,' zei Hana droevig. 'Jullie hebben in het leger gediend. Daar moesten jullie ook bevelen opvolgen, of jullie wilden of niet. Voor mij geldt hetzelfde.' Yozo voelde opnieuw haar vingers op zijn hand. 'Maar toch bedankt,' voegde ze eraan toe. Ze boog en nam afscheid.

Op de drempel bleef ze nog even staan, een sierlijke gestalte in een indigoblauwe kimono met haar haar los over haar rug, en toen liet ze haar voeten in haar kleppers glijden en schoof de deur open. Het zonlicht viel over haar heen, daarna vulde het gezoem van de insecten de kamer en was ze verdwenen.

'Wat een schoonheid,' zei Yozo, en hij schudde spijtig glimlachend zijn hoofd.

Marlin sloeg zijn arm om Otsuné heen. Otsuné keek even naar Yozo, alsof ze wilde weten of hij geschokt was door een dergelijk vertoon van genegenheid, en leunde toen tegen Marlin aan en keek naar hem op.

'Ik heb alle schoonheid die ik me maar kan wensen,' zei Marlin, die met een glimlach op haar neer keek.

25

Met haar parasol in haar ene hand en haar rokken opgetild in haar
andere haastte Hana zich over de grote boulevard. Sinds die ochtend waren er rode gordijnen voor de ingang van de huizen gehangen en waren er langs de dakranden rode lantaarns bevestigd met
de naam SABUROSUKÉ KASHIMA. Waar Hana ook keek, overal
zag ze grimmig uitziende figuren, en een angstig voorgevoel deed
haar hart sneller kloppen.

Elke stap die ze zette, bracht haar dichter bij het moment waarop
ze deze Saburo zou ontmoeten. Ze probeerde zich Otsuné's advie-
zen te herinneren, maar ze kon alleen maar aan de gebeurtenissen
van die ochtend denken. Ze had nog nooit gezien dat een man een
vrouw zo bejegende als Marlin met Otsuné had gedaan, met zo veel
genegenheid en tederheid. En dan was Yozo er ook nog. Ze begon te
glimlachen wanneer ze aan hem dacht. Ze kon merken dat hij dapper was, maar hij was ook vriendelijk, en hoewel zijn voorkomen
haar vertrouwd was, was zijn gedrag zo anders dan wat ze gewend
was.

Ze herinnerde zich hoe zijn gezicht was veranderd toen Otsuné
hem had geknipt en geschoren. Het was mannelijk, krachtig en
diepgebruind, met een breed voorhoofd en intelligente ogen. Het
gezicht van een man die ze kon vertrouwen. Zijn woorden klonken
nog in haar gedachten: 'Ik kan je beschermen.' Voor haar echtgenoot was ze als roerend goed geweest, in de ogen van haar klanten
was ze slechts een speeltje. Er was nog nooit iemand geweest die had
aangeboden haar te beschermen.

Maar hij had ook gezegd dat de vrouwen in de Yoshiwara hun

lichaam aan de vijand verkochten. Die gedachte deed haar rillen. Het was waar, ze had met de vijand geslapen, en dat deed ze nog steeds. Ze was zelfs iets om Masaharu gaan geven. Een groter verraad was toch niet mogelijk?

De middagzon scheen fel en de geuren van bloemen, gegrilde vis en afvalwater waren zo sterk dat ze het gevoel had dat ze zou stikken. Voor een van de huizen stond de straat vol met mannen die naar de meisjes in de kooi kwamen kijken. Hana baande zich een weg door de menigte en kromp ineen toen ze het ene na het andere zweterige lijf langs haar lichaam voelde strijken. Tussen de klanten in hun mooie kleren hingen ook mannen met magere gezichten en hongerige ogen rond, hoogstwaarschijnlijk soldaten uit het noorden die net als Yozo op de vlucht waren. Even stond ze oog in oog met een stel zwaargebouwde kerels met dikke nekken die zonder pardon iedereen opzijduwden, ongetwijfeld op zoek naar voortvluchtigen. De angst balde zich als een ijzeren vuist in haar maag samen, en ze glipte zo snel als ze kon langs de mannen.

Voor de Hoek Tamaya stond een magere vrouw in een glanzende zwarte kimono die voortdurend om zich heen keek. Het was tante, wier witgepoederde gezicht vertrokken was van woede. De kleine Chidori rende naar Hana toe, met wangen die glinsterden van het zweet onder het blanketsel, en greep haar mouw vast. 'Schiet op, grote zus, schiet op,' zei ze hijgend. Uit de keuken klonken stampende geluiden; de koks waren bezig de vis voor de viskoekjes en de rijst fijn te malen.

'Dat je nu juist vandaag te laat moet zijn,' siste tante toen Hana verontschuldigend een buiging voor haar maakte. 'Je weet heel goed dat dit een belangrijke dag is. Ga naar binnen en maak je klaar. Saburo kan elk moment bij de Chrysant aankomen.'

Net als de rest van de Yoshiwara was Edo-cho 1 versierd met slingers en lantaarns. Meisjes liepen opgewonden babbelend rond, op hun hielen gevolgd door bedienden met shamisens. Narren oefenden hun grappen en jongens renden de restaurants uit met op elkaar gestapelde dienbladen vol eten in hun handen. Iedereen was nog mooier gekleed dan gewoonlijk, en Hana wist dat ze allemaal hoopten de aandacht van Saburo te kunnen trekken wanneer die door de Yoshiwara zou lopen. Maar hoewel de jonge meisjes, die Saburo nog nooit hadden ontmoet, overliepen van opwinding, leken de oudere vrouwen ongewoon terneergeslagen.

Hana liep net tussen de gordijnen van de Hoek Tamaya door naar binnen toen tante zich omdraaide en op achteloze toon zei: 'O, dat zou ik bijna vergeten, ik moest je nog iets zeggen. Kun je je Fuyu nog herinneren? Ze was hier en vroeg naar je.'

Hana hapte naar adem. Fuyu moest een brief van Oharu en Gensuké hebben ontvangen en was die in de hoop op een gulle beloning komen brengen. Daarom wilde tante haar niet aankijken.

'Waar is ze nu?' wilde ze weten.

'Je was er niet, dus ik heb gezegd dat ze morgen terug moest komen.'

Hana liet zich ontmoedigd op het stoepje zakken. 'Heeft ze niets... voor me achtergelaten?' Ze was bijna in tranen.

'Nee.' Tante trok haar overeind. 'Ze had iemand bij zich. Een man.'

Hana trok haar arm uit tantes greep. 'Wat voor man?' vroeg ze gretig.

'Geen man die eruitzag alsof hij geld had,' zei tante minachtend.

'Maar was hij jong? Oud?' Als hij oud en gebrekkig was, moest het Gensuké zijn.

De moedervlek op tantes kin trilde. 'Ik kan niet zeggen dat ik veel aandacht aan hem heb geschonken,' zei ze. 'Jong, geloof ik, en sjofel gekleed. Niet het soort man dat we hier graag zien.'

Jong... Dus het was niet Gensuké. Er kwam een vreselijke gedachte bij Hana op. Tot nu toe had ze verondersteld dat haar echtgenoot niet meer leefde en had ze, in haar verlangen om iets van Oharu en Gensuké te vernemen, zonder aarzelen het adres van haar oude huis aan Fuyu gegeven. Nota bene aan Fuyu. Maar stel dat haar echtgenoot niet dood was, dat hij nog leefde, en dat Fuyu naar het huis was gegaan en hem daar had ontmoet, en dat hij erop had gestaan dat ze hem hierheen bracht... Hij zou meteen door een van zijn vreselijke woede-uitbarstingen worden overvallen, wist Hana, en haar aan haar haren naar huis slepen, haar hoofd op het hakblok leggen en zonder aarzelen de bijl op haar nek laten neerkomen.

Bevend van angst drukte ze haar hand tegen de wand om haar evenwicht te kunnen bewaren.

'Wanneer waren ze hier?' fluisterde ze.

'Een tijdje geleden,' zei tante. 'Verspil nu geen tijd meer, we moeten naar boven.'

Hana rechtte haar rug en liep met onvaste tred naar binnen. Tante joeg haar over de gewreven vloeren naar haar kamers, waar de dienstmeiden het beddengoed klaarlegden en de kist voor de kleren van de gast neerzetten. Ze hingen de rolschilderingen aan de wanden recht en legden de laatste hand aan de bloemstukken.

Ze maakte alleen een kans, wist Hana, als ze iemand zou vinden die haar kon beschermen, iemand die zo machtig was dat zelfs haar echtgenoot het niet tegen hem zou durven opnemen. Heel even dacht ze aan Yozo, maar toen schudde ze haar hoofd. Zelfs Masaharu was niet machtig genoeg, en bovendien was ze niet zo dom om te denken dat hij iets zou doen wat zijn positie in gevaar kon brengen.

Maar er was iemand die haar kon beschermen, een rijk en machtig man die aan niemand iets verschuldigd was en die, als ze de verhalen mocht geloven, altijd zijn zin kreeg: Saburosuké Kashima. Misschien zou de befaamde Saburo haar redding blijken te zijn.

26

Op haar kamer begon Hana haar gezicht te beschilderen, maar ze deed het minder uitbundig dan de gewoonte was. Ze koos niet voor een ondoorzichtig wit masker, maar voor een doorzichtig waas, waardoor haar fijne trekken goed uitkwamen. Haar dienstmeiden staken haar haar op tot een torenhoog kapsel, bekroond door een elegante krans van koraal en versierd met vergulde en schildpad haarspelden. Haar kimono's waren minder rijkelijk dan gewoonlijk; ze koos voor dunne stoffen die pasten bij een warme avond vlak voor de aanvang van de herfst, en voor een verfijnd perzikroze als de kleur van haar bovenste kimono. De rijkdom van haar kleding werd tot uitdrukking gebracht door haar obi, die was gemaakt van schitterend brokaat en versierd met geborduurde leeuwen en pioenrozen.

Toen ze in de spiegel keek, zag ze dat de Hana die ze kende was verdwenen. Ze was Hanaogi geworden, een tovenares die de scepter zwaaide in een groot rollenspel waarin mannen konden zijn wie ze wilden en niet voor de gevolgen hoefden te vrezen.

Ze merkte dat ze wenste dat Yozo haar zo kon zien, nu ze op haar mooist was. Ze stelde zich zijn gezicht voor en dacht aan de manier waarop hij naar haar had gekeken, maar toen schudde ze haar hoofd, fronsend vanwege haar eigen dwaasheid.

Haar salon was afgestoft, gepoetst en versierd met rolschilderingen en ornamenten die luxe en sensualiteit uitstraalden. Het rook er naar aloë, sandelhout, kaneel en muskus, en aan de andere kant van het vertrek lagen drie kussens van damast voor een verguld kamerscherm met zes panelen: een voor Hana, een voor Kawanoto, Hana's favoriete helpster die de feestelijkheden zou leiden, en eentje voor de eregast. Naast elk kussen stond een lakdoos met tabak. Muziekinstrumenten stonden tegen de wanden geleund, rijkelijk geborduurde kimono's hingen over de rekken, obi's die zwaar waren van het gouddraad waren opvallend uitgestald, en in de nis hing een rol die was beschilderd met een ooievaar tegen de achtergrond van een opkomende zon. Zelfs het paleis van een daimyo zou niet zo weelderig kunnen zijn.

Toen het tijdstip van Saburo's komst naderbij kwam, haastte tante zich naar binnen. Ze bekeek Hana van top tot teen, trok de kraagjes van haar kimono's recht en zette met een kromgetrokken vinger de kroon op haar hoofd goed. Dienstmeisjes dromden naar binnen met bladen vol etenswaren: kunstig gesneden gestoofde groenten, hele baby-inktvisjes, schalen met dunne witte mie en kleine paarse aubergines gemarineerd in de droesem van sake. Ze stalden alles uit op een lage tafel, naast flessen sake, flessen pruimenwijn en een grote kom met water waarin piepkleine doorzichtige visjes rondzwommen.

'Jonge visjes,' zei tante stralend van trots. 'Die hebben we speciaal uit Kyushu laten komen. Beslist niet goedkoop.' Ze smakte met haar lippen, alsof ze nu al dacht aan het enorme bedrag dat ze haar gasten voor dit feest in rekening zou brengen. 'Saburo-sama staat bekend om de hoge eisen die hij stelt.'

Hana haalde diep adem en probeerde kalm te blijven. Ze moest Saburo zien te betoveren, zodat hij haar vaste en enige klant zou worden, maar als ze dat wilde bereiken, zou ze met hem moeten slapen. Daaraan viel niet te ontkomen.

Toen ze pas nieuw was in de wijk had Tama haar goede raad gegeven: 'Moedig de klant aan om zo veel mogelijk te drinken en geef hem zodra jullie in bed zijn gaan liggen meteen zijn zin. Laat het hem dan nog eens doen. Vergeet niet je billen samen te knijpen en je heupen van links naar rechts te bewegen. Dat zal de jaden poort nauw maken en dan zal hij snel bevredigd zijn. Als hij dan van uitputting in slaap valt, zul je zelf ook nog aan slapen toekomen.'

Tot nu toe had ze alleen met klanten geslapen die ze aardig vond en had ze Tama's raad nog niet hoeven opvolgen, maar vanavond zou ze dat voor het eerst doen.

Ze voelde een vlaag van paniek toen ze buiten op straat het geluid van kleppers hoorde; eerst zacht en toen luider, schuifelend en klakkend alsof er een hele stoet mensen in een optocht ronddanste. Toen het gezang en geklap steeds luider werd, glipte Hana de kamer uit en liep naar een zijvertrek. Aan de andere kant van de dunne papieren deuren hoorde ze het hoge, kwetterende gebabbel van de geisha's en het geschuifel van voetstappen op de tatami. De kamer stroomde vol.

Ze sloot haar ogen, maar merkte tot haar ontzetting dat Yozo's woorden als een mantra door haar gedachten gingen: 'Ik zal je beschermen.' Woedend op zichzelf, en woedend op hem omdat hij haar zo afleidde, balde ze haar vuisten en probeerde ze zich uit alle macht te concentreren.

Tante wierp een snelle blik op haar om zich ervan te vergewissen dat Hana gereed was en schoof toen met een zwierig gebaar de deur open. Hana stapte het licht in. Het leek alsof de kamer en de aanwezigen versteend waren, alsof de tijd in een flits van licht was stilgezet: de nar in zijn beige gewaad die met een zakdoek op zijn hoofd en naar binnen wijzende tenen een courtisane probeerde te imiteren; de glimlachende geisha's met hun zwarte tanden, wapperend met hun waaiers, en aan de overzijde van het vertrek, naast Kawanoto, een grote, zwaargebouwde gestalte: de man die voor dit alles betaalde.

Hana tilde haar rokken op en toonde haar blote voet. Ze wist heel goed wat het effect was van een voetje dat onder de dikke lagen brokaat en zijde vandaan piepte en een indruk gaf van de vrouw die achter die stoffen verborgen zat. Ze schreed door de kamer, met de sleep van haar kimono's zwaaiend achter haar aan, en knielde tegenover haar gast neer. Ze hief een kopje sake op, dronk ervan en tuurde toen tussen haar wimpers door naar Saburo.

Hij was dik, wanstaltig dik, en leek net een deegbal in de vorm van een man – maar rijke mannen hoorden dik te zijn, bracht ze zichzelf in herinnering. Hij was ook oud, maar dat was evenmin ongewoon. Zijn kleding was duur; zijn enorme lijf was in een gewaad van de mooiste paarse en zwarte zijde gestoken. De mouwen en kraag waren versierd met een gedicht in schoonschrift, met gouddraad geborduurd, maar de stof zat ook onder de gemorste sake en op zijn borst en in zijn oksels waren zweetplekken te zien. Boven op zijn grote ronde lijf, als een mandarijn die boven op een pompoen balanceerde, stond een klein rond hoofd met uitpuilende oogjes tussen dikke huidplooien. Hij leek net een reusachtige pad. Hana bekeek hem van top tot teen. Hij was duidelijk een man die gewend was zijn zin te krijgen, maar ze wist dat ze zich niet meteen aan hem moest overgeven, dat zou ongunstig voor haar zijn. Ze kon hem beter laten wachten, zijn begeerte tot een laaiend vuur opstoken en hem pas tijdens het gebruikelijke derde bezoek zijn zin geven. Zo zou zijn opwinding alleen maar groter zijn. Maar ze kon hem niet eeuwig aan het lijntje houden. Een man als hij kon haar wellicht tegen haar echtgenoot beschermen, en om die reden moest ze proberen hem om haar vinger te winden.

Ze schikte haar rokken en keek Saburo bedeesd aan. Het was de gewoonte om een klant uit zijn tent te lokken, om met hem te spelen zoals een kat met een muis speelt. Denkend aan Tama's lessen wendde ze zich een tikje van hem af en boog haar hoofd, zodat hij een glimp van haar onbeschilderde nek kon opvangen.

'Dus u bent Saburo-sama,' zei ze op zijdezachte toon. 'U hebt ons zo lang genegeerd dat het bijna onvergeeflijk is. En nu bent u hier opeens weer en wilt u mij zien, terwijl u me niet eens kent.'

'Onze oudere zus Tama bezweek bijna aan haar verlangen naar u, wist u dat?' voegde Kawanoto er met een hoog stemmetje aan toe. Ze zette grote ogen op en straalde een en al onschuld uit. 'Ze deed sinds uw vertrek bijna geen oog dicht, maar nu, nadat ze maandenlang heeft gehuild van verdriet, heeft ze een nieuwe gunsteling gevonden. Ik neem aan dat u in Osaka ook wel iemand hebt ontmoet die meer voor u betekende dan wij.'

'Dat is niet waar,' zei Saburo met een overdreven beschaafd lachje. Er schoot een paarse blos over zijn lelijke wangen. 'Hoe kan ik om een ander geven als ik de dames van de Hoek Tamaya ken?' Hij grijnsde breeduit, zodat duidelijk te zien was dat hij een paar voortanden miste. 'Zodra ik over de befaamde Hanaogi hoorde, heb ik me vanuit Osaka hierheen gespoed. En je bent inderdaad zo beeldschoon als iedereen beweert, of eigenlijk nog mooier.'

Het dansen was begonnen. Enkele geisha's speelden een gevoelige melodie op hun shamishens, schoudertrommels en fluit, en een van hen zong met kirrende stem een lied. Twee andere begonnen te dansen en maakten gebaren met hun waaiers, terwijl de nar nog steeds deed alsof hij een courtisane imiteerde. Hij keek even naar de gast, maar Saburo zat met halfgeloken ogen naar Hana te kijken.

'Nog wat sake?' vroeg Hana. Ze schonk zijn beker vol. Ze wilde er zeker van zijn dat er in elk geval vanavond niet aan haar zou worden gefrunnikt.

Saburo pakte zijn kopje, leegde het in één teug en wenkte toen een van zijn bedienden, een man met een scherpe blik die aan de rand van het vertrek geknield zat. De bediende schoof op zijn knieën naar voren, met enkele meters fijne rode damast in zijn handen, en legde de stof voor Hana neer.

'Waarom denkt u dat ik te koop ben?' vroeg ze. Ze deed net alsof ze beledigd was en schonk nogmaals zijn kopje vol. Zelf probeerde ze zo min mogelijk te drinken.

'Hanaogi verliest nooit haar hart, aan niemand,' kwetterde Kawanoto. 'We hebben allemaal favorieten, maar zij niet. Volgens de mannen heeft ze een hart van ijs dat niemand kan ontdooien. Iedere man die hierheen komt, wil dolgraag haar enige klant zijn, maar ze wijst iedereen af.'

'Ik ben niet als iedere andere man,' gromde Saburo. Zijn gezicht was donkerrood geworden en zijn ogen en mond veranderden in smalle spleetjes. Hij staarde opnieuw naar Hana, alsof hij zich afvroeg wat er onder haar kimono schuilging.

Er klonk lawaai aan de andere kant van de deur, die werd opengeschoven om tante binnen te laten. Ze kroop op handen en knieën naar binnen, drukte haar voorhoofd tegen de tatami en keek toen op. In het kaarslicht was haar gezicht net een wit masker en haar pruik glansde van de olie.

'Karper uit de Yodo!' kraaide ze.

Er trad een dienstmeid binnen die een grote snijplank van cipressenhout boven haar hoofd hield waarop een hele karper rustte.

Het bleekroze, naar rood zwemende lijf van de vis, met de kop er nog aan, was zo snel in plakken gesneden dat het beest nog trilde van leven. De vis was neergevlijd op een bedje van witte radijs en donkergroen zeewier, zo vaardig uitgespreid dat de indruk werd gewekt dat hij in zee zwom. De nar en de geisha's uitten luide, bewonderende kreten toen de dienstmeid de vis voor Saburo op tafel zette.

Saburo likte zijn lippen af. 'Waar is de kok?' brulde hij. 'Waarom heeft hij dit beest niet voor onze ogen gesneden? Dat zou pas een spektakel zijn geweest.'

De bediende drukte een kopje sake tegen de lippen van de vis, kantelde het lichtjes en goot een paar druppels in de bek. Saburo keek aandachtig naar de keel van het dier, die samentrok toen de vis slikte, en begon toen te lachen. Hij greep zijn buik vast en wiegde heen en weer. De helpsters, de nar en de geisha's keken hem even nerveus aan en deden toen mee. Ten slotte wendde hij zich tot Hana, veegde zijn ogen af en keek haar aan. Zijn gezicht verstrakte.

'Je kunt zo veel spelletjes spelen als je wilt, schoonheid,' zei hij, 'maar uiteindelijk krijg ik je toch wel. Je zult naar mijn pijpen dansen.'

Er liep een rilling over Hana's rug. 'Ik merk dat u een man bent die weet wat hij wil.' Ze gebaarde naar de kom met spetterende visjes. 'Zelfs jonge visjes, ook al is het volgens mij niet het seizoen.'

'Hier niet,' zei hij. 'Maar in Kyushu wel.'

Kawanoto schepte een paar visjes uit de kom en goot ze in een schaaltje. De visjes begonnen als bezeten te bewegen toen ze er sojasaus aan toevoegde, die al snel begon te schuimen. Hana pakte een paar eetstokjes, maar voordat ze een visje voor hem had kunnen pakken, had Saburo de kom al met beide handen beetgepakt en aan zijn mond gezet. Hij slurpte de kom leeg, kneep zijn lippen opeen en hield de visjes in zijn opbollende wangen gevangen. Hana kon ze bijna horen bewegen, woest spartelend tegen zijn tanden en tong en wangen. Toen slikte hij ze door, met uitpuilende ogen, en greep met een bezeten grijns naar zijn buik.

'Wat een heerlijk gevoel!' zei hij grommend. 'Ze zwemmen, ik kan ze voelen zwemmen.'

Er viel een lange stilte, maar toen begonnen de nar en de helpsters te lachen en vielen de geisha's hen kwetterend bij. Ten slotte klapten ze allemaal in hun handen en volgde Hana glimlachend hun voorbeeld.

Saburo's gezicht had de rode kleur van puimsteen gekregen en de blos verspreidde zich al snel tot boven op zijn kale hoofd. Heel langzaam, als een grote boom op een open plek in het bos, viel hij op zijn kant, slaakte een diepe zucht en begon te snurken.

Hana wachtte nog even totdat ze er zeker van was dat hij sliep en ze zijn enorme buik op en neer zag gaan. Toen stond ze langzaam op en sloop enigszins nerveus de kamer uit. Ze hoefde zich in elk geval vanavond niet meer af te vragen hoe ze Saburo moest behagen.

27

De straten waren stil toen Hana naar buiten stapte. De papieren lantaarns aan de dakranden en voor de deuren waren gedoofd, en toen ze opkeek, zag ze honderden sterren fonkelen aan de donkere hemel. Ze wist dat ze zich gelukkig mocht prijzen omdat ze zo gemakkelijk aan erger was ontkomen.

Vanuit haar ooghoek zag ze iets in het donker bewegen. Daar stond iemand. Een man. Met een ruk draaide ze zich om. Zelfs in het donker zag ze dat het geen klant was. Hij was te jong en had de uitgehongerde, half bezeten uitstraling van een vluchteling uit het noorden. Ze dook weg in de schaduwen. Hij was groot, veel groter dan zij, en had een zware staf en een bundeltje bij zich. Om hem hing de stank van vuile kleren en ongewassen beddengoed.

Hij boog met een bruuske beweging, als een soldaat.

'Pardon,' zei hij met een luide, heldere stem. 'Ik ben op zoek naar de courtisane Hanaogi.'

Hana keek om zich heen, opgelucht dat ze haar kimono's voor iets anders had verruild en haar haar had losgemaakt. 'Waarom wil je haar spreken?' vroeg ze.

'Ik heb een boodschap voor haar.'

'Ga maar naar binnen en vraag naar tante. Die zal het bericht aan haar doorgeven.'

Hij schudde zijn hoofd. 'Ik heb de opdracht gekregen mijn boodschap persoonlijk aan Hanaogi over te brengen.'

Verwonderd bekeek Hana hem nog eens goed. Hij sprak met het zachte accent en de vlakke klinkers uit midden-Japan. Hij kwam uit Kano, besefte ze, net als zij en haar echtgenoot. Het was niet alleen zijn accent dat vertrouwd was; het was ook zijn houding, de manier waarop hij stond: zijn benen iets uit elkaar, alsof hij zich opmaakte voor een aanval. Zijn ingevallen gezicht was half verborgen onder een dikke laag stoppels en onder zijn oor zat een vuurrood litteken, maar ze was er zeker van dat ze dit gezicht met de platte neus en het gefronste voorhoofd al eens eerder had gezien.

Opeens wist ze het weer. Het was op de dag geweest dat haar echtgenoot ten strijde was getrokken. Ze had voor het huis staan wachten en het groepje jongemannen in hun blauwe jasjes zwijgend bij de poort zien staan. Haar echtgenoot had op barse toon een bevel gegeven, en een van hen was naar voren gestapt. Hana had opgekeken, en heel even had haar blik die gekruist van een lange, zwaargebouwde jongen met een angstaanjagende frons en haar dat als een krans rond zijn hoofd stond. Hij had heel aandoenlijk tot achter zijn oren staan blozen, dat wist ze nog. Haar echtgenoot had de jongen in de richting van haar schoonvader geduwd, die als een echte ijzervreter op zijn zwaard stond te leunen.

'Mijn betrouwbare luitenant,' had haar echtgenoot opgemerkt. Hij had de jongen zo hard op zijn rug geslagen dat die struikelend een paar passen naar voren zette. 'Het is geen schoonheid, maar hij is een goed zwaardvechter en kan tegen de drank. Ik vertrouw hem in alles.'

Ze slikte moeizaam en probeerde haar stem niet te laten trillen. 'Ichimura?'

'Mevrouw.' Hij boog. Ook in zijn blik was herkenning te zien.

In het huis achter hen sloegen deuren dicht en voetstappen stommelden de trap af. Het was een groepje geisha's die de klanten meenamen die het zich niet konden veroorloven daar de nacht door te brengen. Een van de gasten struikelde bij het naar buiten gaan en krabbelde hevig vloekend weer overeind, waar de geisha's heel erg hard en hoog om moesten lachen. Ze verdwenen vrolijk zingend de hoek om, de grote boulevard op.

Ichimura staarde naar de grond, alsof hij ontzet was dat hij de echtgenote van zijn meester op een plek als deze had aangetroffen.

'Iedereen is dood, Ichimura,' fluisterde Hana. Haar stem haperde. Het gezang stierf weg in de verte.

'Dat weet ik,' zei Ichimura. 'Ik ben bij uw huis geweest.'

Hana hapte naar adem toen ze aan de verduisterde kamers dacht waar niet eens meer kussens hadden gelegen en waar de as in de haard had liggen gloeien. Ze wist nog dat ze het wanhopig op een rennen had gezet en had staan worstelen met de regendeuren terwijl er vlak achter haar allerlei gebons en gebrul te horen was. Ze was weggevlucht, tussen de bomen door naar de rivier, en had Oharu en Gensuké aan hun lot overgelaten.'

'Het ziet er nu heel anders uit, mevrouw, het is niet meer zo goed onderhouden.' Hij zweeg even en veegde met zijn mouw langs zijn ogen. 'De bedienden hebben me verteld wat er is gebeurd. Er was een meisje, en een kreupele oude man.'

'Oharu en Gensuké? Ze zijn niet gewond?' Alleen al de gedachte aan hen bood Hana enige troost.

'Ik werd geacht een bericht aan de vader van mijn meester over te brengen,' zei Ichimura fronsend. 'Ze hebben me verteld wat er in Kano is gebeurd en zeiden dat de zuiderlingen u ook wilden komen halen maar dat u was ontsnapt. En dat ze sindsdien niets meer van u hadden gehoord. Ze namen aan dat u ook dood was, en dus heb ik het opgegeven en ben naar de stad gegaan.' Hij keek even om zich heen en vervolgde op zachtere toon: 'We hebben een verzetsgroep gevormd, mevrouw. We gaan de zuiderlingen verjagen en de macht van de shogun herstellen. Een paar van mijn kameraden zijn hier in Edo beland en hebben zich over me ontfermd. Ik ben overal naar u blijven vragen, voor het geval u nog leefde, maar op een gegeven moment was mijn geld op. Dat was een paar dagen geleden.'

'En toen ben je naar een pandjeshuis gegaan en daar ontmoette je...'

'Een vrouw die Fuyu heette. Ze zei dat mijn beschrijving haar heel erg deed denken aan een vrouw op de vlucht die ze afgelopen winter had ontmoet en beloofde dat ze het een en ander zou navragen.'

Dus daarom was Fuyu haar komen opzoeken en had ze haar het adres van haar oude huis ontfutseld. Ze heeft de brief waarschijnlijk niet eens bezorgd, dacht Hana met een vlaag van woede, en Oharu en Gensuké weten niet dat ik nog leef.

'Toen ik weer langsging, zei Fuyu dat ze u had gevonden en heeft ze me meteen hierheen gebracht. Ik geloofde niet dat u het echt zou zijn, mevrouw, maar nu zie ik dat het wel zo is.'

In het licht van de sterren zag Hana Ichimura's kaak trillen.

'En mijn echtgenoot?' fluisterde ze. 'Mijn echtgenoot?'

'Het spijt me, mevrouw.' Ichimura slikte moeizaam.

Hana pakte hem bij zijn arm. 'Kom maar mee naar binnen,' zei ze vriendelijk, 'dan laat ik iets te eten en wat tabak uit de keuken halen.'

Terwijl Ichimura zijn sandalen losknoopte en zijn voeten afveegde, herinnerde Hana zich weer dat Saburo in haar salon lag te slapen. De chique ontvangstkamer was echter verlaten, en ze leidde Ichimura snel daarheen. Hij knielde neer in het grote vertrek met het beschilderde plafond, tussen de gelakte tabaksdozen, de rolschilderingen, de boekrollen en de brandende kaarsen, en zat er ondanks zijn gescheurde kleren als een echte soldaat bij, met kaarsrechte rug. Toen ze hem voor het laatst had gezien, was hij een gespierde knaap met een breed gezicht geweest, maar nu had hij ingevallen wangen en donkere wallen onder zijn ogen. Hij legde zijn bundeltje neer en frunnikte aan de knoop.

In het bundeltje zaten twee kistjes, een houten kistje voor boekrollen en een metalen kistje met een stevig sluitend deksel, van het soort waarin een soldaat zijn voorraden vervoerde. De jongeman boog, pakte de kistjes vol eerbied op en stak ze haar toe. Ze waren opvallend licht. Ze zette ze naast zich neer.

'Vertel het me, alsjeblieft,' zei ze. 'Van mijn echtgenoot.'

Ichimura ging op zijn knieën zitten en staarde naar de vloer. Toen hij weer opkeek, was zijn gezicht grimmig.

'Ik zal u vertellen wat ik weet, mevrouw,' zei hij langzaam. 'We waren al maanden aan het vechten, maar we waren in de minderheid, en in de vijfde maand beseften we dat we verslagen waren. Het was ondraaglijk heet. Het had moeten regenen, maar Ezo kent geen regentijd. Mannen stierven waar ze neervielen. Het waren er zo veel dat we hen niet eens konden begraven, en de gewonden werden gewoon verbonden en vochten daarna weer verder.'

Mijn meester ging ons voor in elk gevecht, maar hij zei niet veel meer, en 's avonds trok hij zich terug in zijn vertrekken. Op een dag riep hij me bij zich. Het was de vijfde dag van de vijfde maand, en hij had deze kistjes tevoorschijn gehaald. Hij zei: "Ichimura, ga naar Edo en geef deze aan mijn vader. Als hij dood is, moet je ze aan mijn broers geven. Als die niet meer leven, aan mijn moeder, en als zij er niet meer is aan mijn echtgenote." Ik wilde hem niet alleen laten. Ik wilde aan de zijde van mijn kameraden sterven en smeekte hem om iemand anders uit te kiezen, maar hij had die blik in zijn ogen. Hij zei: "Doe wat ik je opdraag, anders dood ik je hier ter plekke."'

Hana kon de barse stem van haar echtgenoot bijna horen en dacht aan de bedienden, die altijd rap als kippen in het rond scharrelden om zijn bevelen zo snel mogelijk op te volgen. Ze wist nog goed dat zij ook altijd had lopen rennen.

'Ik heb gewacht totdat de gevechten iets minder hevig waren en heb toen het fort verlaten. Op het laatste moment keek ik nog even om. Hij stond bij de poort en keek me aan, om er zeker van te zijn dat ik ook echt zou gaan. Ik ben door de stad naar de haven gegaan, heb de oversteek naar het vasteland gemaakt en ben helemaal hierheen gelopen. Het was een lange tocht, mevrouw, en overal loerde de vijand. Soms moest ik mezelf verdedigen, maar ik ben nooit vergeten dat ik een bevel moest uitvoeren.'

'En mijn echtgenoot?'

'Toen ik in Edo aankwam, hoorde ik dat de vijand bij zonsopgang had aangevallen, naar het fort was opgetrokken en het met zwaar geschut had bestookt. Uiteindelijk hebben onze leiders zich overgegeven; ze werden gearresteerd en zijn in kooien hierheen gevoerd. Ik probeerde te ontdekken wat er met de meester is gebeurd; ik wist dat hij zich nooit levend zou laten pakken en hoopte hevig dat hij wellicht was ontkomen, maar toen hoorde ik van anderen dat ze hem hadden zien sneuvelen.'

'Misschien was hij alleen maar gewond, en niet dood?' opperde Hana fluisterend.

'Maar hij is niet hier, mevrouw, en niemand heeft hem gezien. Niemand weet waar hij is.'

'Maar wat is er dan met zijn lijk gebeurd? Dat had toch hierheen gebracht moeten worden voor de begrafenis?'

'U kunt zich niet voorstellen hoeveel mannen er zijn omgekomen, mevrouw,' zei Ichimura. 'Als de meester in Ezo is gesneuveld, dan is hij daar begraven. Ik bid elke dag voor zijn geest.'

Hij keek haar aan alsof hij haar voor de allereerste keer zag.

'Mevrouw, ik wil u graag helpen,' zei hij zacht. 'De oorlog is voorbij, u bent de laatste uit de familie van mijn meester, en ik wil doen wat ik kan. Ik kan u helpen te ontsnappen.'

Hana schudde haar hoofd. 'Daar is het nu te laat voor. Maar ik wil je nog wel één ding vragen.' Ze boog zich voorover en zei op zachtere toon: 'Hier spreken we nooit over het verleden. Mijn echtgenoot is overleden tijdens zijn strijd als rebel tegen de nieuwe orde, de nieuwe keizer... en er zijn hier heel veel zuiderlingen. Ik smeek je om mijn geheim te bewaren. Vertel niemand wie ik ben. Mijn veiligheid hangt ervan af.'

Ichimura knikte. 'Ik heb uw echtgenoot gediend, mevrouw, en ik zal u dienen. Ik zal u niet verraden.'

Hana nam een gepaste afstand van hem in acht toen er een paar bedienden binnenkwamen. Ze zei dat ze Ichimura mee moesten nemen naar de keukens en bracht toen de twee kistjes naar haar kamers boven.

Toen ze op haar tenen door de salon liep, wierp ze even een snelle zijdelingse blik op Saburo, maar die lag nog steeds te snurken. Ze liep naar haar slaapkamer, stuurde de dienstmeiden weg en deed de deur op slot. Daarna haalde ze diep adem en klapte met trillende handen het deksel van het ene kistje omhoog en tilde de rol eruit.

Ze vouwde hem open en las de aanhef: 'Gegroet.' Het was het handschrift van haar echtgenoot. Hij mocht dan een man van het platteland zijn geweest, hij had er zo vooringenomen als de arrogantste samoerai bij gelopen en ook zo gelezen en geschreven. Haar ogen vulden zich met tranen en het duurde even voordat ze de penseelstreken weer scherp kon zien.

'Mijn aanbeden vader,' had hij geschreven, 'het einde is nabij, maar we zullen blijven strijden om de goede naam van de shogun hoog te houden en te eren, ook al zal onze dood zinloos blijken. Zo hoort het en zo zal het geschieden. U kunt er zeker van zijn dat ik u noch de goede naam van onze familie te schande zal maken.

Ik stuur u enige aandenkens. Wanneer de vrede wederkeert, kunt u deze in ons familiegraf in Kano laten begraven. Het is mijn lot in dit oord in het noorden te vergaan, maar het is mijn wens dat deze aandenkens naast mijn voorouders zullen rusten. Dat is mijn laatste bevel. Beschouw me als reeds gestorven.'

Onderaan had haar echtgenoot zijn naam geschreven en zijn zegel afgedrukt, in inmiddels verbleekte rode inkt. Ze veegde haar tranen weg en opende het metalen kistje. Er steeg een zwakke geur uit op: het kenmerkende luchtje van pommade. In het kistje lag een vel moerbeipapier, keurig opgevouwen, met daarin een lok zwart, met grijs doorschoten haar, lang, glanzend en met een lint samengebonden. Zijn haar, zijn geur. Hana hield de lok in haar hand en dacht aan zijn gewicht boven op haar, aan zijn zilte geur en zijn adem die naar sake rook. De lok haar rustte als iets doods in haar hand, koud en zwaar. Toen ze hem teruglegde in het kistje merkte ze dat er olie aan haar vingers kleefde.

Eronder lag, eveneens opgevouwen in een vel papier, een foto. Het grijs met witte beeld leek terwijl ze ernaar keek in het kaarslicht te verbleken. Een volwassen man, even oud als haar vader. Ze kende dat brede voorhoofd, die sterke kaak en die krachtige mond, die felle ogen en dat glanzende haar dat uit het hoekige gezicht was gekamd. Ze keek naar de frons tussen de wenkbrauwen en naar de rimpeltjes rond de mondhoeken. Het was een kwaad gezicht, een gezicht dat haar bang maakte.

Ze had dat gezicht voor het eerst op haar trouwdag gezien. Die avond had ze, terwijl hij een voor een haar gewaden afpelde, verlegen naar zijn grote tenen met de brede platte nagels gestaard en geprobeerd niet vol afgrijzen terug te deinzen toen ze zijn ruwe handen op haar huid voelde en de rijpe lucht van zijn lijf rook. 'Laat me eens even naar je kijken, mijn mooie bruid, laat me van de aanblik genieten,' had hij gemompeld. En toen was hij boven op haar geklommen. Ze herinnerde zich zijn raspende ademhaling en zijn huid, warm en zweterig, die langs de hare was gegleden.

En nu was hij dood. Hij had dit kistje eigenhandig ingepakt, in de wetenschap dat het het laatste was wat hij op deze aarde zou doen. Maar het was niet zijn vader of zijn broer die het had geopend, en zelfs niet zijn moeder, maar zijn echtgenote: zijn echtgenote, die hem had verraden, die met andere mannen sliep en walging voor hem voelde in haar hart.

Voor de deur van haar salon was een geluid te horen. Tante kwam naar Saburo kijken. Gehaast stopte Hana alles terug in het kistje, legde het in een la en dekte het toe met kimono's. Later, wanneer iedereen weg was, zou ze er wel weer naar kijken.

28

Yozo schoof de deur van Otsuné's huisje dicht en keek voorzichtig links en rechts het steegje in. Tussen de stenen en langs de muren van de bouwvallige huisjes kwam het onkruid omhoog, een haan kraaide en een deels kale hond zat zich in een poel van zonlicht te krabben. Er was niemand te zien en dus ging hij op pad, genietend van de stilte van de ochtend, de koele lucht in zijn longen en het gevoel van de aarde en de stenen onder zijn voeten.

Het was zijn tweede dag in de Yoshiwara en hij had Otsuné en Marlin zo ver weten te krijgen dat ze hem naar buiten lieten gaan, maar pas nadat ze hem eraan hadden herinnerd dat hij werd gezocht en dat hij ook hen in gevaar zou brengen als hij iets stoms zou doen. Hij wilde dolgraag een plan beramen om Enomoto te bevrijden en twijfelde er niet aan dat er hier kameraden van hem rondliepen, soldaten uit het noorden die van dit wetteloze oord hun thuis probeerden te maken.

Hij liep de grote boulevard op en keek op naar de rijkelijk versierde gebouwen met hun met gordijnen opgeluisterde ingangen, elegante houten wanden, de salons met de kooien met dunne spijlen ervoor en balkons waar af en toe de vrouwen verschenen. Sinds zijn tijd in Europa had hij niet meer zulke weelde mogen aanschouwen. Waarschijnlijk woonden daimyo's in paleizen die even luxueus waren als deze, besefte hij, maar hun huizen waren verborgen achter hoge muren en dichte poorten, zoals alles in Japan. De Yoshiwara was de enige uitzondering; hier werd rijkdom openlijk uitgestald, zodat iedereen het kon zien. Hier rolde het geld, geld uit het zuiden.

De zon was nog maar net op, maar de straten waren niet helemaal verlaten. Voor een van de kleinere bordelen dromden bedelaars als aasgieren samen en zochten tussen het afval naar restjes voedsel. Yozo voelde iets in zijn nek prikken en keek om zich heen. Aan de overkant van de straat, teruggetrokken in de schaduwen, stond een groepje mannen met tatoeages en geoliede knotten met samengeknepen ogen naar hem te kijken. Lijfwachten, vermoedde hij, die een oogje in het zeil hielden voor hun genotzoekende meesters. Voor hen was deze stad vijandelijk gebied. Hij keek uitdagend terug; hij had net zo veel recht om hier te zijn als zij.

Hij keek net aandachtig naar de straatvegers, zich afvragend of een van hen weldra zijn rug zou rechten en een noordelijke soldaat zou blijken te zijn, toen hij een zweem van een vertrouwde geur opving: de doordringende, zoete lucht van opium. Die had hem overal achtervolgd, van de overvolle steegjes in Batavia op Java tot de bordelen in het Quartier Pigalle. Nu voerde de geur hem terug naar de straten van Londen, Parijs en Amsterdam, waar slome jongemannen op krachtige bruine balletjes kauwden en dames laudanum dronken om tot rust te komen. Hij had gedacht dat Japan een andere wereld was, maar blijkbaar gold dat niet voor de Yoshiwara. Het dromen opwekkende genotmiddel van Europa, China en Oost-Indië kon hier ook worden verkregen, en ook hier gaven mannen zich al vroeg over aan hun eerste pijp van de dag.

De verleidelijke geur maakte hem aan het dagdromen, en hij dacht terug aan de tijd toen hij als jongeman in het huis van zijn leraar had rondgehangen en met toenemende woede het nieuws tot zich had genomen dat de Britten de Chinezen hadden gedwongen om opium te legaliseren en de Chinese havens voor Britse handelaren open te stellen, zodat de East India Company er handel in kon drijven. Amper twee jaar voor Yozo's vertrek naar het westen was de Tweede Opiumoorlog ten einde gekomen, in 1860 volgens de westerse kalender.

In datzelfde jaar hadden de Britten het zomerpaleis van de Chinese keizer in Peking verwoest. Yozo wist nog goed dat hij het nieuws had besproken met zijn vrienden, allemaal leergierige jonge studenten die heel goed beseften dat hun land eenzelfde lot kon treffen: ook Japan kon worden binnengevallen, hun gebouwen konden worden verwoest en hun manier van leven kon ingrijpen veranderen. Hij wist dat dit een van de voornaamste redenen was geweest waarom zijn kameraden en hij naar het westen waren gestuurd: om oorlogsschepen te laten bouwen en de leefwijze in het westen te bestuderen, zodat Japan een betere kans zou hebben om de westerlingen met hun eigen middelen te verslaan. En uiteindelijk hadden zijn landgenoten het spel beter gespeeld dan de Chinezen, veel beter, en waren ze erin geslaagd de vreemdelingen buiten de deur te houden; althans voor een tijdje.

Een zwaargebouwde man kwam hijgend naar Yozo toe gerend. Zijn dikke buik deinde boven zijn ceintuur op en neer. 'Hij kan elk moment vertrekken,' zei de man buiten adem.

'Wie?' vroeg Yozo, maar de ander holde al weer verder en riep naar de vrouwen die over de rand van de balkons van de bordelen keken.

Overal werden gordijnen opengeschoven en kwamen mensen naar buiten, nog steeds gapend. Jonge meisjes met gretige, witgeschilderde gezichten die eruitzagen alsof ze een masker droegen, oude vrouwtjes vol rimpels, lachende kinderen en nukkige jongeren stroomden de straat op en omsloten Yozo als een zee van geparfumeerde lijven. De mensenmassa liep over de boulevard en door een poort met een schuin pannendak een zijstraat in, om ten slotte tot stilstand te komen voor het grootste huis van allemaal, dat nog het meeste op een paleis leek. Op de gordijnen voor de ingang stonden de woorden 'Hoek Tamaya'. Yozo fronste toen hij de naam herkende. Hana had gezegd dat hij hierheen moest gaan en om werk moest vragen. Hij had gedacht dat hij haar uit zijn gedachten kon bannen, maar nu was hij hier voor haar deur beland.

Voor de ingang stond een reusachtige gelakte palankijn waarvan de gouden ornamenten schitterden in de zon. Een leger aan bedienden, dragers en bewakers in zijden livrei stond eromheen, met de borst trots vooruit. Dienstmeisjes in indigoblauwe kimono's kwamen haastig naar buiten, gingen in twee rijen tegenover elkaar staan en flankeerden zo het pad van de deur naar de palankijn.

Yozo hield zich op de achtergrond, maar de meeste toeschouwers verdrongen zich om het beter te kunnen zien en duwden andere met hun ellebogen opzij.

'Het is bijna zover,' fluisterde een jonge vrouw achter hem tegen een andere jonge vrouw.

'Misschien ziet hij me wel staan.'

'Niet jou, mij! Ik heb me niet voor niets zo mooi aangekleed. Hij zal een afspraak met me maken, dat weet ik zeker!'

Opeens was er beroering voor in de menigte en deinsden de toeschouwers zo plotseling terug dat Yozo tegen een muur werd gedrukt. Hij hoorde mensen naar adem happen en kreetjes slaken, en daarna waren er boven de schelle stemmen van de vrouwen boze uitroepen te roepen.

'Hé, jij daar, wegwezen. Waar denk je dat je mee bezig bent?'

'De baas kan elk moment hier zijn. Haal die vent hier weg!'

'Hé!' riep een barse stem met een zuidelijk accent. 'Ben jij niet een van die lafaards die in het noorden heeft gevochten?'

Yozo, die aannam dat er een medenoordeling in moeilijkheden zat, baande zich een weg naar voren, de mensen ruw opzij duwend, in de hoop dat hij zou kunnen zien wat er aan de hand was.

Een langere, magere man stond met zijn rug tegen de zijpoort van de Hoek Tamaya en keek met een woeste blik om zich heen. Hij zag eruit als een zwerver, schriel en onverzorgd, en had een litteken aan de zijkant van zijn gezicht. Een stel zwaarden stak opvallend uit zijn ceintuur. Bewakers duwden de menigte opzij in een poging bij hem te komen, maar toen ze vlak voor hem waren, bleven ze staan, met hun voeten iets uit elkaar en hun stokken in de hand, en keken hem argwanend aan. Zij waren de echte lafaards, dacht Yozo.

'Wegwezen!' riep een van hen. Hij haalde uit naar de man, die de stok vastgreep, hem uit de handen van de bewaker rukte en met een minachtend gebaar op straat smeet.

'Wat deed je in de Hoek Tamaya?' schreeuwde een ander, die hem een trap probeerde te geven. 'Je bent een dief, een laffe dief!'

De menigte had tot nu toe zwijgend en bedeesd staan kijken, maar opeens riep een vrouwenstem op schrille toon: 'Laat hem met rust!' Stemmen voegden zich bij die eerste, eerst onzeker, maar al snel luider, totdat iedereen schreeuwde: 'Laat hem met rust! Hij heeft niets verkeerd gedaan! Hij is alleen en jullie zijn met tien. Laat hem met rust!'

Opeens zeilde er een klepper over de menigte heen, die een van de bewakers midden op zijn rug trof. De bewaker draaide zich met een ruk om, dreigend, keerde zich toen om en sloeg de man met zijn stok op zijn onderarm. Diens gezicht betrok. 'Noem je mij een lafaard?' vroeg hij zacht. Zijn hand gleed naar het gevest van zijn zwaard. 'We zullen nog wel eens zien wie er een lafaard is.'

Voordat hij zijn zwaard had kunnen trekken, hadden de bewakers hem al tegen de muur geduwd. Eentje stompte hem in zijn maag, een ander draaide zijn arm op zijn rug en schreeuwde hem allerlei verwensingen in het gezicht.

Yozo kon aan de woeste haardos van de man zien dat hij tot de Kyoto-militie van de commandant moest hebben behoord, maar hij was en bleef een medestrijder. Zonder aarzelen duwde hij de toeschouwers opzij en mengde zich in het gewoel. Hij wist een van de bewakers die de noordeling vasthield een harde stomp tegen zijn oor te geven en draaide zich toen met een ruk om en plantte zijn vuist met zo veel kracht in de vlezige buik van de tweede bewaker dat die naar adem hapte. Terwijl de grote bewaker ineenzakte, stortte Yozo zich op de derde en sloeg hem zo krachtig tegen de grond dat de mouw van zijn jasje scheurde. Vervolgens wist hij met een zijdelingse trap de vierde bewaker te vellen. De noordeling vocht eveneens als een bezetene en had ook al een aantal bewakers neergeslagen.

'We kunnen er maar beter vandoor gaan,' riep hij. Hij greep Yozo bij zijn mouw, maar toen Yozo hem wilde volgen, verloor hij zijn houvast en merkte hij dat de bewakers, die ondertussen weer overeind waren gekrabbeld, hem begonnen in te sluiten. De noordelijke soldaat draaide zich om en Yozo zag dat hij probeerde naar hem toe te komen, maar de toeschouwers versperden hem de weg.

Yozo vloekte. Hij had precies gedaan wat hij Marlin had beloofd niet te zullen doen: hij had zich moeilijkheden op de hals gehaald. Als de bewakers hem zouden arresteren en zouden ontdekken dat hij op de vlucht was, dan zouden Marlin en Otsuné ook worden gestraft en kon hij zijn plan om Enomoto te redden wel vergeten. Hij legde net zijn hand op zijn dolk en draaide zich om naar zijn aanvallers toen er een hoge, indringende kreet klonk.

'Ophouden, nu meteen!'

Er viel een stilte toen een oude vrouw, die van top tot teen in het zwart was gekleed, zich met een ijzige blik over hem heen boog. Haar gerimpelde gezicht leek net een kwaadaardig dodenmasker onder de glanzende zwarte pruik. Ze hief de dunne stok op die ze in haar hand hield en liet hem met kracht op Yozo's hoofd neerkomen. Hij kromp ineen van pijn. Ze wilde hem net een tweede klap geven toen hij zijde hoorde ruisen.

'Tante, tante, ik ken deze man.'

Yozo maakte zich los uit de greep van de bewakers en draaide zich om. Vrouwen met beschilderde gezichten, gehuld in schitterende kimono's, waren uit het huis tevoorschijn gekomen en stonden bij de ingang te kijken. Achter in het groepje, bijna geheel aan het zicht onttrokken, stond een tengere gestalte, klein en fragiel. Haar haar was in een ingewikkelde wrong opgestoken en haar lichaam was gehuld in een kimono die sensueel glansde in het licht van de zon, maar ondanks alle opsmuk herkende Yozo haar toch. Het was Hana.

In de stilte was elk woord duidelijk te horen. 'Het is een van mijn bedienden, eentje die zich altijd van alles op de hals haalt, en ik aanvaard de verantwoordelijkheid voor zijn gedrag. Bewakers, laat hem los.'

De bewakers vielen op hun knieën en bogen. 'Ja, mevrouw,' mompelden ze. 'Het spijt ons, mevrouw.' Ze stonden op en maakten zich haastig uit de voeten, ingehouden vloekend.

'Het is Otsuné's neef van het platteland,' hoorde Yozo Hana tegen de oude vrouw zeggen. 'Ik heb haar beloofd dat ik een oogje op hem zou houden.' Ze liep naar voren en maakte een bestraffend gebaar naar Yozo. 'De dienstmeiden zullen je naar mijn kamers brengen. Daar moet je rustig blijven wachten totdat iemand je komt vertellen wat je moet doen.'

Terwijl de dienstmeiden Yozo wegvoerden, ving hij nog net een glimp op van een enorm dikke man met korte beentjes die net naar buiten kwam lopen. De man draaide zich even naar hem om en Yozo meende een blik van herkenning in de uitpuilende ogen te zien. Toen stapte de man in de palankijn en hesen de dragers die kreunend op hun schouders. Hun gezichten kleurden paars en de aderen in hun voorhoofd zwollen op.

Achter in de draagstoel duwde een dikke vinger de latten van de bamboejaloezie aan de achterkant uiteen. Een kraaloogje tuurde naar buiten. Hij keek naar Hana.

De jaloezie bleef open toen de palankijn tussen de buigende toeschouwers door werd weggedragen en uit het zicht verdween, gevolgd door een hele stoet dravende bedienden in livrei.

29

Yozo stond ongemakkelijk voor de deur van Hana's weelderig ingerichte vertrek. In het zachte licht dat door de papieren schermen naar binnen viel zag hij dat de vloer was bedekt met dienbladen vol gedeeltelijk gevulde borden en kommen, gebroken eetstokjes en omgevallen sakeflessen: de restjes van een bijzonder overvloedig banket. De wierook die in het komfoor was gebrand verspreidde de verstikkende geur van aloë, sandelhout en mirre. Yozo herkende de geur; die was ook uit Hana's mouwen opgestegen.

Dus hier hoort ze thuis, dacht hij verwonderd. Hij, die zich thuisvoelde op het dek van een schip, in een fort of op het slagveld, met zijn geweer over zijn schouder, was allerminst op zijn plaats in deze wereld van wandkleden, draperieën en kimono's. Ooit was hij misschien in staat geweest zich een vrouw als deze te veroorloven, maar nu, in zijn huidige berooide toestand, was ze veel te hoog gegrepen.

Deze plek straalde echter ook iets droevigs uit. De kamers mochten dan het toppunt van weelde zijn, hij wist dat ze haar gevangenis waren. De courtisanes van Europa kozen misschien zelf voor het beroep, maar zij zat hier vast, als een vogel in een vergulde kooi.

Hij liep onrustig heen en weer. Hij zou buiten op straat moeten zijn, besefte hij fronsend, zoekend naar zijn kameraden, en niet rond moeten hangen in de salon van een prostituee. Toch bleef hij waar hij was. Per slot van rekening, zei hij tegen zichzelf, had hij het aan Hana te danken dat hij niet was aangehouden. Er was echter ook iets anders wat hen bond, iets wat met Hana zelf te maken had.

Hij merkte dat hem iets dwarszat: de man die hij in de palankijn had zien stappen, de man die op een pad leek. Hij herinnerde zich de angst die hij op Hana's gezicht had gezien toen ze een dag eerder de klok had horen luiden. Was ze bang geweest omdat ze had geweten dat ze de nacht met hem moest doorbrengen? Yozo keek om zich heen en zag dat de kussens die voor het vergulde kamerscherm lagen, waren geplet, alsof er een zwaar persoon op had gelegen. Hij sloeg met zijn vuist tegen zijn andere hand en zijn gezicht vertrok bij de gedachte dat de vent die hij zo-even had gezien zich hier met Hana had vermaakt.

Een paar treden voerden hem naar de slaapkamer, die aan de andere kant aan dit vertrek grensde. Hij staarde naar de berg beddengoed in de hoek: de mooiste zijdedamast, rode crêpe omzoomd met zwart fluweel, zwaar geparfumeerd. Kimono's hingen aan de wanden en op rekken en een rek met zwaarden was in een hoek van de kamer geschoven, maar tot zijn opluchting stelde hij vast dat de futons door de kamer verspreid lagen, zoals het geval was als een courtisane hier met haar helpsters sliep, en niet keurig naast elkaar waren gelegd zoals men voor een gast zou doen.

Onder een van de kimono's was een glimp van metaal te zien. Het was een kistje, geen lakdoosje of kistje dat was ingelegd met ivoor, zoals een klant aan een courtisane zou schenken, maar een eenvoudig metalen kistje zoals soldaten droegen. Zelf had hij er ook een, en hij schrok omdat hij een dergelijk voorwerp tussen de welriekende zijde in Hana's slaapkamer zag liggen. Ze moest een echtgenoot of een minnaar of een broer hebben die in de oorlog had gestreden en dit naar haar had opgestuurd, vermoedde hij. Hij wendde zich af. De oorlog lag achter hem, dat wilde hij graag zo houden. Omdat hij zich verstikt voelde door de dikke lagen stof, de doorgestikte kimono's, de parfums, de crèmes en de poeders liep hij snel terug naar de ontvangstkamer.

Hij ging met gekruiste benen op een van de brokaten kussens zitten en pakte een pijp met een lange steel op. De man die op een pad leek, had hem aangekeken alsof hij hem kende. Yozo was er zeker van dat hij de ander ook eerder had gezien, maar hij wist niet meer waar. Toen drong er opeens een vleug van opiumrook door de papieren schermen de kamer in en wist hij het weer.

Opium. Het was bijna zeven jaar geleden geweest, toen zijn

vrienden en hij op weg naar Holland schipbreuk hadden geleden en vijftien dagen hadden moeten doorbrengen in Batavia. Hij had nog nooit een stad bezocht die zo vergeven was van ziekte en koorts. Toen hij op een avond met Enomoto en Kitaro op pad was geweest, waren ze de weg kwijtgeraakt en geëindigd in een doolhof van steegjes die naar specerijen, opium en afvalwater stonken.

Ze stommelden net in het donker door een bijzonder vuil achterafstraatje toen er opeens een deur openvloog en er een meisje naar buiten gestormd kwam dat met zo veel kracht tegen hem aan botste dat hij tegen een bouwvallige houten wand viel. In het schaarse licht dat door de deur naar buiten scheen, ving hij een glimp op van een wit gezicht met scheefstaande ogen en scherpe jukbeenderen, verlicht door een geel schijnsel. De mond van het meisje stond open, vertrokken van angst, en haar pupillen waren enorm.

Hij was net bezig overeind te krabbelen toen er een groep mannen naar buiten kwam die het meisje overeind trokken en haar naar binnen sleepten, hoewel ze zich krijsend en schreeuwend probeerde te verzetten. Yozo, Enomoto en Kitaro hadden elkaar heel kort aangekeken en wilden net naar binnen gaan om haar te redden toen er een donkere schaduw verscheen die de hele deuropening vulde. Het was een man die zo zwaar en stevig was gebouwd als een sumoworstelaar, met een klein hoofd en ogen die in opgezwollen plooien vlees leken te verdwijnen. Hij leek eerder op de aanvoerder van een Japanse yakuzabende dan op een plaatselijke bewoner. Yozo besefte toen pas dat ook het meisje er Japans uit had gezien.

'Wat is er aan de hand?' had Yozo geroepen.

'Ze is mijn bezit.' De man had een hoge, dunne stem. 'Dit is een privékwestie, het is niet nodig om u er druk over te maken. Ik dank u voor uw hulp, heren.' Toen de deur met een klap was dichtgevallen, hadden ze binnen kreten en klappen gehoord. Toen Yozo zich afwendde, besefte hij dat het meisje wellicht had kunnen ontsnappen als ze niet tegen hem op was gebotst.

Sindsdien was er zo veel gebeurd dat Yozo de gebeurtenis bijna helemaal was vergeten. Maar nu herinnerde hij die zich weer, even duidelijk alsof het gisteren was geweest: het gele licht dat door de open deur naar buiten viel en de smerige steeg verlichtte, het bleke angstige gezicht van de vrouw, de glans in de ogen van de man. Het was donker geweest, en Yozo had zijn gezicht amper kunnen zien, maar het was zo opvallend dat hij het nog steeds voor zich zag. Hij was sindsdien dikker geworden en nog meer opgezwollen, maar het was dezelfde man.

Nu Yozo eraan terugdacht, wist hij weer dat ze het incident bij de Hollandse autoriteiten in Batavia hadden gemeld, maar toen ze eenmaal de weg terug hadden gevonden door de doolhof aan steegjes had hij beseft dat ze het huis geen tweede keer zouden kunnen vinden. De autoriteiten hadden hun verteld dat het een deel van de stad was waar fatsoenlijke lieden zich niet waagden en dat het er wemelde van de criminele bendes die zich met van alles bezighielden, van handel in opium tot handel in vrouwen. Ze hoorden dat vooral de vraag naar Japanse vrouwen erg groot was; die werden als concubines aan rijke Chinese kooplieden verkocht. Vanwege het grote aantal moorden dat er werd gepleegd, werd hen aangeraden er maar niet meer te komen.

Yozo pakte diep nadenkend een stukje houtskool, hield het tegen de kop van de pijp en zoog eraan totdat de tabak begon te gloeien. Hij kon maar het beste niets tegen Hana zeggen. Hij had geen bewijs, en als hij dat wel zou hebben, zou ze toch niets kunnen beginnen.

Hij blies een pluimpje rook uit. Hij zou echter wel een oogje op haar houden. Als niemand anders bereid was haar tegen onheil te beschermen, had hij des te meer reden om dat wel te doen.

30

Hana bleef even voor de deuren van haar vertrekken staan en haalde diep adem. Ze kende zo veel mannen en Yozo was de zoveelste, zei ze streng tegen zichzelf. Dat was alles. Maar dat was niet zo, helemaal niet.

Ze dacht aan het geschreeuw en de opschudding die ze had gehoord toen ze zo-even naar buiten was gekomen en Ichimura's woeste haardos op en neer had zien deinen tussen een menigte herrieschoppers. Ze had ontzet naar adem gehapt toen ze hem had zien verdwijnen onder een wirwar van zwaaiende armen en hoofden met knotten.

Een tel later was Yozo opgedoken. Ze had niet eens tijd gehad om zich af te vragen wat hij daar deed, maar had, ademloos van bewondering, toegekeken hoe hij de schurken kalm en doeltreffend op hun nummer had gezet en als een meester in de krijgskunsten klappen en schoppen had uitgedeeld. En nu zat hij, tenzij hij was weggerend, hier in haar vertrekken op haar te wachten.

Bedeesd schoof ze de deur open. Yozo zat met gekruiste benen een pijp te roken. Zijn ogen begonnen te stralen toen hij haar zag, en ze schoof de deur dicht en knielde voor hem neer. Hij had zijn haar gladgestreken en zijn kleren gefatsoeneerd en zag er heel anders uit dan de ruige straatvechter die ze zo-even nog had gezien. Ze nam de vorm van zijn gezicht, zijn open blik en zijn sterke mond in zich op. Hij zag er nogal streng uit.

'Ik dacht dat Otsuné en Jean je hadden gevraagd om niet in moeilijkheden te raken,' zei Hana plagend. Ze probeerde haar stem licht en speels te laten klinken.

'Je hebt me gered,' zei hij. Hij keek haar ernstig aan.

Ze zuchtte. Nu hij hier in haar luxueuze vertrekken zat, omringd door schitterende wandtapijten, met de damasten kussens netjes uitgespreid rond gelakte tabaksdozen en een stapel futons die nog net zichtbaar was achter de dubbele deuren van de slaapkamer, hoefde hij niet langer te twijfelen aan haar beroep. 'Dit was dus mijn geheim,' zei ze ten slotte. 'Ik had gehoopt dat je nooit zou hoeven ontdekken wat ik doe.'

'Je leeft in elk geval in weelde.' Hij trok een wenkbrauw op. 'Zo veel rijkdom heb ik nooit gekend. Je hebt vast erg veel bewonderaars, zo veel dat je kunt kiezen wie je wilt.' Hij begon zijn pijp te stoppen en draaide de pluk tabak zo vaak om tussen zijn vingers dat die er bruin van kleurden. Toen hij weer sprak, was zijn stem zacht. 'Maar ben je niet bezorgd omdat je zo'n hoge prijs moet betalen? Ik zag die man die net vertrok naar je kijken. Je weet niet eens wie hij is, en toch sta je toe dat hij je lichaam betast. Hoe kun je dat verdragen?'

Hana kromp ineen, alsof hij haar had geslagen.

'Niemand heeft een vrije keuze in het leven,' antwoordde ze met trillende stem. 'Jij ook niet. Courtisanes zijn niet zoals andere vrouwen, we zijn een soort op zich. Misschien ben ik niet altijd zo geweest, maar nu besef ik dat het wel zo is. En ik schaam me niet voor wat ik doe.' Ze strekte zich uit. 'En je hebt het mis: ik weet wel wie die man is. Hij heeft Saburosuké Kashima en hij is veel rijker dan jij ooit zult worden.'

Yozo fronste zijn wenkbrauwen. 'Rijk, zei je? Weet je waar zijn geld vandaan komt?'

'Hij is een koopman die aan het hoofd staat van een machtig handelsimperium.' Hana probeerde uitdagend te klinken, maar haar stem trilde licht. Hij keek haar aan met een blik die haar een ongemakkelijk gevoel gaf.

'Hij kan net zo goed een geldschieter zijn, die tuig inhuurt om de klanten in elkaar te slaan die hem niet snel genoeg terugbetalen. Dat weet je niet. Of misschien handelt hij wel in vrouwen, of in opium.' Yozo zweeg even. 'Ik geloof dat ik hem al eens eerder heb gezien, in Batavia. En als ik het juist heb, zou hij wel eens heel gevaarlijk kunnen zijn.'

Hana trok haar waaier uit haar obi. 'Het wemelt in de Yoshiwara van slechte mannen die op de vlucht zijn voor het gezag. Ik ben niet zo naïef als jij lijkt te denken. Bovendien ben ik hier in de Hoek Tamaya volkomen veilig. Tante en vader zouden nooit toestaan dat iemand me kwaad doet; ze hebben veel te veel in me geïnvesteerd.'

Haar stem stierf weg toen ze besefte dat ze nooit eerder een dergelijk gesprek had gevoerd. Mannen betaalden haar om interesse te tonen, niet om over haarzelf te vertellen. Maar Yozo leek eerder belangstelling te hebben voor het leven dat ze leidde dan voor haar lichaam. Opeens voelde ze zich geroerd door zijn bezorgdheid. 'Ik bedoel dat ik zelf mag kiezen met wie ik het bed deel, of dat was tot nu toe althans het geval. Maar Saburo is anders. Als tante geld kan verdienen door me te dwingen met hem te slapen, dan zal ze dat doen, en dan kan ik niet weigeren.'

Ze boog zich naar hem toe. 'Dit was Saburo's eerste bezoek, en ik had geluk. Hij viel in slaap en heeft de hele nacht als een klein kind liggen slapen.'

Yozo klopte zijn pijp uit en legde zijn handen plat op zijn dijen. Het waren gebruinde, gespierde handen, als van een werkman. Hana stak haar hand uit en legde die op de zijne. 'Maar bedankt voor je betrokkenheid.'

Hij legde zijn pijp neer, leunde op een elleboog en keek haar recht aan, zijn hoofd rustend op zijn hand. Hij had iets, zelfs in de manier waarop hij zijn lichaam bewoog, dat anders was dan alle andere mannen die ze had gekend. Hij was gekleed als een bediende, in geleende kleren – ze herkende de kleren die Otsuné hem een dag eerder had gegeven – en zijn gezicht was gebruind en vol littekens, als van een boer, maar toch straalde hij de zelfverzekerdheid van een prins uit.

Hana was eraan gewend dat mannen meteen voor haar vielen. Ze kon de rol spelen die ze haar wilden zien spelen: minnares, vertrouweling, moeder. Daar betaalden ze haar voor. Maar ze wist dat ze tegenover Yozo niet kon doen alsof. Ze had gedacht dat ze iedere man zou kunnen betoveren, maar merkte dat ze van hem een tikje onder de indruk was. Hij leek door haar masker heen te kijken en het kind in haar te zien. Ze kon niet eens zeggen of haar befaamde schoonheid hem wel raakte.

'Waar zei je dat je Saburo hebt ontmoet?' vroeg ze.

Hij schudde zijn hoofd. 'Dat doet er niet toe.'

'Het was niet in Japan,' zei ze. 'Het was ergens anders. Ben je... buiten Japan geweest?' Ze staarde hem met grote ogen aan en begon langzaam te beseffen wat hem zo anders maakte. Nog nooit had ze iemand ontmoet die er ook maar aan dacht Japan te verlaten. Het buitenland, dat was waar vreemde zeelieden vandaan kwamen, en Otsuné's Jean. Ook Yozo wekte de indruk dat hij eigenlijk ergens anders thuishoorde, dat hij dingen wist die zij niet wist, dat hij deel uitmaakte van een wereld waarvan ze zich niet eens een voorstelling kon maken.

'Je zei dat je me alles zou vertellen,' fluisterde ze. Ze schoof dichter naar hem toe. Haar arm streek langs de zijne en ze voelde een prikkel van opwinding.

Hij staarde een tijdje in de verte voor zich uit, pakte toen zijn pijp weer op en draaide die in zijn hand om en om. 'Je kent toch dat gezegde: "Een spijker die uitsteekt, moet erin gehamerd worden"? Iedereen denkt dat we besmet zijn, mijn vrienden en ik, alleen maar omdat we in het buitenland zijn geweest en met lieden als Jean omgaan. Ze noemen ons spionnen en verraders, geen echte Japanners.' Hij glimlachte, maar het was een droevige glimlach.

'Zo denk ik niet,' zei ze. 'Maar ben je in het land van Jean geweest? Ik wil graag weten hoe het daar is, waar hij vandaan komt.'

Yozo zuchtte. 'Het is zo mooi,' zei hij langzaam. 'De hoofdstad, Parijs, is bijna net zo groot als Edo, maar de gebouwen zijn van steen, niet van hout, en ze zijn zo hoog dat je pijn in je nek krijgt van het telkens naar boven kijken. Zelfs de hemel heeft een andere kleur. Zachter, bleker.'

Hana fronste en probeerde het zich voor te stellen. 'En de mensen daar,' zei ze, 'zien die er net zo uit als Jean?' Ze dacht aan Jeans grote lijf, zijn vreemd gekleurde haar, zijn ruwe huid en opvallende blauwe ogen, en ze sloeg een hand voor haar mond. 'De vrouwen ook? Hebben ze zwart haar, of zijn ze net zoals Jean?'

Yozo staarde weer voor zich uit, alsof hij heel ver weg was. 'Maar in zekere zin hebben ze gelijk,' zei hij zacht, alsof hij het tegen zichzelf had. 'Ik ben niet echt Japans. Ik hoor hier niet langer thuis, ik ben te lang weggeweest. Dit is een gesloten wereld waarvan ik geen deel uitmaak. Ik heb te veel gezien, ik weet te veel, ik stel te veel vragen.'

Hana wilde tegen hem zeggen dat ze het begreep, dat zij in de Yoshiwara ook een buitenstaander was, dat ze hier niet hoorde. 'Waarom kom je vandaan?' vroeg ze. 'Waar is je thuis? Waar woont je familie?'

'Dat is weg, die zijn allemaal dood. Die van jou ook, vermoed ik. Ik ben niet altijd een arme soldaat geweest en jij was niet altijd een courtisane. Jij hoort helemaal niet in de Yoshiwara thuis, hè? Dat zei je zelf, we hebben allemaal een manier moeten vinden om te overleven.'

Hij rechtte zijn rug en staarde haar ingespannen aan, en ze zag de goudkleurige vlekjes in zijn bruine ogen. Toen pakte hij haar handen en bracht ze naar zijn lippen. Hana huiverde toen ze de aanraking van zijn mond voelde en trok haar handen toen snel terug. Haar lichaam was van tante. Alleen zijn met Yozo, dat was al een overtreding van de regels. Als iemand hen zou betrappen, zou zij worden afgeranseld, en ze huiverde bij de gedachte aan wat ze Yozo zouden aandoen.

Ook Yozo keek fronsend. 'Mannen betalen voor dit voorrecht,' zei hij. 'Maar ik kan zelfs dit niet betalen.'

Hana probeerde afstand tussen hen te scheppen en het verlangen te doven dat in haar oplaaide, maar ze leek elke beheersing over haar ledematen te hebben verloren. Ze keek naar hem op, en hij nam haar gezicht tussen zijn handen. Toen zijn lippen de hare raakten, voelde het juist en volmaakt, als de vervulling van een droom.

Ze liet haar vingers over zijn gezicht glijden en streek hem over zijn gladde wang. Toen pakte ze zijn hand en voelde het eelt op zijn handpalm.

'Deze hand heeft gevechten aanschouwd,' zei ze zacht.

'Vergeet niet wat ik tegen je heb gezegd,' zei hij. Hij streelde haar haren. 'Ik zal er altijd zijn om je te beschermen.'

Hana sloeg haar armen om hem heen en voelde zijn warme

lichaam tegen het hare. Hun lippen streken weer langs elkaar, en ze sloot haar ogen en gaf zich over aan de schok van het verlangen dat zijn aanraking in haar opwekte.

Buiten op de gang was het stil. Met een dwaze roekeloosheid die voelde als een greep naar de vrijheid liet ze haar lichaam met het zijne versmelten en vonden haar lippen de zijne voor een kus die zo intens was dat de adem haar werd benomen.

31

De morgen was warm en zwoel en Yozo lag te luieren in Hana's slaapkamer in de Hoek Tamaya. Hij haalde zijn vingers door haar haar, dat in een glanzende waterval over de dikke futons viel, en was ervan overtuigd dat de goden hem onder hun vleugels moesten hebben genomen. Het was een paar dagen na het gevecht en hij kon nog steeds niet geloven dat zijn leven zo was veranderd.

De geheime momenten die ze samen beleefden, waren onvoorstelbaar zoet, des te meer omdat niemand er iets van mocht merken. Hij was dol op haar geur, op de zachtheid van haar huid die hij voelde wanneer hij haar in zijn armen nam en vasthield. Voor de buitenwereld was ze een befaamde schoonheid, maar hij wist dat ze bij hem zichzelf kon zijn.

Buiten dromden de wilde ganzen samen en tegen de muren van de Yoshiwara stonden de eerste fleskalebassen in bloei. De zomer liep ten einde. Na al die rampen – de niet te winnen oorlog, de wanhopige strijd in de brandende hitte – kon Yozo nu eindelijk de verschrikkingen vergeten die hij had beleefd en naar de toekomst kijken.

Ze hadden nog steeds de liefde niet bedreven. Hij wist dat hij haar hart al had veroverd, maar haar lichaam was voor andere mannen bestemd. Het was een kwelling dat hij nooit de nacht met haar kon doorbrengen, maar ondanks alle hindernissen die hem omringden was hij gelukkiger dan hij zich ooit had kunnen voorstellen.

Hij was niet vergeten dat hij Enomoto en Otori moest zien te bevrijden, en ook die plannen begonnen vorm te krijgen. De noordelijke soldaat die hij had ontzet, Ichimura, had zich samen met Hiko en Heizo, twee kameraden die hij had weten op te sporen, bij hem gevoegd, en ze deden allemaal hun best om erachter te komen waar hun kameraden gevangen werden gehouden.

Wanneer hij Hana in de vroege ochtend bezocht, stuurde ze haar dienstmeisjes weg en sloot ze de deuren van de slaapkamer tot op een kier, zodat ze nog wel kon horen of er iemand aankwam. Kawanoto, de jonge helpster die ze in vertrouwen had genomen, had beloofd de wacht te houden en haar meteen te waarschuwen zodra tante in aantocht was.

Nu lag Hana op haar zij en keek glimlachend naar hem op.

'Is het waar? Is Saburo echt vertrokken?' vroeg hij.

'Hij is niet een keer teruggekomen. Tante vertelde dat hij een boodschap heeft gestuurd waarin stond dat hij voor zaken naar Osaka is vertrokken. Natuurlijk heb ik tegen haar gezegd dat ik erg teleurgesteld ben.' Ze glimlachte ondeugend.

'Hij komt wel weer terug,' zei Yozo, 'maar dat zien we dan wel weer.' Hij kuste haar neus en ademde de geur van haar haar in dat langs zijn borst streek toen ze dichter tegen hem aankroop.

'Ik vond het zo leuk om je gisteren in westerse kleren te zien,' fluisterde ze. 'Je zag er zo knap uit.'

'Tante was erg in haar nopjes,' zei Yozo. 'Met dank aan jou.'

Hana had tante ervan te weten overtuigen dat de Hoek Tamaya een voorsprong zou kunnen houden op de andere huizen als ze een tolk inhuurden die de rijke westerlingen kon bijstaan die steeds vaker de Yoshiwara bezochten. Vroeger hadden ze, tenzij ze in het gezelschap van Japanse vakgenoten kwamen, geen andere keuze gehad dan onverrichter zake weer te vertrekken omdat ze geen woord met de meisjes konden wisselen. De enige uitzondering waren de buitenlandse zeelieden, maar die hadden geen belangstelling voor een gesprek en zetten meteen koers naar de goedkoopste bordelen in de achterafsteegjes. Hana had tante verteld dat de neef van Otsuné de taal van de westerlingen sprak en dat de Hoek Tamaya een veel betere en vooral rijkere groep klanten zou kunnen binnenhalen als ze hem als tolk zouden inlijven.

'Dus Tama had gisteravond haar eerste westerse klanten,' zei Hana.

'Het waren twee Engelsen. Tama wilde weten of ze nog behoefte hadden aan een meisje erbij, of misschien wel een jongen, maar ik zei tegen haar dat je dat niet zomaar aan een Engelsman kunt vragen.' Hij lachte. 'Ik zei dat we hen moeten aanmoedigen om terug te komen en ze niet moeten wegjagen.'

'Die Engelsen lijken me erg vreemd,' zei Hana, die ook moest lachen. 'Ik dacht dat ze hierheen kwamen om plezier te maken.'

'Ze hebben haar vorstelijk beloond, dus Tama was erg blij, en ik neem aan dat ze tevreden waren, want ze hebben voor vanavond weer een afspraak gemaakt.'

De klok in de grote tempel aan het einde van de boulevard begon te luiden. Hana schrok op en keek hem aan. 'We hebben altijd zo weinig tijd samen, en alleen maar 's morgens,' zei ze droevig.

'Ik zal een manier bedenken om je hier weg te krijgen,' fluisterde hij, en hij kuste haar haar.

Daarna stond hij op en trok zijn gewaad om zich heen. Tijd om te gaan. Hij wierp een laatste lange blik op de slaapkamer en zag toen pas dat er iets was veranderd.

Op het kleine huisaltaar in het donkere hoekje van de kamer lagen verse offerandes, en ernaast stond een foto met brandende kaarsen. Ook het metalen kistje dat hij eerder had gezien stond er, achter de foto.

Nu hij dat daar zag staan, schrok hij zo hevig dat het leek alsof iemand hem een klap had gegeven. Tijdens de paar dagen dat ze elkaar beter hadden leren kennen, had Yozo niet veel over zijn vroegere leven gezegd, en hetzelfde gold voor Hana. Hij had over zijn reis naar Europa verteld, ook al begreep hij dat dat voor haar eerder een droom moest lijken, maar hij had de oorlog in Ezo en zijn verrichtingen aldaar vermeden en haar niet naar haar verleden gevraagd, of hoe ze in de Yoshiwara was beland. De vrouwen in de Yoshiwara praatten nooit over hun verleden; wat hun klanten betrof waren hun levens begonnen vanaf het moment dat ze hier waren gekomen. Met Hana had hij een band waarvan de klanten alleen maar konden dromen, maar toch vroeg hij haar nooit wie ze was of wat ze was geweest. Nu leek het verzwegen verleden hen echter van alle kanten te omsluiten en de cocon van hun geluk te vermorzelen.

Hij liep naar het altaar. Hij wilde het gezicht op de foto niet zien, omdat hij het akelige voorgevoel had dat hij het zou herkennen, maar hij was tevens in de greep van een onbedwingbare nieuwsgierigheid. De foto was verbleekt en vergeeld, en de hoekjes krulden om, maar Yozo kon het brede voorhoofd, de priemende blik en het dikke, achterovergekamde haar duidelijk onderscheiden.

Er liep een rilling over zijn rug. Het voelde alsof zijn keel werd dichtgeknepen. Net toen hij dacht dat hij aan een nieuw leven kon beginnen, net toen hij dacht dat al die verschrikkingen van de oorlog achter hem lagen, was dit gezicht teruggekeerd om hem te kwellen. Hij slikte moeizaam en hoorde opnieuw de schoten, voelde opnieuw de hitte van de brandende stad, en hij sloeg weer een hoek om en stond oog in oog met dit gezicht. Want er was geen twijfel mogelijk: het was de commandant.

Hij staarde naar de foto en had het gevoel dat de wierook en de rook van de kaarsen hem verstikten. Er kon maar één reden zijn waarom deze foto in de kamer stond van de vrouw die zijn hart had veroverd: ze was de dochter of de zuster of, de ergste mogelijkheid van allemaal, de weduwe van zijn vijand. Hij moest nu weggaan, bedacht hij, zonder het uit te leggen. Hij had niet het recht om hier te zijn. Maar toen dacht hij aan Saburo en aan de donkere steegjes van Batavia. Saburo zou weldra terugkeren en Hana mocht niet in zijn handen vallen.

'Die man... Wat is hij van jou?' vroeg hij met verstikte stem. 'Is hij je broer? Je vader?'

'Mijn echtgenoot.' Haar woorden waren als een steen die in een meer viel en met zijn rimpelingen de rust verstoorde. 'Ken je hem soms?'

Hij balde zijn vuisten en merkte dat het zweet hem uitbrak. Hij kon niet tegen haar liegen, daarvoor was hun band al te hecht. Maar hij wist dat hij haar voor altijd zou verliezen als hij haar de waarheid zou vertellen: dat hij deze man had gedood.

Hij aarzelde en vroeg zich af hoe hij moest antwoorden. 'Iedereen kende commandant Yamaguchi,' antwoordde hij ten slotte.

'Verraad mijn geheim alsjeblieft niet,' zei ze smekend. 'Mijn echtgenoot was een rebel, net als jij, en een beroemde. Als iemand erachter komt, zal dat mijn ondergang betekenen. De mannen die hierheen komen, zijn allemaal zuiderlingen.' Hij hoorde de paniek in haar stem.

Hij knikte. Er viel een lange stilte.

Toen ze weer sprak, klonk haar stem opgelucht. 'Ik weet dat hij een groot man en een groot krijger was; iedereen had ontzag voor hem. Mijn ouders zeiden dat ik me gelukkig moest prijzen dat ik zo'n goed huwelijk kon sluiten. Maar ik ben altijd bang voor hem geweest. Het is vreselijk om te moeten zeggen, maar ik was blij toen hij ten strijde trok. Maar toen eindigde ik hier, in de Yoshiwara. En ik ben zo bang geweest dat hij hierheen zou komen en me zou vinden en doden.'

Ze schoof de foto en de kaarsen opzij en pakte het kistje. 'En toen kwam Ichimura me een brief van hem en dit kistje brengen. Eerst wist ik niet wat ik moest doen, maar toen besefte ik dat het mijn plicht is om te rouwen. Ik wist dat je de foto misschien zou zien en hem zou herkennen, maar er is niemand anders meer in leven die zijn geest eer kan bewijzen. Het was zijn laatste wens dat zijn bezittingen in het familiegraf in Kano zouden worden begraven, en daarvoor zal ik zorg dragen. Hij was weliswaar hard en wreed, maar hij was wel mijn echtgenoot.'

Ze opende het kistje. 'Het is vreemd, maar ik heb nooit het gevoel gehad dat ik hem echt heb gekend. Hij heeft een gedicht geschreven, en ik merkte dat ik ontroerd was toen ik het las.'

Ze haalde een klein rolletje uit het kistje en rolde het open. Meteen was Yozo terug op Ezo en zag hij Kitaro in het maanlicht liggen. Weer stormde hij de vertrekken van de commandant in. Hij zag het knappe gezicht van de bevelhebber, die een penseel in zijn hand hield, en hoorde hem op sardonische toon zeggen: 'Tajima, heb je je doodsgedicht al geschreven?' De eerste regel van het gedicht van de commandant stond in zijn geheugen gegrift:

Hoewel mijn lichaam op het eiland Ezo zal vergaan,
behoedt mijn geest mijn heer in het oosten.

De foto was nog niet voldoende geweest om hem ervan te overtuigen dat de commandant echt Hana's echtgenoot was. Maar nu hij het gedicht zag, wist hij het zeker: ze waren een en dezelfde.

'Ik weet niet eens zeker of hij wel dood is,' fluisterde ze. Ze rolde het vel weer op en legde het terug in het kistje. 'Ichimura heeft Ezo lang voor de laatste slag verlaten en heeft hem niet zien sneuvelen. Ergens diep vanbinnen voel ik altijd de angst dat hij misschien helemaal niet dood is, dat hij terug zal keren en me zal vinden.'

Yozo besefte dat hij de enige ter wereld was die zeker wist wat er met haar echtgenoot was gebeurd.

'Ik heb ook een geheim,' zei hij met schorre stem, maar terwijl hij dat zei, besefte hij dat hij haar nooit kon vertellen dat hij zijn eigen bevelhebber had neergeschoten, dat hij de commandant had gedood. Het deed er niet toe wat ze voor haar echtgenoot voelde, een dergelijke wandaad kon hij niet opbiechten.

'Ik... ik heb in die laatste slag gevochten. Ik was erbij, ik zag hem sneuvelen.' Hij schudde zijn hoofd. 'Vraag me niet om je meer te vertellen. Hij is dood, geloof me, hij is dood.'

Ze sloeg haar armen om hem heen en hij begroef zijn gezicht in haar haar. 'Laten we er niet meer over praten,' zei ze. 'Het is voorbij. We zijn nu hier, samen.'

32

Hana stond bij de deur van de Hoek Tamaya en boog naar haar laatste klant die de boulevard op liep. Daarna liep ze terug naar haar kamer, haar gedachten nog steeds beheerst door het gesprek dat ze een dag eerder met Yozo had gevoerd.

Ze had hem nog zo veel willen vragen: hoe haar echtgenoot was gestorven, en wat er met zijn lichaam was gebeurd, maar ze wist dat ze niets kon zeggen. Ze had de pijn gezien die zich van Yozo meester had gemaakt, en het was duidelijk dat hij het amper kon verdragen om aan de oorlog te denken. Ze mocht dankbaar zijn dat hij haar in elk geval dit had verteld.

Ze wist niet eens of hij haar echtgenoot goed had gekend, ze wist alleen dat hij hem had zien sterven. Ze moesten zij aan zij hebben gestreden. Het enige waar ze zeker van kon zijn, was dat haar echtgenoot dood was. Nu Yozo haar geheim kende, voelde het alsof er een last van haar schouders was gevallen. Ze was niet langer alleen en hoefde niet meer bang te zijn voor haar echtgenoot. Met Yozo's hulp zou ze een manier bedenken om te ontsnappen en samen met hem terug te keren naar haar huis, naar Oharu en Gensuké.

Ik moet zien dat ik Yozo vannacht mijn slaapkamer binnensmokkel, dacht ze, misschien kan ik hem in de kast met futons verbergen. De gedachte alleen al maakte haar aan het lachen. Ze wist dat hij veel te trots was om met een dergelijk beschamend plan in te stemmen.

Terwijl de dienstmeisjes om haar heen liepen om het serviesgoed weg te halen en de futons op te vouwen, liep ze naar het altaar, stak de kaarsen en de wierook aan en legde verse offerandes neer. Toen ze voetstappen hoorde, keek ze verlangend op, in de veronderstelling dat het Yozo was die zijn ochtendbezoek kwam afleggen, maar haar gezicht betrok toen ze merkte dat het niet zijn snelle passen waren, maar een langzaam geschuifel. Ze trok haar gewaad dicht en rende naar de ontvangstkamer.

Een tel later klonk er gehoest op de gang en drentelde tante in een wolk van tabaksrook naar binnen. Hana keek haar verbaasd aan. De oude vrouw was niet opgemaakt en droeg geen pruik, alleen een gewaad van onbewerkte katoen, alsof ze zich overhaast had aangekleed. In haar ogen blonk een vreemde blik. Ze liep naar de nis en hing de rolschildering recht, bestudeerde de plank met benodigdheden voor de theeceremonie en schoof wat roerstaafjes en bamboe lepels in het rond. Daarna knielde ze neer naast de tabaksdoos en begon haar pijp te stoppen.

'Hoe lang ben je nu bij ons, liefje?' vroeg ze met haar oude kraakstem. 'Al ruim een half jaar, hè? Ik ben zo op je gesteld geraakt, het is alsof je mijn eigen dochter bent.'

Hana tilde de ketel van het komfoor en vulde met een beleefd knikje de theepot, zich afvragend wat tante in haar schild voerde. Het was niets voor haar om zo vriendelijk te zijn.

'Toen ik je voor het eerst zag, wist ik meteen dat je het ver zou schoppen,' zei tante. 'Je hebt de Yoshiwara weer tot leven gewekt. Het gaat hier weer bijna even goed als in de hoogtijdagen, toen ik de meest vooraanstaande courtisane was die door het hele land werd bejubeld – niet zo goed, natuurlijk, maar het scheelt niet veel. En de Hoek Tamaya is het beroemdste huis, met dank aan jou. Geen enkel ander huis beschikt over een courtisane met jouw charmes. Je bent al voor maanden besproken. Daar zijn we erg blij mee, liefje.'

Ze boog zich voorover. Haar gezicht was gerimpeld, maar Hana kon de fijngevormde botten onder die verwoeste huid zien en besefte hoe beeldschoon ze ooit was geweest.

Tante maakte geen aanstalten om snel weer te vertrekken. Ze riep de dienstmeisjes en sprak hen bestraffend toe, en daarna stuurde ze Kawanoto naar buiten om een menu te halen bij een van de straatventers. Ondertussen zoog ze de hele tijd vol geestdrift aan haar pijp en nam een slok van de thee die Hana haar had aangeboden.

Als ze niet snel weg zou gaan, bedacht Hana vol wanhoop, zou de ochtend voorbij zijn en was de kans op een bezoek van Yozo voor die dag verkeken.

Tante nam een flinke trek van haar pijp, blies een wolkje rook uit en leunde achterover. 'Ik wilde je het nieuws meteen komen vertellen, zodra je klant afscheid had genomen. Ik weet zeker dat je heel erg blij zult zijn, je hebt zo veel geluk. En je verdient het, meer dan wie dan ook.'

Hana rechtte haar rug en keek tante vol argwaan aan. Tante kwam doorgaans meteen ter zake, dus wat ze nu ook te zeggen had, goed nieuws kon het niet zijn.

'Ik moet wel zeggen dat ik het vervelend vind om je te zien gaan,' zei tante.

Hana's ademhaling stokte. Wat bedoelde tante daarmee? Was ze soms van plan Hana's schuld kwijt te schelden en haar vrij te laten? Daar had ze nooit van durven dromen. Nee, het moest iets anders zijn.

'Ik weet dat je ons ook zult missen,' vervolgde tante. 'Natuurlijk moet je je spullen pakken en je gereedmaken, maar er zal nog tijd genoeg zijn om afscheid van je te nemen.'

Iemand moest hebben aangeboden om haar vrij te kopen, begreep Hana. Maar waarom zei tante dat dan niet? Waarom draaide ze er zo omheen?

'Het is een prachtige gelegenheid. Saburo laat de Yoshiwara een hele nacht sluiten voor andere bezoekers en gaat het grootste feest geven dat we ooit hebben meegemaakt.'

Hana keek haar niet-begrijpend aan. 'Saburo?'

'Ja. Je hebt de grootste vis van het land gevangen, de buit waar alle meisjes op uit waren. Al die jaren heeft hij met hen allemaal gespeeld en zei hij dat hij op zoek was naar de volmaakte vrouw, en nu heeft hij haar gevonden. Het verbaast me niets, hoor, met jouw talenten en jouw uiterlijk. Wanneer hij terugkomt uit Osaka gaat hij een groot feest voor je geven.'

'U bedoelt... Saburo heeft u een bod gedaan en u wilt weten of ik daarmee instem?' Hana was zo verdoofd van ontzetting dat ze amper uit haar woorden kwam.

'Mijn lieve kind, wie hier zaken wil doen, moet snel handelen. Als we niet meteen hadden ingestemd was hij wellicht elders gaan kijken. Hij is de begerenswaardigste man die ooit de Yoshiwara heeft bezocht. Vergeet niet dat vader en ik altijd doen wat het beste voor je is. Jij bent nog maar een jong meisje dat zo weinig van de wereld weet.'

Hana was even met stomheid geslagen, maar toen rolden de woorden over haar lippen. 'U bedoelt dat u me aan Saburo hebt verkocht? Maar... dat kunt u niet doen.'

Tantes glimlach bevroor op haar gezicht. Ze had die blik in haar ogen die Hana eraan herinnerde dat ze slechts tantes bezit was, ook al was ze nog zo mooi en beroemd. 'Ik kan doen wat ik maar wil, meisje,' zei ze met zoetgevooisde stem. 'Vergeet niet dat je ons nog geen koperen *mon* hebt terugbetaald. Je bent ons heel veel geld schuldig, en die schuld wordt met de dag groter. Maar maak je geen zorgen, we hebben het allemaal al uitgerekend: hoeveel je voor ons zou kunnen verdienen als je hier zou blijven en hoeveel je zou opbrengen als we nu het aanbod van Saburo aanvaarden. Saburo is een erg gul man die jou per se wil bezitten.'

Haar gezicht veranderde en haar glimlach werd vlak. 'Het is voor je eigen bestwil, liefje. We moeten aan je toekomst denken.'

Hana slikte moeizaam. Ze kon zich geen erger lot voorstellen.

'Maar jij hoeft er verder niet je mooie hoofdje over te breken,' zei tante op neerbuigende toon. Ze stond op. 'Je hebt zelfs geen andere klanten meer. Ik heb al je afspraken afgezegd. En denk maar niet dat je naar buiten mag,' snauwde ze toen ze zag dat Hana wilde protesteren. 'Je bent veel te kostbaar. Totdat Saburo je komt halen, blijf je in je vertrekken. We zullen ervoor zorgen dat je al het eten en het naaigerei en papier en boeken krijgt die je maar wilt. O, en wat die Yozo betreft, ik heb tegen de mannen gezegd dat hij je niet meer mag lastigvallen. Je zult je hier uitstekend vermaken; je kunt lezen, naaien, de theeceremonie oefenen, kortom, je voorbereiden op de dag dat Saburo je komt halen. Vader heeft alles al geregeld en een aanbetaling in ontvangst genomen. Je bent nu Saburo's bezit.'

Nadat de deur achter tante was dichtgeschoven en haar schuifelende voetstappen waren weggestorven bleef Hana nog lange tijd zitten, te verdoofd om zelfs maar te kunnen huilen. Toen de betekenis van wat tante tegen haar had gezegd eindelijk goed tot haar doordrong, strompelde ze naar haar slaapkamer, begroef haar gezicht in de futon en bleef liggen snikken totdat ze dacht dat ze geen tranen meer over had. Net nu ze voor het eerst van haar leven van het geluk had geproefd, had ze alles verloren. Verkocht aan Saburo! Zo'n vreselijk lot had ze zich nooit kunnen voorstellen. Zelfs Yozo kon haar nu niet meer redden.

Herfst

33

Het tyfoonseizoen was gekomen en gegaan, de bomen veranderden van kleur en de bladeren begonnen te vallen. In de vroege ochtend glinsterden de daken, de houten wandelgangen en de stapstenen in de Yoshiwara van de rijp. Het was een tijd van koele lucht en een helderblauwe hemel, al kwam de zon in het steegje waar Otsuné woonde amper boven de schamele huisjes uit.

Yozo, die samen met Marlin in Otsuné's krappe kamertje zat, nam zuchtend een trek van zijn pijp. Hij was zijn ballingschap beu, hij was dit kleine vierkant van vijf straten zat, dat werd bewoond door beschilderde vrouwen en voortvluchtige mannen en waar elke avond hordes dronken genotzoekers naar binnen stroomden. Hij wilde dolgraag terug naar de echte wereld.

'Ik heb nieuws!'

De deur vloog open en Ichimura vloog naar binnen. Zijn wilde bos haar stak alle kanten op. Sinds het gevecht voor de deur van de Hoek Tamaya was hij een regelmatige bezoeker geworden.

'Admiraal Enomoto,' zei hij hijgend. Hij schopte zijn sandalen uit en liet zich naast Yozo en Marlin op de tatami vallen. 'We hebben hem gevonden, en generaal Otori ook!'

Yozo boog zich voorover en spitste zijn oren. Er verscheen een grijns op zijn gezicht.

'Ze zitten helemaal niet in de Kodenmacho.' Ichimura griste een kop sake van tafel en dronk die in een teug leeg. 'Ze zitten in een kamp voor krijgsgevangenen op het terrein van het kasteel, binnen de Hitotsubashipoort – het Oord van Disciplinaire Opsluiting, zo noemen ze het. Er zijn vijf kampen waarin totaal een

paar honderd man zitten, en ze zijn allemaal even vreselijk.'
'Heb je Enomoto en Otori zelf gezien?' wilde Yozo weten.
'Nee, ik heb dit allemaal van Eijiro gehoord, dat is een van onze mannen. Hij heeft zijn haar laten groeien, zodat hij zich voor een arts kon uitgeven, en wist de bewakers zo voor de gek te houden dat ze hem hebben binnengelaten.'
'Hoe gaat het met hen?'
'Hij zegt dat ze in redelijke gezondheid verkeren; een tikje mager, maar hun geest is sterk.'
'En de gevangenis, hoe zit die eruit? Wat is de indeling?' kwam Marlin met zijn zware stem tussenbeide. Er verscheen een diepe frons op zijn brede voorhoofd.
'Volgens Eijiro is het er vreselijk, smerig en vergeven van het ongedierte. En er is niet veel te eten, rijst en soep, dat is het wel. En het stinkt er. De lagere rangen zitten allemaal bij elkaar in een lange zaal met twee rijen tatami's; een man per mat. Sommige mannen zijn gewond, heel veel mannen zijn ziek, maar de admiraal en de generaal hebben in elk geval een eigen kamer. Eijiro gaat later vandaag terug met eten, dekens en medicijnen, zo veel als hij kan dragen.'
'We moeten Enomoto en Otori zien te bevrijden, en nog zo veel mogelijk andere mannen.'
'Dat zal niet meevallen. Het kasteel is uitstekend versterkt, met dikke muren, en wordt goed bewaakt. Maar er gaan geruchten dat de admiraal en de generaal binnenkort zullen worden overgebracht naar de Kodenmacho.'
Yozo legde zijn pijp neer en boog zich voorover. 'Weet je ook wanneer?'
'Binnen tien dagen. Eijiro doet zijn best om meer te weten te komen.'
'Je weet dat er in de Kodenmacho een executieterrein is,' zei Marlin. Hij zat er als de heer des huizes bij; hij schonk de sakekopjes bij, porde de kooltjes in het komfoor op en deelde gedroogde rijstkoekjes rond. Yozo nam een grote slok sake en trok een wenkbrauw op. 'Jij bent wel eens in de gevangenis geweest?'
'De Franse officieren hebben na hun komst naar Japan eerst een

tijd voor de shogun gewerkt. We zijn overal geweest en hebben van alles gezien.'

'Nou, ze zullen echt niet achter gesloten deuren terechtgesteld worden,' zei Yozo. 'Zo gaat dat hier niet, en in jouw land ook niet.' Dat wist hij maar al te goed; in Parijs had hij de guillotine in werking gezien. 'Als er een terechtstelling komt, dan zal die in het openbaar plaatsvinden, als een waarschuwing aan het volk, en daarna zullen de hoofden aan staken op de Japanbrug worden gezet.'

'Nou, dan moeten we er maar voor zorgen dat het niet zo ver komt,' zei Marlin. Hij stond op en liep naar Otsuné's werkhoekje. Even later kwam hij terug met een rol papier en een penseel, die hij aan Ichimura gaf.

'Ze zullen van de Hitotsubashipoort naar de gevangenis worden gebracht.' Ichimura spreidde het vel op de vloer uit, legde gewichtjes op de hoeken, maalde wat inkt en begon een grove kaart te tekenen. 'Ze zullen via de Tokiwabrug de binnenste slotgracht oversteken en vanaf daar door Kanda gaan.' Hij tekende een lijn die de grote weg aangaf. 'In die buurt zijn de mensen trouw aan de shogun, trouw tot in de dood. Als we de stoet daar aanvallen, kunnen we op steun rekenen.'

'We moeten Enomoto en Otori een bericht zien te sturen,' zei Yozo.

'Enomoto heeft zich overgegeven.' Marlin zwaaide zijn grote vinger heen en weer. 'Misschien wil hij niet worden bevrijd. Misschien beschouwt hij het als een kwestie van eer om met opgeheven hoofd de dood in te gaan. Het is een trotse man.'

'Dan heeft hij ongelijk,' zei Yozo bars. 'Als we hem bevrijden, zal dat een flinke klap voor het nieuwe regime zijn. Heel veel noordelingen zullen hem steunen en het verzet zal nieuw leven worden ingeblazen. Ik ga hem bevrijden, of hij dat nu wil of niet.'

'Vergeet niet dat je zelf ook op de vlucht bent,' zei Marlin. 'Pas op, anders eindigt jouw hoofd naast dat van hem op een staak op de brug.'

'Dat is een risico dat ik graag wil nemen.' Yozo reikte naar de fles met sake en schonk de mannen nog eens bij. 'We moeten erachter zien te komen op welke dag ze worden overgebracht en welke route ze zullen nemen. Natuurlijk zal men een hinderlaag verwachten, dus we zullen er rekening mee moeten houden dat we ons plan op het allerlaatste moment nog bijstellen. Wat hebben we aan wapens?'

'Het hoofdkwartier van de militie is afgesloten en wordt bewaakt, maar ik ben op een nacht naar binnen geglipt,' zei Ichimura. 'Ik heb Dreyse-naaldvuurgeweren, Minié-geweren, handvuurwapens en een stel bruikbare zwaarden en dolken.'

'Goed zo,' zei Yozo, en hij gaf de jongen een klap op zijn schouders. Hij bedacht dat het fijn zou zijn weer eens een geweer in handen te hebben.

De mannen zaten een tijdje zwijgend aan hun sake te nippen. Yozo klopte zijn pijp uit en liet fronsend een pluk tabak door zijn vingers gaan. Marlin schoof wat heen en weer, strekte vloekend zijn lange Franse benen uit en begon met zijn grote hand zijn knieën te masseren.

'Wat is er in de stad allemaal gaande?' vroeg hij ten slotte. 'Er doen geruchten de ronde over de verdachte dood van een pandjesbaas.'

'O, dat verhaal.' Ichimura grijnsde. 'Je kunt bij geen barbier binnenlopen of je wordt daarop getrakteerd.'

'Wil je beweren dat jij naar een barbier gaat, met dat haar van jou?' vroeg Yozo.

'Nou, goed dan, als ik in het badhuis ben. Je zou denken dat ze wel iets beters hebben om over te praten.' Hij boog zich voorover. 'Rattengif,' siste hij. 'De pandjesbaas werd onverwacht ziek. Eerst viel al zijn haar uit, toen begon hij te bloeden uit zijn neus en zijn oren, en binnen een paar uur was het gebeurd.'

'Dat is een akelige dood,' gromde Marlin.

'Zijn vrouw heeft het toch gedaan?' vroeg Yozo.

'Dat weet niemand. Het was een nare oude vent en velen wensten hem het ergste toe. Misschien was het iemand die bij hem in de schuld stond en door hem onder druk was gezet, of misschien was het een bendelid dat hij had dwarsgezeten. Hoe dan ook, de politie is er nu mee bezig. Ik houd jullie op de hoogte.'

Hij lachte schel en vrolijk en Yozo keek hem grinnikend aan. Soms vergat hij hoe jong Ichimura nog was.

Toen hij vertrokken was bleven Yozo en Marlin nog even zitten, de pijp in de mond. Yozo legde zijn hoofd in zijn nek en dronk zijn kopje leeg, genietend van de warme drank in zijn keel. Hij voelde dat de sake zijn wangen deed gloeien en zijn lippen losser maakte. De wereld leek meteen een vriendelijker oord.

'Ik kan merken dat je zo je twijfels hebt over het hele reddingsplan,' zei Marlin, die hem ingespannen aankeek. Nu ze in de Yoshiwara woonden, was de Fransman mollig en minder verweerd geworden, als een goed doorvoede kat. Het was duidelijk dat hij het fijn vond dat hij weer bij zijn vrouw was en geen haast had om weer op weg te gaan.

'Ik weet dat het een bespottelijk plan is, maar we hebben geen keuze,' zei Yozo. 'We zijn het Enomoto en Otori schuldig. Maar je hoeft niet mee te doen, Jean, misschien is het zelfs beter als je dat niet doet. Je valt te veel op.'

Marlin knikte. 'Ik ben bereid te doen wat jullie van me vragen, maar je hebt gelijk; als je ieders aandacht wil trekken, moet je een boom van een Fransman meenemen.'

'Je moet op jezelf passen, ook vanwege Otsuné.'

'Ze is een goede vrouw. Beter kan niet.' Marlin knikte bedachtzaam. 'Maar er zit je meer dwars dan deze riskante onderneming, heb ik gelijk? Want je ziet er doorgaans niet tegenop om risico te nemen. Is het Hana?'

Yozo knikte. Hij wist dat hij zijn uiterste best zou moeten doen om zijn vrienden te redden, maar hij vond het een vreselijke gedachte dat Hana in handen van Saburo zou vallen, zeker omdat hij had beloofd haar te zullen beschermen. En dat vreselijke geheim dat hij voor haar verborgen moest houden, dat hij verantwoordelijk was voor de dood van haar man, verbond hem juist alleen maar meer met haar.

'Otsuné zegt dat ze haar scherper dan ooit in de gaten houden,' zei Marlin. 'Het ziet ernaar uit dat tante iets van plan is.'

'Sinds dat zwijn hun dat aanbod heeft gedaan, houden ze haar gevangen,' zei Yozo. 'Ze doen hun uiterste best om te voorkomen dat ze uit hun greep ontsnapt. Ik bezoek haar zo vaak als ik kan en hoor heel veel nieuwtjes in de keukens. Saburo kan elk moment terugko-

285

men.' Hij balde zijn vuisten toen hij aan Saburo dacht, en aan de pijn die hij Hana zou kunnen doen.

'Brute kracht zal niet werken, vriend,' zei Marlin. 'Als we haar proberen naar buiten te krijgen, dan krijgen we én met de mannen van de Hoek Tamaya én met Saburo en zijn schurken te maken. We zullen geslepener te werk moeten gaan.'

Yozo fronste bij de gedachte aan de strenge bewaking. 'Wanneer hij terug is, zal het feest der feesten worden gegeven. Dan zal ze van tante haar kamer mogen verlaten. Ze zal prachtig worden aange-kleed ter ere van haar deelname aan...' Hij vertrok zijn lippen omdat hij de woorden niet wilde uitspreken.

'De ceremonie van de eenwording.'

Yozo knikte. 'Saburo zal een nacht lang de Yoshiwara overnemen. Als we voldoende verwarring kunnen stichten, hebben we een kans om haar te bevrijden.'

Maar stel dat de dag waarop ze Enomoto zouden kunnen bevrij-den dezelfde zou zijn als Saburo's feest, en dat hij daartussen zou moeten kiezen?

Yozo wreef in zijn ogen en schudde zijn hoofd. Hij wist werkelijk niet wat hij dan zou doen.

34

De dag was nog maar amper begonnen, maar Hana's vertrekken puilden al uit van de vrouwen: dienstmeisjes die de vloer veegden, afstoften en het beddengoed opruimden, en helpsters die onder het slaken van verrukte kreetjes samendromden rond het lakwerk, de benodigdheden voor de theeceremonie en de prachtige kimono's die Saburo had gestuurd. Hana zat er stil bij en probeerde niet aan de komende avond te denken. Opeens hoorde ze opgewonden uitroepen, het gerinkel van belletjes en het geluid van rennende kindervoetjes in de gang. De deur vloog open en Chidori en Namiji bleven even naast elkaar op de drempel staan, met grote ogen en hun handen voor hun mond geslagen. Hun enorme mouwen fladderden als de vleugels van een vlinder heen en weer.

Ze holden door de kamer naar de papieren schermen die de kamer afscheidden van het balkon en duwden ze opzij, zodat het licht naar binnen viel, op de rode en oranje herfstbladeren die in een vaas in de nis stonden en op de met goud beschilderde wanden, de sierlijke planken, de rolschildering en de kist vol bezittingen die klaarstond om te worden vervoerd. Nu Hana al die vertrouwde voorwerpen in het felle daglicht zag, drong het tot haar door dat het echt zo was: Saburo ging haar uit de Yoshiwara wegvoeren en ze zou hen nooit meer zien.

De kinderen lieten zich op hun knieën op het balkon vallen en keken op naar de mannen in lendendoeken en versleten blauwgeverfde jasjes, met hamers in hun riemen, die bezig waren lantaarns aan de dakranden te hangen. Hana hoefde niet eens te kijken om te weten dat de lantaarns waren versierd met karakters die SABURO-

SUKÉ KASHIMA betekenden. Mannen in lendendoeken klommen op ladders die tegen kersenbomen stonden en hingen papieren bloesems aan de takken, zodat de hele straat veranderde in een zee van wit en roze, alsof het voorjaar weer was aangebroken. Op elke straathoek klonk gelach en gepraat; er werd gezongen en op shamisens getokkeld.

Ze sloot haar ogen en dacht aan Yozo's gezicht, aan zijn brede voorhoofd, zijn heldere bruine ogen en zijn volle, sensuele mond. Hij had haar een dag eerder nog bezocht, nadat hij zich ervan had vergewist dat er niemand in de buurt was die hem kon betrappen.

Kort nadat tante had verkondigd dat hij niet meer in haar vertrekken mocht komen, had Tama hooghartig verklaard dat hij de enige was die ze kon vertrouwen als het om het doorgeven van een bericht aan Hana ging, en vanaf dat moment had Tama ervoor gezorgd dat ze minstens een keer per dag een bericht aan haar te versturen had. Yozo had haar verteld dat hij bijna elke avond in de Hoek Tamaya was om buitenlanders te begeleiden. Ook de gewone klanten praatten graag met hem. De bedienden kenden hem goed en lieten hem vaak een boodschap aan Hana doorgeven. Hij kende het ritme van het huis, hij wist wanneer het er wemelde van de mensen en wanneer het er uitgestorven was.

Hana had een excuus bedacht om de dienstmeisjes weg te sturen, zodat ze heel even van een kostbaar moment samen konden genieten. Hij had haar in zijn armen genomen en ze had zich als een kind aan hem vastgeklampt, met haar hoofd tegen zijn borst, genietend van de warmte van zijn lichaam en het kloppen van zijn hart. Ze twijfelde er niet aan dat dit de laatste keer was dat ze hem zou zien.

'Wees niet bang, dit is geen afscheid,' had hij gezegd. Hij maakte zich van haar los, keek haar aan en veegde haar tranen weg. 'Ik heb gezegd dat ik je zou beschermen en daar zal ik me aan houden. Ik zal mijn uiterste best doen om je uit dit huis te bevrijden, dat beloof ik.'

Ze had hem vol ongeloof aangekeken toen zijn woorden tot haar doordrongen. 'Bedoel je...'

'Tijdens het banket, wanneer iedereen dronken is of in een

opiumroes verkeert, heb je de kans om weg te glippen. Ik blijf in de buurt, zodat ik je kan helpen.'

Hana had zijn handen gepakt en die tegen haar lippen gedrukt. 'Nee, nee, dat is gekkenwerk,' zei ze hoofdschuddend. 'Dat is veel te gevaarlijk. Het is niet alleen Saburo; er lopen overal bewakers rond, en ook al zouden we erin slagen uit de grote banketzaal te ontsnappen, dan zouden we de Grote Poort gesloten vinden.'

'Jean wist mij te bevrijden uit een bamboe kooi die werd omringd door een bataljon soldaten. Als hij dat voor mij kon doen, kan ik jou ook bevrijden. En we hebben hulp. Het lukt me wel.'

Hij nam haar in zijn armen en hield haar tegen zich aan. Ze voelde zijn handen door haar haar en zijn warme mond op haar voorhoofd en wangen. Toen raakten hun lippen elkaar en kuste ze hem gretig. Heel even leken al haar problemen te verdwijnen en vergat ze alles, simpelweg omdat ze zo dicht bij hem was.

'Als ik zou kunnen ontsnappen, zou ik je overal heen volgen,' had ze ademloos gezegd. Even stond ze zichzelf toe een wilde hoop te koesteren.

'Ik ben voortvluchtig,' fluisterde Yozo. 'Ik kan je toch niet vragen zo'n leven te delen?'

'Dit betekent allemaal niets.' Ze keek om zich heen, naar de glanzende gouden schermen en de rolschilderingen, naar de benodigdheden voor de theeceremonie en de kimono's op de rekken. In de maanden dat ze hier gevangen had gezeten, waren het ketenen geworden die haar op haar plaats hielden. 'Die spullen zijn niet eens van mij. Tante zou zeggen dat de meeste van haar zijn.'

Hun gezichten waren zo dicht bij elkaar dat zijn adem zich met de hare leek te vermengen. Ze stak haar hand uit en raakte zachtjes het litteken op zijn wang aan. Zijn huid was warm en droog onder haar vingertoppen en ze voelde de stoppels op zijn kin.

'Wees alsjeblieft voorzichtig,' had ze gezegd. 'Ik weet dat ze mij geen pijn zullen doen – ik ben levend te veel waard – maar ik vrees voor jouw lot.'

'Mij maak je niet zo gemakkelijk dood,' had hij glimlachend gezegd, en hij had haar weer tegen zich aan gedrukt en haar haar gestreeld. In de verte hoorde ze de schermen rammelen in hun sponningen, onregelmatig klepperende voetstappen buiten op straat, het schrille getsjirp van de insecten van de herfst. Als ik ergens ter wereld veilig ben, dacht ze, dan is het hier, in zijn armen.

Toen hoorden ze op de gang stemmen die steeds dichterbij kwamen en had hij weg moeten glippen. Alleen en verlaten had ze de tranen laten stromen. Het was zo wreed dat het geluk dat ze eindelijk had gevonden haar nu weer werd ontnomen.

Ze knielde neer voor de verweerde bronzen spiegel op de standaard en keek naar zichzelf. Dat gezicht dat bij mannen zo veel verlangen opwekte had haar alleen maar ongeluk gebracht. Ze was ten prooi gevallen aan de waanzin waarvoor Otsuné en Tama hadden gewaarschuwd: ze had haar hart verloren, hopeloos, helemaal. Als dat niet zo was geweest, had ze misschien gewoon met Saburo mee kunnen gaan, had ze kunnen genieten van zijn rijkdom en aan iets anders kunnen denken wanneer hij op haar kroop. Maar nu wist ze dat ze een dergelijk leven nooit zou kunnen aanvaarden.

De schaduwen van de kandelaars kropen traag over de vloer. De tijd verstreek en bracht haar steeds dichter bij het moment waarop ze oog in oog zou staan met Saburo. Weer dacht ze aan Yozo's lippen op de hare, aan zijn sterke lichaam, aan de tedere woorden die hij tegen haar had gezegd.

'Ik wou dat je niet weg hoefde,' zei Kawagishi. Ze wendde zich af en deed alsof ze druk bezig was met de potjes make-up, maar ze streek met haar hand langs haar ogen. 'Misschien leer ik op een dag ook iemand als Saburo kennen,' fluisterde ze sniffend.

'Als het kon, nam ik je mee,' zei Hana, en ze meende het.

'Saburo moet wel de rijkste man ter wereld zijn,' zei Kawanagi. Ze stak een magere vinger uit en raakte de mouw aan van een kimono die stijf was van het gouddraad. Er school een hongerige blik in haar ogen. Voor deze meisjes was Saburo door al zijn rijkdom onweerstaanbaar. Het kon hen niet schelen dat hij oud en dik was, ze zagen niet dat hij kleine oogjes en pafferige wangen had, ze zagen alleen zijn fortuin. Hana had de man veroverd naar wie alle meisjes in de wijk verlangden – hij had haar zelfs vrijgekocht – en ze waren allemaal hogelijk verbaasd dat ze niet meer enthousiasme toonde.

Hana keek naar hen. Kawagishi's gezicht was bleek en ingevallen en Kawanagi was pijnlijk mager. Ze zagen er allebei verslagen uit, alsof ze de hoop allang hadden opgegeven, alsof ze uit eigen bittere ervaring wisten dat het het lot van een vrouw was om te lijden en dat het dwaas zou zijn om iets anders van het leven te verwachten. Hana fronste. Dat was niet haar lot, bracht ze zichzelf in herinnering, en ze moest haar uiterste best blijven doen om haar toekomst in eigen hand te houden.

'Hij heeft vast een reusachtig huis,' zei Kawanagi.

'Hij heeft vast heel veel huizen,' opperde Kawagishi. 'Hij zal vast voor jou een huis laten bouwen op het terrein van zijn belangrijkste onderkomen.'

Ze keken haar allebei met grote ogen aan, alsof ze zich amper een voorstelling van een dergelijk geluk konden maken.

'Je zult zijn favoriete concubine worden, kun je je je dat voorstellen? Je zult zijn kinderen baren,' zei Kawanagi. Een glimlach liet haar magere gezicht stralen. Hana probeerde ook te glimlachen, maar ze was zo in de greep van angstige voorgevoelens dat het haar moeite kostte om hun gebabbel te volgen.

'Hij brengt vanavond vrienden mee,' voegde Kawagishi eraan toe. 'Misschien laat een van hen wel een oogje op jou vallen, Kawanagi!'

'Of op jou, Kawagishi,' zei Kawanagi.

'Of op ons allebei,' zeiden ze tegelijkertijd, en ze barstten samen in lachen uit.

Zelfs de nukkige Kawayu was langsgekomen, al vermoedde Hana dat ze vooral hoopte te profiteren van Hana's voorspoed. Na een zware nacht vol klanten leek haar haar nog het meest op een vogelnest, en ze had een sjofel ongewassen gewaad losjes om zich heen geslagen. Ze rook zuur, alsof ze zonder eerst een bad te nemen naar Hana's kamers was gekomen.

'Je bent vanaf het eerste moment dat je hier was al het lievelingetje van tante.' Ze spuugde de woorden bijna uit. 'Tante loopt altijd over je op te scheppen, maar ik snap echt niet waarom. Dat is de enige reden waarom Saburo je heeft gekozen.'

'Saburo herkent kwaliteit wanneer hij die ziet,' merkte Tama lief-

jes op. 'Een rijkaard zoals hij kom je maar eens per generatie tegen.'
Hana glimlachte dankbaar naar haar.

Tama was de enige die niet het slachtoffer was van een sombere stemming, die niet werd verteerd door jaloezie of overliep van opwinding. Ze was net een kat voor een muizenholletje, kalm en beheerst.

Wanneer ze niet was opgemaakt en eenvoudig gekleed ging in een onversierd katoenen gewaad dat slordig om haar grote lijf was gewikkeld, was het overduidelijk dat Tama een boerenmeisje met grove trekken was, maar ze bleef een betoverende uitstraling houden. Ze zat met haar benen onder zich gevouwen de ene pijp na de andere te roken en voorzag iedereen van goede raad. Dienstmeisjes renden naar binnen om thee te serveren, een groepje geisha's kwam vragen welke dansen ze die avond moesten uitvoeren, gevolgd door narren die wilden weten wat zij aan vermaak moesten bieden. Dienstmeiden liepen af en aan met kimono's die gedragen zouden worden.

'Mannen zijn dwaze wezens,' vervolgde Tama. 'Hana, kun je je Shojiro nog herinneren? Toen was je hier nog maar net. Hij dacht dat hij me kon bedriegen en ook nog eens een andere courtisane kon bezoeken. Chidori betrapte hem toen hij bij de Matsubaya naar buiten geslopen kwam, en we hebben hem vastgepakt en zijn knot afgesneden. Weet je dat nog, Chidori?'

Hana probeerde te glimlachen. Ze wist dat Tama haar van de naderende beproeving probeerde af te leiden.

'En die Engelsen,' zei Tama met een knipoog naar Hana. Alleen al de gedachte aan de Engelsen was doorgaans voldoende om de meisjes te laten lachen totdat ze er buikpijn van kregen. 'Om te beginnen konden ze maar één ding zeggen: "O, dat kan ik niet, dat kan ik niet!"' Ze trok een gezicht en gooide haar hoofd in haar nek, met een uitdrukking vol boze verontwaardiging. 'Ze waren eigenlijk te oud om nog iets nieuws te leren, maar ik besloot ze toch een lesje te geven, en weet je, nu zijn ze niet meer te houden. Maar ik zorg er altijd voor dat ze eerst een bad nemen voordat ze in mijn buurt komen. Ze zeggen dat ze in hun land maar een keer per week baden. Dat kun je je toch niet voorstellen? Maar goed, ze zijn vast tevreden, want ze sturen hun vrienden ook langs. Maar de Fransen bevallen me het beste. Die willen alles proberen.'

Chidori kwam vanaf het balkon naar binnen gehuppeld en draaide midden in de kamer een rondje, zodat haar rode mouwen wapperden. 'Kijk eens!' riep ze met een hoog stemmetje. 'Dit dansje ga ik vanavond doen.'

Ze hief haar mollige armpjes, trok een ernstig, pruilend gezicht en zette een paar stappen. Toen bedacht ze zich opeens, rende naar Hana toe en sloeg haar armen om haar heen.

'Ik ga u missen, grote zus,' zei ze op ernstige toon met haar piepende meisjesstem. 'Ik wou dat u niet weg hoefde te gaan.'

Hana boog haar hoofd om haar tranen te verbergen, en op hetzelfde moment ging de deur open en kwam Otsuné binnen met een enorme bundel in haar armen. Ze glimlachte geruststellend naar Hana, legde haar bundel neer en begon kammen en krulijzers uit te stallen en potjes was en pommade te openen die al snel hun muskusachtige geur door de ruimte verspreidden. Tama wendde zich traag tot de helpsters.

'Kawagishi, Kawanagi, Kawayu, en jullie ook, Chidori en Namiji. Ga naar mijn vertrekken, nu. Tijd om jullie klaar te maken. Ik kom zo.'

Chidori wilde protesteren, maar Tama stak fronsend haar vinger op en het meisje liep achter de anderen aan naar buiten. Tama zond ook de dienstmeiden weg, en er viel een stilte. Otsuné pakte een krulijzer uit het vuur en begon aan Hana's dikke zwarte haar te trekken.

'Tante komt eraan, we hebben niet veel tijd,' zei ze.

Hana draaide zich met een ruk om en staarde haar aan.

'Als we je hier vanavond willen weghalen, dan moeten we voorbereidingen treffen.'

Hana's hart begon hevig te bonzen. Nu begreep ze waarom Tama er zo stilletjes bij had gezeten, met die vreemde uitdrukking op haar gezicht. Yozo had zich aan zijn belofte gehouden.

'Je moet ervoor zorgen dat niemand iets vermoedt, zeker Saburo niet,' fluisterde Otsuné. 'Doe vrolijk en ontspannen, laat hem denken dat je het geweldig vindt dat je zijn concubine zult worden, dat je vol ongeduld op hem hebt zitten wachten. Je weet wel wat ik bedoel.' Hana knikte ademloos. 'Zo moeilijk is dat niet. Dat doe ik elke dag bij mijn klanten.'

'En als ik een teken geef, moet je zorgen dat je klaar bent om te gaan,' zei Tama.

'Wat voor teken?' vroeg Hana ademloos.

'Dat merk je wel als je het ziet. Maar eerst moeten we tante op het verkeerde spoor zien te zetten.' Otsuné boog zich weer over Hana's haar en legde net het krulijzer tegen haar hoofd toen er op de gang voetstappen klonken en tante naar binnen schuifelde, gekleed in een sjofel gewaad. Haar onopgemaakte gezicht was gerimpeld en ingevallen.

Ze had een lange boekrol in haar hand en er waren penselen in haar ceintuur gestoken. 'Dertig gelakte bladen,' mompelde ze, 'dertig soepkommen, dertig kleine vierkante borden, dertig platte ovalen schalen...' Haar mond viel open toen ze het lege vertrek zag, en ze slaakte een kreet van ongeloof.

'Wat is hier aan de hand? Waar is iedereen? Dit is de belangrijkste dag in de geschiedenis van de Hoek Tamaya. Iedereen zou hier moeten zijn om Hana te helpen met de voorbereidingen.'

'Rustig maar, tante,' zei Tama snel. 'Gelukkig bent u er nu. Die domme meisjes zaten maar te bekvechten over de vraag wie er naast Saburo mocht zitten en wie de mooiste kimono zou dragen, die met de gouden chrysanten erop. En toen beschuldigde Kawayu Kawagishi ervan haar klanten af te pakken, en toen begon ze aan haar haar te trekken en te duwen. Ik geloof dat ze de mouw van haar kimono heeft gescheurd.'

'Niet weer die Kawayu,' merkte tante grommend op. Ze kneep haar lippen samen. 'Misschien kunnen we haar beter wegdoen.'

'Ze maakten allemaal zo'n stampij dat het me beter leek hen naar mijn kamers te sturen.'

'Daar heb je goed aan gedaan. Hana heeft rust nodig, zodat ze zich kan voorbereiden op haar optreden van vanavond.'

Hana bleef zwijgend zitten en hoopte dat tante niet zou zien hoe gespannen ze was.

'Ik heb ze tot kalmte gemaand, tante. U had het niet beter kunnen doen,' zei Tama uitdagend.

'Dat zullen we nog wel eens zien.' Tante kon dit niet zomaar laten passeren. 'Dit is niet het juiste moment voor ruzie.' En ze snelde de kamer uit, met Tama in haar kielzog.

Otsuné en Hana hielden hun adem in totdat de voetstappen in de verte waren weggestorven, en daarna zocht Otsuné in haar bundel. Onder de haarspelden en kettingen met turkoois en koraal lag een keurig opgevouwen stapeltje verschoten kleren. Ze duwde die Hana in de handen.

'Snel, trek dit aan,' siste ze. Terwijl Otsuné de wacht hield, rende Hana naar het slaapvertrek, verborg zich achter een scherm en kleedde zich tot op haar rode zijden onderrok uit. Ze trok een indigoblauwe broek met strakke pijpen aan, zoals een boerenvrouw of een gezel zou dragen, en stopte de onderrok zo strak als ze kon in. Ze worstelde met het koord waarmee de broek sloot; haar handen trilden zo hevig dat ze geen knoop kon maken, maar toen besefte ze geschrokken dat ze de broek verkeerd om had aangetrokken. Snel trok ze hem uit en deed hem andersom weer aan. Daarna trok ze een overblouse aan, waarvan de ruwe stof langs de gevoelige huid van haar borsten schraapte, gevolgd door een onderkimono en een tweede kimono, zodat de dunne katoenen kleren geheel waren bedekt. Daarna liep ze haastig terug naar de ontvangstkamer. Ze merkte dat de broek aan haar rok bleef haken en zich rond haar benen wikkelde, zodat ze bijna struikelde.

'Kun je de kleren zien?' fluisterde ze. Ze draaide een rondje en probeerde zichzelf in de spiegel te zien. 'Lijkt het niet te dik?'

'Je ziet er nu al niets meer van, en tegen de tijd dat je helemaal bent aangekleed, zal niemand het merken,' zei Otsuné kalm.

Toch voelde Hana haar hart hevig bonzen en haar ademhaling snel en oppervlakkig gaan toen ze besefte hoe groot het risico was dat ze namen. Het was waanzin om met een man als Saburo te spelen. Hij had haar voor een enorm bedrag gekocht, ze was zijn bezit; als hij haar zou willen doden, stond niets of niemand hem in de weg. Maar dat doet hij niet, zei ze tegen zichzelf. Ze was een te kostbare investering en haar uiterlijk bood haar bescherming; hij zou een dergelijke schoonheid niet willen beschadigen. Yozo was echter een ander verhaal. Het deed er niet toe hoe dapper hij was, en of hij een geoefend soldaat was: Saburo had zo veel lijfwachten dat Yozo het nooit tegen hen allemaal zou kunnen opnemen.

Otsuné sloeg een arm om haar heen.

'Maak je maar geen zorgen,' zei ze. 'Zelfs als Yozo er niet in zou slagen om je vanavond mee te nemen en je met Saburo zult vertrekken, dan nog kun je er zeker van zijn dat hij je samen met Jean zal komen bevrijden. Je kunt Yozo vertrouwen, en Jean ook.' Otsuné stak haar een beurs toe.

'Nee, nee, ik heb geld,' zei Hana met bevende stem.

'Neem dit nu ook maar aan, neem zo veel mogelijk mee. Verberg het geld in je mouwen, en waar je maar kunt.'

Hana beet op haar lippen en deed haar ogen dicht. Ze moest kalm blijven, wat er ook gebeurde.

'Voor een lang leven en een veilige reis,' zei Otsuné, die de beurs samen met een amulet in Hana's mouw stopte. Hana haalde diep adem en ging voor de spiegel zitten. De katoenen broek vulde ruw aan tegen de binnenkant van haar dijen. Otsuné pakte de krulijzers van het komfoor en begon ijverig aan haar haar te werken.

35

Vanuit haar kamers op de bovenste verdieping hoorde Hana het ge-kraak van een zware palankijn die werd neergezet, gevolgd door het geluid van een zwaar lijf dat zich kreunend en grommend en onder het slaken van kreten als 'Idioot! Hierheen, doe eens rustig. Waar denk je dat je mee bezig bent?' uit de draagstoel perste.

Ze had gehoopt dat er iets zou gebeuren dat de komst van Saburo zou verhinderen, maar er leek geen ontsnappen mogelijk. Ze hoor-de dat tante en de dienstmeid hem welkom heetten en daarna het geluid van voetstappen die door het huis en langs de voet van de trap naar de grote ontvangstkamer stommelden. Deuren gingen open en weer dicht, gasten stroomden naar binnen en ze hoorde de dienstmeisjes heen en weer trippelen met bladen vol voedsel en drank.

Aan de andere kant van de papieren schermen waren de geluiden van de straat te horen: shamisens waarop werd getokkeld, tromge-roffel, kleppers, kwetterende stemmen. Overal in de Yoshiwara gin-gen feestjes van start. Saburo had alle vijf de straten afgehuurd, zo-dat zijn gasten van het ene naar het andere huis konden lopen om te genieten van de muziek, de dans en het eten, alles op de kosten van de gastheer. Ook konden ze slapen met wie ze maar wilden.

De avond viel en schaduwen vulden de kamer. Hana knielde sa-men met Chidori en Namiji neer en wachtte totdat ze zou worden geroepen. Haar mond was droog en haar hart bonsde. Ze ving een glimp op van haar eigen spiegelbeeld en zag dat het niet Hana was die daar zat, maar Hanaogi, die haar als een oude vriendin aan-keek. Opeens voelde ze een vlaag van zelfvertrouwen. Hana was misschien bang, maar Hanaogi kon zich met iedereen meten.

Otsuné had zichzelf overtroffen. Hana's gezicht was perfect beschilderd; ogen zwart als sleedoorn, lippen als karmozijnrode bloemblaadjes in een sneeuwwit gezicht dat werd omlijst door de kragen van kimono's; een blauwe met een dessin van esdoornbladeren, een rode doorweven met gouddraad. Haar haar was opgekamd tot een hoog oprijzende glanzende toren, bekroond met een krans waaraan allerlei ornamenten hingen. Aan weerszijden van haar gezicht hingen kettinkjes met stukjes turkoois. Ze voelde het gewicht van de lagen van de kimono's, die ruisten wanneer ze zich bewoog. Onder al die stoffen herinnerde het ruwe katoen haar aan de taak die voor haar lag.

De kleine meisjes keken met grote ogen naar haar op. Ze waren even fraai gekleed als zij, en even nerveus. Ze trok een paar spelden uit haar haar en gaf er hun elk een.

'Dat brengt geluk,' zei ze. 'Als jullie deze dragen, zullen jullie befaamde courtisanes worden.'

Tegen de tijd dat tante haar ontbood, was het feest al in volle gang. Toen Hana voor de ingang van de banketzaal stond te wachten, kon ze het snelle geschuifel van dansende voeten, het gedronken gebral en het schaterende gelach horen. Ze rechtte trots haar rug. Ze zou hen allemaal iets laten zien wat ze nooit meer zouden vergeten.

De deuren werden geopend en er viel een stilte. Ze bleef even staan, zodat ze haar in zich konden opnemen, en stak toen haar blote voet onder de zoom van haar zware kimonorokken uit. De gasten hielden hun adem in, er klonk hier en daar applaus, er werd 'Hanaogi!' geroepen.

Saburo lag uitgestrekt op de brokaten kussens op de vloer, leunend op een elleboog. Zijn brede gezicht was vlekkerig en vertoonde een zweem van paars. Hij leek nog dikker dan ze zich kon herinneren. Toen haar blik de zijne kruiste en ze een sierlijk knikje gaf, vroeg ze zich af welke gedachten er schuilgingen achter dat zware voorhoofd en die zelfingenomen, verlekkerde blik, en waarom hij zo veel moeite had gedaan om haar te kopen. Was ze een trofee die hij aan zijn verzameling wilde toevoegen, of had hij andere plannen met haar? Hij kneep zijn ogen samen en ze zag begeerte gloeien, maar ook nog iets anders, iets wat de rillingen over haar rug deed lopen.

Met de sleep van haar rokken zwierig achter zich aan schreed ze naar hem toe en knielde voor hem neer. Tama zat naast hem, in een schitterende zwarte overkimono met een obi die zwaar was van het borduursel in zilver- en gouddraad en die van voren in een enorme knoop was gebonden. Ze gaf Hana een schaaltje van rood lakwerk aan dat tot de rand met sake was gevuld, en Hana bood het buigend aan Saburo aan. De ceremonie van de eenwording – drie slokjes sake uit drie kopjes – was zo voorbij, maar toen ze het laatste slokje nam, had ze het gevoel dat ze een grens was overgestoken en nooit meer zou kunnen terugkeren.

Ze onderdrukte een gevoel van paniek en boog glimlachend naar de gasten. De halve regering was aanwezig; mannen met rood aangelopen gezichten die hun kopjes sake hieven om te drinken op het geluk van het pas verenigde paar. Op de tafels voor hen stonden schalen met eitjes van zee-egels, kommen met de ingewanden van bonito's en schijfjes inktvis, skeletten van karpers met kop en staart nog intact, plakjes sashimi van kraanvogel, die geluk moesten brengen, en rijst vermengd met schaaldieren, een befaamd lustopwekkend gerecht.

De geisha's hervatten hun dansen; het waren niet de sierlijke dansen die bij het begin van een feest hoorden, maar een wildere, meer bezeten dans, aangespoord door het aanhoudende geroffel op trommels.

Masaharu zat aan de andere kant van het vertrek, met Kaoru zo dicht naast hem dat hun knieën elkaar raakten. Ze vulde zijn kop sake bij en lachte om zijn grapjes. Hana's blik kruiste even de hare, en Kaoru schonk haar een giftige glimlach. Nu Hana Masaharu's jonge fijngevormde gezicht zag, moest ze denken aan de nachten die ze samen hadden doorgebracht en ze voelde een steek van verdriet. Het zou allemaal zo eenvoudig zijn geweest als Masaharu haar tot zijn concubine zou hebben genomen – maar dan zou ze Yozo nooit hebben leren kennen. De jonge ambtenaar met de zware wenkbrauwen die Hana ooit had bezworen dat hij niet zonder haar kon leven, wierp haar een blik vol weemoedig verlangen toe. Als hij haar zo graag had gewild, had hij zelf voor haar moeten betalen, luidde haar redenering. Nu had een ander haar vrijgekocht. Saburo's dikke wangen en de plooien vet onder zijn kin glansden van het zweet. Ze boog zich naar hem toe. 'Waar hebt u al die tijd gezeten?' zei ze plagend en quasi-bestraffend. 'Was uw werk zo belangrijk dat u me niet eens kon komen opzoeken? Niet een keer?' Ze pruilde. 'Ik begon al te denken dat u me niet aardig meer vond.'

Hij vouwde zijn waaier open en sloot een klamme hand om haar pols.

'Je bent nu van mij, lekkertje.' Hij kneep zijn ogen samen, als een kikker die een vlieg in zicht krijgt. 'Was het feest alvast maar voorbij. Ik kan wel merken dat je van ondeugende spelletjes houdt.'

Zijn greep werd steviger, en ze voelde dat haar wilskracht wegebde. Angst sloot zich als een vuist om haar binnenste.

Tama legde een hand op zijn vochtige dij. 'U hebt tijdens uw afwezigheid heel veel roddels gemist,' zei ze op zijdezachte toon, terwijl ze vanuit haar ooghoeken een steelse blik op Hana wierp. 'Kent u Chozan nog, van de Chojiya aan de overkant? U zult nooit raden wat zij heeft gedaan!'

'Dat ga je me vast wel vertellen,' zei Saburo, die zich lui naar haar omdraaide.

'Die versierder van een Sataro, de zoon van de rijke koopman die zo dol op haar was... Ze was er zeker van dat hij haar zou huwen als ze hem ervan kon overtuigen hoeveel ze van hem hield. Ze deed haar uiterste best om iets te bedenken waarmee ze haar liefde kon tonen, en weet u wat ze deed?'

Saburo schudde zijn hoofd.

'Ze schreef hem een brief waarin ze vertelde dat ze het topje van haar pink zou afhakken om haar liefde te bewijzen – en dat heeft ze gedaan. U kunt zich niet voorstellen wat voor opschudding en wat een rommel dat gaf. Natuurlijk viel ze flauw, en het topje vloog door het raam naar buiten. Pas toen besefte ze hoe dom ze was geweest.'

'En is hij met haar getrouwd?'

'Natuurlijk niet. Wie wil er nu een meisje met een halve pink?'

'Je weet wat ze zeggen.' Saburo keek even naar Hana. 'De grootste leugen die een courtisane vertelt, luidt: "Ik hou van u." Die van een klant? "Ik wil met je trouwen".' Tama begon net aan een volgend grappig verhaal toen tante in haar handen klapte. 'Onze eerwaarde gast Saburo-sama heeft vanavond een verrassing voor ons. Kom maar binnen, Chubei, je hoeft niet zo verlegen te zijn!'

Chubei zat in zijn katoenen jasje met wijde mouwen geknield in de deuropening, voorovergebogen, met zijn handen op de grond. Hij was de kok van de Hoek Tamaya en beroemd in heel Edo. Hana kende hem goed. Het was een vriendelijke man, klein en mollig, met een glanzend kaal hoofd en vlezige handen die altijd grondig schoongeboend waren. Zijn enige zwakte was een voorliefde voor sake, en ook vandaag stond er zoals zo vaak een ongewoon felle blos op zijn wangen. Enigszins onvast liep hij door de zaal naar Saburo en knielde voor hem neer, terwijl koksmaatjes in witte jasjes ondertussen een lage tafel neerzetten met een stel grote houten snijplanken erop.

Saburo likte zijn lippen af en nam nog een slok sake. Hana vulde snel zijn kop bij met de warme goudkleurige drank.

'Chubei!' bulderde hij. De kok kromp ineen onder zijn blik. 'Ben je mijn speciale bestelling vergeten?'

De kok draaide zich om en klapte in zijn handen. Een stel koksmaatjes kwam binnen, met een zware houten emmer tussen hen in. Ze deden hun best om geen druppel op de tatami's te morsen. De gasten die met gekruiste benen aan hun tafels zaten, keken aandachtig toe.

De kok bond zijn mouwen op en stak daarna met een zwierig gebaar, alsof hij een optreden gaf, zijn hand in de emmer en haalde er een vis uit. Het was een opgezwollen beest met zwarte stippen, bruin-oranje strepen en een witte buik, de lelijkste vis die Hana ooit had gezien. Toen de kok hem omhooghield, begon het dier wild te spartelen, zodat het water in het rond spatte, en opende en sloot het zijn bek waarin ze kleine tanden zag glanzen. De buik was bedekt met stekels.

'Fugu,' zei Saburo, op wiens gezicht een enorme glimlach verscheen. 'Kogelvis.'

'Tijgerkogelvis,' verbeterde Chubei stijfjes. 'De beste die er is. Ze kosten een fortuin, zeker in deze tijd van het jaar.'

'Een feestmaal voor een rijk man,' merkte Saburo tevreden en stralend op. 'En voor zijn vrienden natuurlijk.'

'U hebt er drie besteld, heer. Eentje is reeds bereid. De sake met geroosterde fuguvinnen staat voor u klaar.'

'Alles op zijn tijd,' antwoordde Saburo. 'Ik wil eerst zien dat je dit monster aansnijdt.'

'We bereiden vaak kogelvissen ten overstaan van onze gasten, maar dit is de eerste keer dat ik het in de banketzaal doe,' zei Chubei een tikje nerveus.

Hana keek ongemakkelijk toe. Tama had de leiding over alles moeten hebben, maar op de een of andere manier had Saburo de touwtjes in handen genomen. 'Is fugu niet giftig?' fluisterde ze.

'Wat een kind!' zei Saburo. 'Niet als hij goed wordt bereid. Het is de koning der vissen. Maar je hoeft er je mooie hoofdje niet over te breken, dit is niet voor jou. Dit is een gerecht voor mannen! Behalve dan voor de shogun; die mocht er niet van eten, vanwege het gevaar van vergiftiging, maar uiteindelijk hebben we ons zonder hulp van de vis van hem weten te ontdoen. Nietwaar, heren?'

Uitgelaten geschater schalde door de zaal. Hana was vergeten dat hier alleen maar zuiderlingen zaten.

'Hanaogi-sama heeft gelijk, heer,' zei Chubei bescheiden. 'Alleen de beste koks kunnen de kogelvis bereiden zoals het hoort. Het is een bijzonder ingewikkelde taak, en een fout is zo gemaakt. Wie per ongeluk met het mes langs de lever strijkt, verpest de hele vis.'

'Dobbelen met de dood.' Saburo wreef verlekkerd in zijn dikke handen. 'Dat maakt het zo spannend.'

'Er vallen elk jaar talloze doden,' zei Chubei. 'Maar niet in de Hoek Tamaya. Ik serveer al jaren fugu en heb nog nooit een klant verloren.' Hij boog zich vooraan. 'Wist u dat het de enige vis is die zijn ogen sluit? Wanneer je er eentje doodt, sluit hij zijn ogen en maakt hij een geluid als een huilend kind.'

De koksmaatjes hadden messen en twee dienbladen neergelegd.

Op het ene stond EETBAAR en op het andere GIFTIG. Chubei drukte de spartelende vis met zijn linkerhand neer en pakte met zijn andere hand een mes dat hij met kracht liet neerkomen. In één beweging hakte hij de staart af, en een tel later lagen ook de vinnen en de bek naast het trillende lijf. Het ging allemaal zo snel dat niet te zeggen was of de vis geluid had gemaakt. Het karkas ging zwoegend op en neer en het gapende gat waar eerst de bek had gezeten bewoog stuiptrekkend.

'Bravo!' riepen de gasten. 'Wat een meester-kok!'

Chubei sneed de bek doormidden, schraapte de plank schoon en legde de vinnen op het blad met EETBAAR. Saburo boog zich met glanzende oogjes voorover toen de kok het mes langs de ruggengraat liet glijden, tussen het zachte vlees en het vel, en hij het vel langzaam lostrok. Het viel Hana op dat zijn hand een tikje trilde en ze vroeg zich met een ongemakkelijk gevoel af hoeveel sake hij al had gedronken. Er klonk een scheurend geluid toen Chubei het vel er in een keer aftrok en de glanzende vis veranderde in een klomp roerloos vlees. Toen ontdeed hij het dier van zijn ingewanden en sneed hij er een glimmend zakje uit dat met gelei leek te zijn gevuld.

'De lever.' Hij legde die op het blad met GIFTIG.

'Een vrouwtje,' voegde hij eraan toe. Hij haalde de eierstokken eruit en legde die, net als het vel en de ogen, ook op het blad met GIFTIG. Daarna sneed hij de schoongemaakte vis in zulke dunne plakjes dat ze bijna doorschijnend waren en legde die op een rond bord, zodat ze elkaar overlapten als de bloemblaadjes van een chrysant.

'Chrysant, de bloem des doods!' Saburo likte stralend zijn lippen af. 'Wie wil als eerste een hapje proberen?'

Hana dacht aan de witte chrysanten op de begrafenis van haar grootouders en onderdrukte een huivering. Dit was niet het juiste moment om aan de dood te denken.

Ze brak een stel eetstokjes los, pakte een paar plakjes en doopte die in sojasaus. Saburo opende zijn grote mond, sloot zijn ogen en legde zijn hoofd in zijn nek, zodat zij het hapje voorzichtig op zijn tong kon leggen. Hij liet het genietend door zijn mond gaan en smakte met zijn lippen.

'Een zweem van gif,' zei hij stralend. 'Mijn bovenlip wordt gevoelloos, ja, en mijn tong ook. En ik voel hier iets tintelen. Voel maar, het wordt hard!'

Hij greep Hana's hand vast, drukte die tegen zijn opzwellende lendenen en slaakte een extatische zucht, gevolgd door een boer. Op de achtergrond lachten de gasten overdreven.

'Wat een gevoel! Neem toch wat, heren, neem toch wat. Er staat ons een heerlijke avond te wachten!'

De koksmaatjes in hun witte jasjes renden met schalen kogelvis van de keuken naar de banketzaal. Kawanoto legde samen met de andere helpsters de dunne plakjes vis op kleine borden en deelde die uit onder de gasten.

'Breng me de sake van fuguvinnen!' riep Saburo. 'Tijd voor een spelletje! Uit met die kleren!'

Telkens wanneer Saburo Hana een drankje aansmeerde, wist ze het kopje ongezien leeg te gieten. Het was van het grootste belang dat ze nuchter bleef, als voorbereiding op wat ging komen. Maar hij wilde per se dat ze van de sake met fuguvinnen proefde en hield haar nauwlettend in de gaten toen ze de geroosterde vin uit het drankje pakte, de geur opsnoof en het kopje aan haar lippen zette.

'Drink het leeg!' zei hij bevelend.

Er zat een vage rooksmaak aan de zoete sake. Ze zette het kopje neer en voelde dat de warmte zich door haar lichaam verspreidde en dat ze licht werd in haar hoofd. De zaal leek zich steeds verder uit te strekken en de luide stemmen vervaagden tot een zwakke echo, als het verre gebeier van klokken. Het voelde alsof ze zweefde, en toen ze haar arm probeerde op te tillen, lukte het haar niet. Haar lippen en tong werden gevoelloos, haar oogleden zwaar en in haar lendenen kwam een pijnlijk verlangen tot leven. Het krachtige drankje deed zijn werk.

Saburo stak een dikke hand uit, greep de kragen van haar kimono's vast en trok haar gezicht vlak bij het zijne. De stank van zijn zweet en de vochtige warmte van zijn forse lijf golfden over haar heen toen zijn wang langs de hare streek, maar het schurende, ruwe katoen bracht haar weer bij zinnen. Ze moest niet toestaan dat hij een hand onder haar kleren zou laten glijden. Hij trok zwaar ademend aan haar wijde rokken, en op de achtergrond werd er op samishens getokkeld, op trommels geslagen en een erotisch lied ingezet. Saburo keek met een waterig oog op om te zien wat er allemaal gebeurde, en Hana raapte snel al haar moed bijeen en duwde zijn handen weg.

De werking van de sake met vinnen was duidelijk merkbaar. Wangen bloosden, lendenen stonden in vuur en vlam, en een paar gasten zaten al aan de meisjes te frunniken. Andere waren begonnen met een spelletje waarvan de inzet steeds hoger werd. De helpsters en de geisha's waren er zo bedreven in dat de mannen bijna altijd verloren. Bij wijze van straf moest de verliezer eerst een kop sake leegdrinken, maar een volgende stap was het uittrekken van een bepaald kledingstuk. De mannen trokken achtereenvolgens hun ceintuurs, gewaden en onderhemden uit, en de degenen die westers gekleed gingen, hadden iets meer geluk. Tegen de tijd dat Masaharu zijn jasje, kraag, stropdas en vest had uitgetrokken, zaten enkele andere mannen er in hun lendendoek bij. Hana, Tama en Saburo keken slechts toe en weigerden mee te doen.

Toen begonnen de mannen in hun handen te klappen en riepen: 'Chonkina!' Samishens en trommels gaven een ritme aan, en de helpsters en geisha's kwamen overeind en vormden een kring. Traag als slaapwandelaars begonnen ze aan een langzame, wiegende dans. Toen de muziek opeens ophield, bleven de meisjes stokstijf staan, op de kleine, lachende Kawagishi na, die duidelijk stond te wankelen op haar benen. Toen de mannen lachend en joelend in hun handen klapten, deed ze haar onderkimono uit en bleef onvast in haar rode zijden onderrok staan. De bruine huid van haar lichaam stak opvallend af tegen haar witgepoederde gezicht. Zweet glansde op haar kleine, jonge borsten.

Al snel was de zaal gevuld met bewegende lijven. Kawagishi zakte, helemaal ontkleed, tegen een vent met een slap gezicht en een dikke buik ineen en giechelde hulpeloos toen hij naar haar greep en haar op haar rug rolde, terwijl Kawayu, die niet langer liep te mokken, zich vermaakte met de jeugdige regeringsambtenaar die ooit Hana's toegewijde minnaar was geweest. Ze kreunde luid toen hij zijn lendendoek lostrok en haar besteeg.

Hana zag zijn magere achterste op en neer gaan en zijn smalle rug beven. Ze had nog geen enkel feest in de Yoshiwara meegemaakt waar het er zo liederlijk aan toe was gegaan. Het maakte haar des te banger voor Saburo's macht en honger. Hij deed alsof hij dronken was, maar ze kon zien dat dat niet zo was. Hij hield haar met een ijzige blik in het oog.

De gasten en de vrouwen rolden tussen de stapels uitgetrokken kleren heen en weer. Chubei glipte naar binnen en fluisterde iets tegen Saburo.

'Ja, natuurlijk, dwaas, breng het maar naar binnen!' zei Saburo bars. Even later kwam Chubei terug, hijgend en met een rood gezicht, en zette een kleine schaal voor Saburo neer. Op het schaaltje lag een hoopje felgekleurd gehakt vlees.

'De lever, heer,' zei hij. Hij drukte zijn voorhoofd onderdanig tegen de grond. 'Ik wist dat u ernaar zou vragen.'

Saburo likte zijn lippen af. 'Net wat ik nodig heb, een drupje gif. Slechts een zweem, een vleug, een lichte verdoving. Ik wil mijn mond verdoven en mijn pik tot leven wekken. Dat zal de avond wat spannender maken.' Hij wendde zich tot Hana en trok haar naar zich toe. 'En dan kunnen we deelnemen aan het spel!'

36

In de keukens was het warm, druk en lawaaiig. De dienstmeisjes liepen af en aan en de koksmaatjes stonden druk te snijden en te hakken. Vrouwen hurkten voor de fornuizen neer en bliezen tegen de kooltjes totdat die begonnen te gloeien, dikke rookwolken stegen op naar de zwartgeblakerde dakbalken. In zijn broek van ruwe katoen en zijn indigoblauwe jasje kon Yozo zonder moeite doorgaan voor een man die in de Yoshiwara werkte. Er hingen er genoeg rond, die wachtten totdat ze gasten naar buiten konden helpen die onvast op hun benen stonden. Als het nodig was, zouden ze hen helemaal naar de Grote Poort dragen. Terwijl ze stonden te wachten, praatten ze honderduit over alle sake die ze van hun fooien zouden kopen.

'Ik zou zelf best wel eens iets van die lever willen proeven.' Chubei zette met onvaste hand een kopje sake aan zijn lippen en nam zulke grote slokken dat de druppels over zijn mollige vingers en zijn gesteven witte jasje liepen. Zijn wangen waren donkerrood geworden en zijn kaalgeschoren hoofd was zweterig onder de dikke, opgerolde haarband. 'Het schijnt een opwindende ervaring te zijn. Ook erg smakelijk, zeggen ze. Zoet, vettig, romig.' Hij tikte tegen de rand van het dienblad met GIFTIG, dat was beladen met onheilspellend ogende stukken vis, en knikte plechtig met zijn grote hoofd. 'Maar ik dobbel liever niet met de dood.'

'Ik ook niet,' zei Yozo droogjes. 'Dat is een spel voor rijke mannen.'

Hij zat gehurkt in een hoek en tikte ongeduldig met zijn voeten op de aarden vloer. Het kostte hem moeite kalm te blijven en rustig adem te halen. Chubei had zo-even de lever van de kogelvis aan Saburo geserveerd, en die zou er waarschijnlijk net genoeg van eten om zijn lippen te laten tintelen en zijn tong te verdoven, zodat hij kon genieten van het uitdagen van de dood. Zo deden de meeste kenners het. Als hij op zoek was naar nog meer spanning, zou hij wellicht nog een hapje nemen, zodat zijn geslachtsdelen ook zouden gaan tintelen. Maar er bestond altijd de kans dat hij te veel zou eten. Elke keer wanneer er geluiden uit de banketzaal klonken, hief Yozo met een ruk zijn hoofd op, maar er leek niets voor te vallen.

Boven het gerammel uit hoorde hij geschreeuw en gelach, het geroffel van trommels en getokkel op samishens. Zijn gezicht vertrok en hij balde zijn vuisten. De gedachte dat Saburo zijn handen over Hana's lichaam liet gaan, was onverdraaglijk. Hij had al die tijd gewacht op een kans om haar de Yoshiwara uit te smokkelen, maar nu het bijna zo ver was, drong het tot hem door wat er allemaal mis kon gaan. Maar het plan moest gewoon werken.

Hij dacht aan de laatste keer dat hij Hana had gesproken, en aan haar heldere ogen, haar lach, de ronding van haar wang, het gevoel van haar zachte hand in de zijne. Een vrouw als zij zou hier nooit mogen belanden, laat staan dat ze zou mogen worden verkocht aan iemand als Saburo. Hij glimlachte in zichzelf. Als Enomoto of Kitaro hier was geweest, of een van zijn makkers uit zijn tijd in Europa, dan zouden ze tegen hem hebben gezegd dat hij een slappeling begon te worden, dat de plaats van een man aan de zijde van zijn kameraden was. Vroeger zou hij het met hen eens zijn geweest – maar dat was voordat hij Hana had leren kennen.

'Het is een sterk lustopwekkend middel, die lever.' De puntjes van Chubeis oren hadden in het licht van de lantaarns paars geglansd. 'Veel sterker dan de hoorn van een neushoorn, veel sterker dan ginsengwortel. Je zou eens moeten zien wat ze daarbinnen allemaal uitspoken, en dat is dan alleen nog maar het effect van de sake met de vinnen. Die oude viezerik wil de lever met niemand delen. Ik durf er duizend ryo om te verwedden dat hij bang is dat hij onze Hana niet kan bevredigen. Hij is vast bang dat hij niet kan presteren. Rijk of niet, ik vind het een vreselijk idee dat die oude vos zich aan haar zal vergrijpen. Dat vinden we allemaal. Als er iets zou gebeuren dat hem tot stoppen dwong, zou niemand iets doen om dat te verhinderen.'

Yozo keek hem even scherp aan, en vroeg zich af of de kok iets vermoedde. Iedereen wist dat hij berichten aan Hana overbracht. Hij staarde naar de andere mannen met hun dunne beentjes en verweerde gezichten, die bulderden van het lachen om een of andere grap, en vroeg zich af hoeveel zij wisten.

'Je zult niet willen geloven hoeveel fooi die ouwe me heeft gegeven,' vervolgde Chubei. De keuken stond vol rook en de deksels rammelden op de pannen. Overal in de wijk leek iedereen stapelgek te zijn geworden. Buiten op straat klepperden de houten zolen koortsachtig, slaakten schrille stemmen hoge kreten en klonk er joelend gelach. Ook klonk er gehijg en gekreun, alsof er buiten mensen als beesten paarden. Yozo's blik werd donker en hij tikte met zijn hiel tegen de vloer. Hij moest op het juiste moment klaarstaan en zijn kans grijpen, daar hing alles van af. Op het slagveld zou alles zo veel gemakkelijker gaan, wist hij, maar de lessen die hij daar had geleerd, kon hij ook hier toepassen. Maar toen herinnerde hij zich de laaiende ruïnes van Hakodate en het gezicht van de commandant dat opeens voor hem was opgedoemd, en hij huiverde.

De deuren van de banketzaal vlogen open. 'Help! De meester is vergiftigd!' werd er geroepen, en meteen brak er totale chaos uit.

Yozo sprong overeind. Hij had niet eens de hoop durven koesteren dat die oude vent zo stom zou zijn om te veel kogelvislever te eten en kon niet verhinderen dat er een extatische grijns over zijn gezicht schoot. Toen fronste hij en voelde of zijn dolk nog stevig in zijn riem zat. Het was tijd om in actie te komen.

Achter hem klonk gekerm.

'Dat is niet... niet mijn schuld.' Chubei leek te zijn gekrompen in zijn grote koksjasje. Zijn gezicht was grijs, zijn wangen beefden en hij greep zich vast aan de rand van het aanrecht.

Vader stormde in een wolk van oude tabaksrook naar binnen. Zijn katoenen jasje was half van zijn schouders gegleden en zijn slappe buik hing over zijn ceintuur. Yozo vloekte zachtjes. Hij had niet gedacht dat vader zo snel hier zou verschijnen. Alle anderen waren waarschijnlijk dronken, maar vader niet. Hij moest een oogje op Hana houden, zijn kostbaarste investering.

'Wat heb je gedaan?' brulde hij. 'Je hebt ons kapotgemaakt.'

'Chubei kan er niets aan doen,' zei Yozo bruusk. 'Saburo heeft de lever besteld en opgegeten. Hij gaat niet dood. Hij zal er alleen flink van schrikken.'

Vaders mond viel open. Hij staarde Yozo aan, alsof hij niet kon geloven dat iemand hem durfde tegen te spreken. Yozo keek terug. Om hen heen holden de andere mannen naar de banketzaal. Met een kwaad gezicht draaide vader zich om.

'Kom hier, allemaal. Doe de deuren dicht. We moeten dit stilhouden. Tajima, jij bent een slimme vent, kom met mij mee.'

'Misschien komt het door de drank. Alcohol versterkt de effecten van fugu,' opperde Yozo voorzichtig.

'Dan kunnen we voor de zekerheid maar beter een spade gaan zoeken,' gromde vader.

Yozo keek hem vragend aan.

'We moeten een kuil graven en hem tot aan zijn nek in de grond stoppen,' legde vader uit. 'Dat is de enige remedie. Door de koelte van de aarde trekt het gif eruit.'

Hij pakte een lantaarn en waggelde door de donkere gang, laag bij de grond, als een sumoworstelaar. Hij ademde zwaar, maar bewoog zich opvallend vlug voor een man met zijn omvang. Yozo volgde op een paar passen afstand. Bij de deur naar de banketzaal bleef hij even staan. De stank van rook, verbrande lonten, oude tabak, sake en braaksel stroomde naar buiten, dik als een muur. De helft van de kandelaars was omgevallen, maar gelukkig waren de kaarsen voor die tijd al gedoofd. Het hele huis zou anders hebben gebrand als een fakkel.

Yozo volgde vader door de banketzaal, waar het zo donker was dat hij af en toe op zacht vochtig vlees stapte. Naakte mannen en vrouwen lagen over elkaar heen, met hun armen en benen uitgespreid, of kropen aarzelend in het rond, zoekend in de bergjes kleren. Hij keek om zich heen en zag in de schaduw aan de rand van de zaal Masahura zitten, die als enige nog al zijn kleren aanhad. Heel even kruisten hun blikken elkaar. Yozo keek koortsachtig om zich heen, zoekend naar Hana. Ze was nergens te zien.

Tante rende heen en weer, met haar gerimpelde handen tegen haar hoofd gedrukt en haar kwaadaardige oude gezicht glansde als een duivelsmasker in het licht van de kaarsen.

'Vader,' jammerde ze, 'dank de goden dat u er bent. Doe iets, snel! Als dit bekend wordt, kunnen we onze deuren wel sluiten.' Barse stemmen brulden: 'Gek, waar ben je mee bezig?' 'Ga eens opzij!' 'Weg met die schermen, geef hem frisse lucht!' 'Nee, hou ze dicht, hij mag niet afkoelen!' Aan de andere kant van de zaal verdrongen de lijfwachten zich schouder aan schouder in hun zijden livreien en tuurden naar iets wat op de vloer lag.

Toen vader en Yozo zich tussen hen in persten, hoorde Yozo Hana's stem ademloos zeggen: 'Saburo-sama, Saburo-sama!' Vader hield zijn lantaarn omhoog.

Yozo staarde naar de gedaante aan zijn voeten. De man die hij die avond op straat in Batavia had gezien, lag nu hier op zijn rug, als een reusachtige kakkerlak, met zijn armen en benen te spartelen. Saburo's ogen barstten bijna uit hun kassen, zijn mond was een gapend gat en het kwijl druppelde over zijn talloze kinnen op zijn weelderige zwarte zijden kragen.

Zijn blik vond die van Yozo, en hij kromp duidelijk ineen, alsof hij hem ook herkende, en toen verstijfde zijn hele lichaam. Hij haalde piepend adem, alsof het hem moeite kostte om lucht te krijgen.

Hana zat naast hem op haar knieën, met haar handen voor haar mond geslagen. Ze keek Yozo met grote ogen aan. Haar gezicht was lijkbleek onder alle poeder en verf. Tama zat naast haar; ze leek volkomen beheerst, maar een klein zenuwtrekje in haar wang en een ongewone glans in haar ogen verraadden dat ook zij niet zichzelf was. Opeens kreeg Yozo het vermoeden dat ze hun uiterste best hadden gedaan om Saburo zover te krijgen dat hij meer had gegeten dan goed voor hem was. Moeilijk kon dat niet zijn geweest.

'Ik zei dat hij moest ophouden,' fluisterde Hana met trillende stem. 'Maar dat wilde hij niet. Hij bleef maar eten. Hij wilde dat ik ook wat nam, maar ik zei nee.'

'Hij bleef maar zeggen: "Denk je dat ik geen echte man ben?"' zei

Tama tegen vader. Ze zorgde ervoor dat ze Yozo niet aankeek. 'We smeekten hem op te houden, maar hij nam steeds meer. En toen begon hij te klagen dat zijn voeten zo koud waren.'

Yozo knielde naast Saburo neer en pakte zijn hand. Zijn vingers zonken weg in het vlees, dat zacht was als een spons. Saburo's arm was stijf, zijn huid voelde klam aan en zijn poriën wasemden een zure stank uit. Toen Yozo er eindelijk in slaagde tussen al die lagen vet een polsslag te vinden, merkte hij dat die zwak en traag was. Een paar van de gasten en bewakers begonnen te kreunen, en hier en daar klonken kreten van paniek: 'Mijn voeten! Ik heb zulke koude voeten!' Yozo vroeg zich af of Chubeis mes soms een van de drie vissen had besmet of dat een ervan gewoon giftiger dan gemiddeld was geweest. Dat gebeurde soms.

'Hij moet de grond in,' blafte vader. 'Snel, anders is hij er geweest. Tama, breng Hana weg.'

Tama pakte Hana bij haar arm en trok haar overeind. Toen de bewakers een stap naar achteren deden om de vrouwen door te laten, leek Hana door haar benen te zakken. Yozo wilde naar voren springen om haar op te vangen, maar Tama keek hem boos aan, sloeg een arm om Hana heen en sleepte haar in een wolk van ruisende zijde de zaal uit.

'Tajima, zeg tegen de mannen dat ze moeten gaan graven,' zei vader. 'Achter het huis, buiten het zicht van de straat, zodat niemand er iets van zal merken. En zeg dat ze hun mond moeten houden.'

Een paar bewakers keken Yozo met een vreemde blik aan. Hij vermoedde dat het hen was opgevallen dat hij naar Hana toe was gelopen en dat ze hem hadden herkend van de vechtpartij van een paar maanden geleden. Problemen waren wel het laatste wat hij nu kon gebruiken.

Hij stapte haastig over de lijven en schalen met voedsel heen en botste tegen Masaharu op, die net naar de deur liep. De kraag van de zuiderling zat scheef en zijn hemd hing uit zijn westerse broek, maar Yozo zag dat hij broodnuchter was.

'Ik ga ervandoor,' gromde Masaharu.

Yozo keek hem recht aan. De brede klinkers van Masaharu's zuidelijke accent vielen hem bijna niet meer op. Sinds hij voor de Hoek

Tamaya was gaan werken, had hij de ander beter leren kennen, en hij wist dat hij hem kon vertrouwen.

'Goed idee,' zei hij, en hij raakte even de amulet in zijn mouw aan, biddend dat de goden aan zijn kant zouden staan.

37

Toen Yozo de Hoek Tamaya uit rende, botste hij bijna tegen de opzichtige palankijn van Saburo op, die hoog voor hem opdoemde en een enorme schaduw wierp. Het was alsof Saburo daar in eigen persoon stond, als een meedogenloze wakende god met uitgestrekte armen die hem beletten te vertrekken. Het leek een slecht voorteken, maar hij probeerde die gedachte uit te bannen.

Hij rende de straat uit en keek vol verbazing om zich heen. Het wemelde hier van de mensen, die in hun handen klapten en in kringetjes rond de kersenbomen dansten. Ze leken vastbesloten om door te gaan totdat ze erbij neervielen. Mannen met feestelijke maskers met vertrokken monden en uitpuilende ogen deinden op en neer, als groteske gezichten die opeens uit het duister opdoemden.

Yozo keek aandachtig rond en zag toen iets bewegen in de schaduwen naast het huis. Daar stonden twee gedrongen gestalten, gehuld in werkkleding en met sjaals rond hun hoofden gewikkeld.

Het duurde niet lang voordat Masaharu naar buiten kwam, zijn slanke lijf gestoken in een overjas van westerse snit. Ook hij keek even snel om zich heen en liep toen verder, langs de rand van de straat waar de menigte niet zo dicht opeengepakt was, naar de poort aan het einde van Edo-cho 1. De twee mannen verlieten hun plekje in de schaduw en gingen hem achterna, hun hoofden gebogen als bedienden. Ze waren als jongens gekleed, maar aan de manier waarop ze liepen, met hun schouders een tikje gebogen en trippelend in hun strosandalen, was duidelijk te zien dat het vrouwen waren. Yozo vond dat ze alle drie vreselijk opvielen. Hij hield enige afstand en bleef waakzaam om zich heen kijken, maar de feestgangers waren te dronken om enige aandacht aan het drietal te schenken.

Alles leek volgens plan te gaan toen er opeens een luide bons klonk. De deur van de Hoek Tamaya werd met zo veel kracht opengeschoven dat hij rammelde in zijn groeven. Er klonken barse stemmen en zware voetstappen, en twee mannen kwamen achter Saburo's draagstoel vandaan. Hun glanzende schedels en stijve knotten staken boven de menigte uit. Yozo ving een glimp op van zijden livreien en herkende de stierennek en kraaloogjes van de een en de vossenkop van de ander. Het waren de bewakers die hem in de banketzaal ook al aandachtig hadden bekeken.

Hij dook weg tussen de zwetende, dansende lijven en voelde de snelle bewegingen om hem heen. Ze waren veel eerder achter hem aan gekomen dan hij had verwacht, en hij wist maar al te goed wat tante en vader zouden doen wanneer ze zouden ontdekken dat hun kostbaarste courtisane was verdwenen. Ze zouden iedere man in de Yoshiwara en iedere crimineel in het district laten oppakken en net zo lang de moerassen doorzoeken totdat ze haar hadden gevonden. Medeplichtigen zouden worden gemarteld en Hana zou geboeid naar de Yoshiwara worden teruggevoerd, waar haar waarschijnlijk een fikse aframmeling en mogelijk de dood zou wachten. Hij trok een grimmig gezicht. Het was zijn taak om ervoor te zorgen dat het niet zo ver zou komen.

De bewakers liepen naar de achterkant van het huis. Ze zouden verwachten dat hij daar was en de jongens van de Hoek Tamaya vertellen waar ze moesten graven, maar het zou niet lang duren voordat ze merkten dat dat niet zo was. Hij moest koste wat kost zien te voorkomen dat ze naar hem op zoek zouden gaan en de 'bedienden' van Masaharu tegen het lijf zouden lopen. Hana mocht niet worden betrapt, wat er ook gebeurde. Al zou hij er zijn leven voor moeten geven.

Een jongeman botste wankelend tegen Yozo op en sloeg een arm rond zijn schouder. Zijn adem stonk naar sake. Rond zijn nek hing een komisch masker met een getuit mondje en een domme uitdrukking. De volmaakte vermomming.

'Mag ik dat even lenen?' Yozo trok het masker over zijn hoofd. De jongen, die rood aangelopen was en bloeddoorlopen ogen had, waggelde weer verder, te dronken om iets te merken.

Yozo frunnikte net zo lang aan de koordjes totdat hij het masker stevig voor zijn gezicht had gebonden en baande zich toen een weg tussen de wiegende feestgangers door. Masaharu had al een flinke voorsprong en sloeg net de grote boulevard in. Fluiten piepten en trommels roffelden koortsachtig, en de menigte begon steeds sneller te dansen. De zoete geur van opiumrook steeg op boven de fraaie theehuizen, en zelfs de Chrysant oogde rustig en donker, alsof de gasten zich hadden verloren in door papavers opgewekte dromen.

Yozo tuurde door de gaatjes in het masker en zag de grote lelijke bewakers de hoek van de Edo-cho 1 omslaan en zijn kant op komen. Ze duwden met een kwaad gezicht feestgangers opzij en keken niet om naar dronkaards die vielen en op straat bleven liggen.

Aan het einde van de boulevard stond de Grote Poort, die met rode lantaarns was verlicht. Gewoonlijk stroomden de bezoekers hier in en uit, maar omdat Saburo alle vijf de straten had afgehuurd, waren de massieve deuren gesloten en vergrendeld. De poortwachter met de tatoeages stond op zijn post voor het wachtershuisje, naast een forsgebouwde man die Yozo tot zijn grote opluchting meteen herkende: Marlin. Ook ving hij een glimp op van Masaharu, die net bij de poort aankwam, samen met zijn twee bedienden. Yozo zag dat de poortwachter zijn plaats verliet en naar een klein poortje aan de zijkant liep, in de schaduw van de wilgen. Achter hem hoorde Yozo de feestgangers verontwaardigd schreeuwen. De bewakers kwamen naderbij.

Hij tastte naar zijn dolk. Hij wist dat hij hen moest uitschakelen voordat ze de poort zouden bereiken, en dat het snel en ongezien moest gebeuren, zodat niemand er iets van zou merken. Hij had slechts één kans en mocht geen fouten maken. Natuurlijk had hij hen liever uitgedaagd voor een gevecht van man tegen man; dat was veel eervoller dan zich achter een masker verbergen en hen overrompelen, maar dat was te riskant. In het donker zou het niemand opvallen dat er een paar lichamen meer op de grond lagen.

Hij liep tussen de dansende menigte door naar de bewakers. Van dichtbij was duidelijk te zien dat het gewoon een stel boeven waren. De man met de stierennek liep voorop en keek nijdig om zich heen. Yozo dook verborgen achter zijn masker op hem af en deed net alsof hij dronken tegen hem aan botste. Hij voelde de warmte van het lichaam van de ander en rook zijn zweet en de zure geur van zijn bloed toen hij de dolk diep in zijn buik stak. Hij draaide het wapen met een snelle beweging om, zodat het lemmet niet in het vlees bleef steken, en trok het los. De man sperde zijn ogen wijd open en wankelde met zwaaiende armen heen en weer. Het bloed sijpelde uit zijn mond. Hij zakte ineen en viel half over de man met de vossenkop die achter hem liep. Hij tuimelde ruggelings achterover en viel hoorbaar met zijn hoofd op het plaveisel.

Even viel er een korte stilte, gevolgd door een brul: 'Hé, ga van me af.' De bewaker probeerde onder zijn kameraad uit te kruipen, maar Yozo was sneller. Hij haalde zijn dolk langs de keel van de ander en voelde het metaal langs het bot gaan. De bewaker maakte een gorgelend geluid en viel toen stil.

Het had niet langer dan een paar minuten geduurd en niemand in de menigte leek er iets van te hebben gemerkt. Yozo veegde zijn dolk af aan zijn mouw en stak hem weer in zijn riem. Hij had gedaan wat hij moest doen, zij het minder netjes dan hij had gewild.

Hij zette het masker af, gooide het op straat en rende naar de poort. Op weg daarheen struikelde hij bijna over feestvierders, en een paar keer moest hij met kracht iemand opzijduwen. Hij moest snel zijn, anders was zijn kans verkeken om ongezien weg te komen. Masaharu en zijn twee bedienden waren al door de poort gelopen.

Yozo bleef even staan om Marlin te groeten en begreep dat dit misschien wel de laatste keer was dat ze elkaar zagen. Hij keek naar het zware voorhoofd, de diepliggende ogen en de vierkante kaak vol stoppels en dacht aan die keer dat dit gezicht hem door de opening van de bamboe kooi had aangekeken, en aan het moment dat die hand zijn schouders had vastgepakt en zijn vriend had weten te voorkomen dat hij de commandant was aangevlogen. Hij zag Marlin voor zich, die gehuld in te kleine boerenkleren langs zuidelijke soldaten en buitenlandse zeelieden liep, de Grote Poort van de

Yoshiwara door, over de boulevard beende, met zijn hoofd ver boven alle andere uit. De Fransman had hem keer op keer het leven gered en zich een echte vriend betoond. Misschien wel de beste vriend die hij ooit had gehad.

Marlin duwde Yozo een zwaard, een geweer en een zak munitie in handen. 'Wees voorzichtig,' zei hij. 'Er zijn heel veel mensen naar je op zoek. En als bekend wordt wat er vanavond is gebeurd, zullen dat er alleen maar meer worden.'

Yozo knikte. 'Ik zal je gezelschap missen.' Dat meende hij. 'Als dit allemaal voorbij is, kom ik weer terug.'

'We zien elkaar spoedig weer,' zei Marlin. 'Enomoto, Otari, wij allemaal. En we zullen de shogun weer in zijn kasteel zien zitten. Je weet wat Kitaro altijd zei: "Een voor allen, allen voor een."'

Yozo lachte even en schudde toen bedroefd zijn hoofd bij de gedachte aan Kitaro en zijn voorliefde voor de roman van Dumas die hij al die vele jaren geleden in het westen had leren kennen.

'Lang leve de shogun!' zei hij. 'Ik sta bij je in het krijt, en ik zal een manier vinden om je terug te betalen.'

'We zijn vrienden, dat is voldoende.'

Yozo stak hem op westerse wijze zijn hand toe en Marlin schudde die en gaf hem toen een klop op zijn schouder.

De poortwachter stond bij het kleine zijpoortje en keek over zijn gespierde getatoeëerde schouder. Hij had zijn staf in zijn hand en keek onverbiddelijk, en Yozo, die even voor hem boog, wist dat de man een groot risico nam door hen door te laten. Er wachtte hem een zware straf als dit bekend zou worden. Tot zijn verbazing grijnsde de poortwachter hem onverwacht toe toen hij langs hem schoot.

Aan de andere kant van de poort werd de slingerende weg die langs de Slotgracht van de Zwarte Tanden naar de Japandijk voerde omzoomd door palankijns. De dijk doemde hoog als een muur op, zwart afgetekend tegen de avondhemel, met hier en daar een regen van vonken, afkomstig van de vreugdevuren die waren ontstoken. Wolken schoven langs de maan. In de Yoshiwara waren de straten zo fel verlicht door lantaarns dat Yozo niet eens had gemerkt dat de maan vol was, maar nu zag hij het koude licht dat op de muren rond de wijk en de kraampjes en wilgen bij de poort viel.

De meeste dragers lagen te slapen, opgerold onder de bomen van de draagstoelen. Vlak voor de poort stond een palankijn die er fraaier en officiëler uitzag dan de rest. Masaharu liep heen en weer in zijn westerse overjas. Hij haalde een beurs tevoorschijn en stopte hem in Yozo's hand. Yozo wilde die eerst teruggeven, maar toen bedacht hij zich en stak hem tussen zijn riem. Hij wilde Masaharu bedanken, maar deze stak met een ernstig gezicht zijn hand op.

Yozo boog. Een paar maanden geleden had hij nooit durven dromen dat hij nog eens bewondering of zelfs vriendschap voor een zuiderling zou gaan voelen. 'Ik hoop dat we elkaar ooit zullen weerzien,' zei hij.

'Ik zal ervoor zorgen dat dat gebeurt,' zei Masaharu. 'Veel geluk.'

Otsuné stond naast hem, gehuld in indigoblauwe werkkleding. Ze had haar kap naar achteren geslagen, zodat Yozo haar zachte, ronde gezicht kon zien. Er waren fijne rimpels zichtbaar op haar bleke voorhoofd en ze probeerde glimlachend haar tranen weg te knipperen. Ze greep hem bij zijn arm.

'Treuzel niet,' zei ze. 'We zullen ons best doen om ervoor te zorgen dat niemand iets vermoedt.'

Otsuné en Marlin waren als familie voor hem geworden, wat het afscheid des te pijnlijker maakte. Hij boog en wou dat hij haar kon omhelzen, zoals een Fransman zou doen, maar hij wist dat hij haar dan heel erg in verlegenheid zou brengen.

Hana zat in de palankijn, met haar benen onder zich gevouwen. Haar ovale gezicht was nog steeds opgemaakt en leek licht te geven in het donker. Ze keek hem even aan alsof ze amper kon geloven dat hij het was en stak hem toen haar hand toe. Yozo nam hem in de zijne en voelde hoe zacht haar huid was. Hij keek haar aan en ze glimlachte. Dat moment – dat ze hier was, veilig en dicht bij hem – maakte het allemaal de moeite waard.

'Je hebt altijd gezegd dat je me zou beschermen,' zei ze, 'en dat heb je ook gedaan.'

'Ik zal je altijd beschermen,' zei hij. Hij luisterde ingespannen, maar er was niemand die achter hen aan kwam, er klonken geen zware voetstappen bij de poort, er werd niet geschreeuwd aan de andere kant. Het was hen gelukt. Hij kon het bijna niet geloven.

Masaharu en Otsuné waren al door de poort terug naar binnen geglipt. Nu viel de zware deur dicht en werd de grendel op zijn plaats geschoven. De geluiden van muziek en dans klonken gedempt en ver weg.

Yozo liep voorop toen de dragers de palankijn over de gracht tilden en daarna de helling beklommen, naar de weg die boven over de Japandijk liep. Hiko en Heizo stonden in de schaduwen te wachten totdat ze hun plaats achter de draagstoel konden innemen; Hiko groot en stevig in zijn smoezelige uniform, Heizo klein en krachtig gebouwd, met een kogelrond hoofd. Yozo grinnikte toen hij hen zag en was blij dat hij een stel soldaten bij zich had die duidelijke taal spraken.

Bij de Achteromkijkwilg bleef hij even staan en draaide zich om. De Yoshiwara lag half verscholen tussen de bomen onder aan de helling. Met de fonkelende lichtjes, de muziek, de kreten en het gelach leek het net een aards paradijs, maar hij wist dat er geweld en wreedheid achter die stralende pracht en praal schuilgingen.

De weg strekte zich lang en donker voor hen uit. Hij draaide de Yoshiwara de rug toe en liep de duisternis in.

38

Hana schrok met een schok wakker en merkte dat de palankijn niet langer heen en weer deinde. Het laatste wat ze had gehoord voordat ze in het duister was weggevoerd, was het gekraak van de houten panelen en het gefluit van de wind door het moeras geweest.

Ze zat opgerold in de koude, krappe kist, met haar benen stijf onder zich gevouwen, en bewoog nu voorzichtig haar tenen heen en weer om het gevoel erin terug te krijgen. Heel even raakte ze in paniek en vroeg ze zich af waar ze was, en toen kwamen de beelden van alles wat er de vorige avond was gebeurd in volle hevigheid bij haar boven. Haar gedachten vulden zich met gebeurtenissen als uit een nachtmerrie: het opgezwollen gezicht van Saburo die elk moment kon sterven, de opeengepakte menigte vol loerende maskers, de vreselijke angst dat iemand haar zou herkennen. Ze had haar benen uit haar lijf willen rennen, maar had zichzelf gedwongen om langzaam te lopen, alsof ze helemaal geen haast had.

Huiverend dacht ze aan Saburo's dikke handen en zijn paddenoogjes, aan het zware lijf dat tegen het hare had geleund terwijl ze hem stukjes van de lever van de kogelvis had gevoerd, en ze herinnerde zich weer dat hij had gekokhalsd en geklaagd dat zijn voeten zo koud aanvoelden. Ze was naar haar vertrekken gerend en had haar kimono's uitgetrokken, doodsbang dat er iemand binnen zou komen die haar zou zien, en daarna was ze naar buiten gelopen en had ze voor het eerst in maanden weer op straat gestaan en het gevoel gehad dat alle ogen op haar gericht waren. Ze voelde de stok van vader al bijna op haar rug neerkomen en zijn mes tegen haar keel drukken, en een rilling liep over haar rug.

Ze hoorde een tempelklok het hele uur luiden, gevolgd door de regelmatige voetstappen van een nachtwaker die met een droge tik zijn stokken tegen elkaar sloeg. Toen werd de deur opengeschoven en stond Yozo daar in het vage licht. Zijn standvastige blik en kalme glimlach waren duidelijk zichtbaar in het schijnsel van de maan. Achter hem zag ze donkere huizen die zo dicht op elkaar langs de smalle straat stonden dat ze de sterren boven de daken bijna niet kon zien. Ze was terug in de echte wereld. Die was groot en koud en donker, maar ze wist dat alles goed zou komen omdat Yozo er ook was.

'Waar zijn we?' Haar stem klonk opvallend luid in de stilte.

'In Oost-Edo,' zei Yozo. 'De stad is voorlopig nog van de shogun, voor zo lang als het duurt, maar we kunnen niet naar een herberg gaan. Je bent te bekend, en het nieuws zou veel te snel de Yoshiwara kunnen bereiken. We kunnen bij de weduwe van een van onze kameraden slapen. Ze zal niets zeggen, ik kan haar vertrouwen. Ik ben alleen bang dat het een erg eenvoudig onderkomen is, veel simpeler dan je gewend bent.'

Ze lachte beverig. 'Ik ben niet zo voornaam als je denkt. Voordat ik in de Yoshiwara belandde, was ik net zoals iedereen. Ik heb het grootste deel van mijn leven geen verfijnde gerechten of chique kimono's gekend.'

Terwijl ze dat zei, begon pas goed tot haar door te dringen wat ze eigenlijk had gedaan. Ze had alles en iedereen die haar aan het hart ging achtergelaten: Otsuné, Tama, Kawanoto, haar ruime vertrekken, haar dure kimono's, haar rolschilderingen en alle mooie geschenken die klanten haar hadden gegeven. Ze probeerde die gedachten te verdringen, maar ze bleef het gevoel houden dat er een knoop in haar maag zat. Angstig beet ze op haar lip. Ze had niets meer, ze had alleen de schamele bezittingen die ze in een bundeltje had gerold en meegenomen: een katoenen kimono, de kistjes van haar man, zijn brief. Ik moet naar Kano gaan, bracht ze zichzelf in herinnering, en die kistjes in het familiegraf begraven. Dat was ze hem verschuldigd.

Gelukkig had ze geld. Daar hadden Otsuné en Masaharu voor gezorgd, en zelf had ze ook nog wat gehad.

Ze wikkelde een sjaal om haar hoofd, zich heel erg bewust van het feit dat ze in de kleren van een jongeman rondliep, en trok die zo ver mogelijk over haar neus, zodat niet te zien was dat ze was opgemaakt. Er bewoog iets bij haar voeten, en toen ze een rat zag wegspringen, dacht ze aan de laatste keer dat ze in de stad was geweest. Toen had ze Fuyu leren kennen. Nu zag alles er nog desolater uit, alsof alle bewoners waren gevlucht.

De dragers wezen naar een bescheiden huisje met een muurtje waarop een stel planten in potten stonden. Er kwam een jonge vrouw naar buiten, die in haar ogen wreef en glimlachend voor hen boog. Ze voerde Hana en Yozo door een stel sjofele kamers die naar vocht roken mee naar een klein vertrek aan de achterkant van het huis en haalde een pan warm water en een zakje rijstvlies voor hen, zodat ze zich konden wassen. Terwijl de vrouw het beddengoed uitrolde en de nachtgewaden klaarlegde, boende Hana de make-up van haar gezicht, haalde de kammen en linten uit haar kapsel en kamde haar haar net zo lang totdat het als een gordijn van zwarte zijde rond haar hoofd hing. Ze keek in de spiegel. Hanaogi was voor altijd verdwenen. Ze was weer Hana.

'Het is niet veel bijzonders, maar je bent in elk geval veilig.' Yozo zat geknield aan de rand van de kamer en keek naar haar. Hij had zijn zwaarden op de standaard gelegd, waar ze zo voor het grijpen lagen, en zijn geweer naast het kussen gezet. In de Yoshiwara had hij de rol van bediende moeten spelen, maar nu was hij weer zichzelf. Hij leek ouder, ernstiger; hij was een soldaat, met een hoge positie. Wanneer hij Hiko en Heizo aansprak, had zijn stem iets gezaghebbends, wat Hana wel spannend vond. Hij straalde nog iets uit, een zweem van opwinding. Hij was vrij, hij was terug in zijn eigen wereld.

'Ik zit net zo diep in de problemen als jij, of misschien nog wel meer. Jij moet je zorgen maken over vader en de mannen van de Yoshiwara, maar mij zit het halve zuidelijke leger op de hielen.' Hij zuchtte en wreef in zijn ogen. 'Maar laten we daar maar even niet aan denken. Niet nu ik je eindelijk voor mezelf heb.'

In het licht van de kaars zag Hana zijn glimlach, zijn sterke gezicht en zijn ogen die zo veel uitdrukten. Ze had nog nooit zoiets moois gezien. Vol verlangen naar zijn aanraking boog ze zich naar hem voorover, alsof ze niet langer over wilskracht beschikte, alsof ze niet langer de baas over haar eigen lichaam was.

Hij pakte haar hand en drukte die tegen zijn lippen. Ze sloot haar ogen, bevend, bijna bang voor de gevoelens die bezit van haar namen. Gedurende al die tijd in de Yoshiwara had ze nooit beseft hoe ze zich had ingehouden en hoeveel ze van zichzelf verborgen had gehouden. Liefde was handelswaar, het opwekken van genot was haar werk. Wanneer ze lieve woordjes in het oor van mannen had gefluisterd, hadden ze niet beseft dat ze tegen iedereen hetzelfde zei. Het was altijd een spelletje geweest. Maar dit was heel anders.

Yozo trok haar naar zich toe en kuste haar. Er ging een schok door haar heen toen ze zijn lippen op de hare voelde, en ze merkte dat haar lichaam naar hem reikte, dat ze zich, helemaal, aan hem overgaf.

'Ik heb zo lang gewacht,' fluisterde hij met hese stem. Hij liet zijn vingers door haar haar gaan en streelde haar nek. Ze voelde de warmte van zijn adem toen hij haar ogen en neus kuste. Toen schoof hij haar gewaad open en vond haar borst, sloot zijn hand eromheen, wreef met zijn duim over haar tepel, en ze voelde dat het genot als een traag vuur in haar buik begon te gloeien. Hij kuste haar gretig, dwingend. Er bestond niets anders dan zij twee, in het donker, in dit kamertje waar de kooltjes gloeiden in het komfoor en stilte heerste.

Ze had nog nooit zo veel tederheid gekend. Zijn aanraking was zacht maar opwindend en vervulde haar met een genot dat intenser was dan welk gevoel ook. Ze hoorde zichzelf kreunen toen hij zijn handen en lippen over haar borsten liet gaan en toen naar beneden, naar de zachte huid van haar buik, en hij haar liefkoosde totdat haar huid overal leek te tintelen. Hij streelde over haar dijen en likte steeds lager en lager, totdat zijn tong het keurig geknipte driehoekje haar vond en hij zijn neus erin begroef, als een kat, en bleef likken, drinkend van de sappen die daar opwelden. Ze kreunde, hulpeloos onder zijn aanraking, en voelde dat er een langzame, bijna pijnlijke siddering door haar heen trok, kloppend in haar buik en vlammend in haar keel.

En toen lag hij naast haar. Begerig liet ze haar handen over zijn borst en gespierde rug gaan, en ze wreef met haar gezicht langs zijn gladde huid en ademde de geur van zijn haar in. Ze trok hem boven op zich, voelde de stoppels op zijn kaak tegen haar gezicht; ze voelde de hardheid van zijn lichaam en het kloppen van zijn hart.

'O, jij,' fluisterde hij toen ze samen bewogen, steeds sneller en sneller. En toen zweefde ze, toen leek ze te verdrinken in een gevoel van zoete verdoving dat haar buik vulde en langs haar rug naar boven kroop, tot in de topjes van haar vingers en de wortel van haar tong. Ze hoorde hem kreunen en voelde dat hij boven op haar ontspande.

Ze bleven lange tijd in elkaars armen liggen en keken elkaar vol verwondering aan. Dit was niet hun enige nacht samen, er zouden er nog vele volgen. Het was het begin van een nieuw leven.

39

De volgende ochtend bracht de jonge weduwe het ontbijt binnen en schoof de schermen opzij. Hana en Yozo aten zwijgend, met uitzicht op de piepkleine tuin, bestaande uit een paar stenen en een knoestige den, die baadde in het licht van de herfstzon. Hana had de katoenen kimono aangetrokken die ze uit de Hoek Tamaya had meegebracht en haar haar opgestoken in een simpele knot.

Het was haar eerste morgen in vrijheid. De grote stad lag aan haar voeten en ze kon gaan en staan waar ze maar wilde en doen wat ze maar wilde. Ze was zo ver van de Yoshiwara dat vader haar nu nooit zou vinden. Niemand wist wie ze was. En in haar winterkleren gewikkeld zou ze volkomen onzichtbaar zijn.

Ze had al besloten waar ze heen wilde. Dat had ze altijd al geweten. Ze had er zo vaak aan gedacht: aan het grote huis met de tuin vol bamboe en dennen, de stenen lantaarn, de met mos begroeide rotsen en de vijver. De esdoorns zouden nu hun bonte bladerpracht tonen en Gensuké zou de struiken in stro wikkelen tegen de winterkou. Ze zou Yozo meenemen. Ze glimlachte toen ze zich voorstelde hoe hij zou reageren als hij het huis zag.

Ze keek naar hem en zag dat hij met een afwezige blik naar de tuin zat te staren. Ze was opgetogen geweest en had zich met zo veel overgave op haar eigen plannen gestort dat ze helemaal was vergeten dat de stad niet veilig voor hem was. In de Yoshiwara had hij zich voor zuidelijke krijgsheren verborgen kunnen houden, maar hier moest hij op zijn hoede zijn. Zijn blik kruiste de hare, en hij keek haar even vragend aan, met zijn vingers op de versleten tatami trommelend. Hij fronste en ze vroeg zich af wat hij dacht.

'Ik ben bang dat ik je een tijdje alleen zal moeten laten,' zei hij. 'Ik moet een paar zaken regelen.'

Hana schrok hevig. Dat was wel het laatste wat ze had verwacht. 'Ik heb je over mijn vrienden verteld. Enomoto en Otori. Vandaag worden ze overgebracht naar de Kodenmacho. Het is onze enige kans om hen te bevrijden.' Hij nam haar hand tussen zijn beide handen en hield hem vast. 'Ik weet dat je het zult begrijpen. Het is een kwestie van leven en dood.'

Hana knipperde ingespannen met haar ogen. Ze had niet verwacht dat ze zo snel en zo onverwacht afscheid zouden nemen. Yozo sloeg zijn armen om haar heen en drukte een kus op haar voorhoofd.

'Waarom heb je me dat niet eerder verteld?' fluisterde ze.

'Ik wilde onze nacht samen niet bederven. En je hoeft je ook geen zorgen te maken. We hebben alles tot in de details voorbereid. Ik ben vanavond weer terug en dan zal ik Enomoto en Otori meebrengen.'

Het klonk allemaal heel eenvoudig, maar Hana wist dat hij een groot risico nam en zelf in de gevangenis zou kunnen eindigen, of misschien wel op het executieterrein. Maar ze was de dochter van een samoerai en de weduwe van een samoerai en wist dat ze hem niet mocht tegenhouden. Ze voelde hoe opgewonden hij was en besefte dat hij dit niet alleen voor Enomoto en Otori deed. Hij had zo lang opgesloten gezeten in de Yoshiwara en de beleefde, onderdanige bediende gespeeld; nu hij weer vrij was, stond hij te popelen om actie te ondernemen.

Een traan liep langzaam over haar wang. Hij veegde hem weg en streek toen een lange lok die voor haar gezicht was gevallen achter haar oor. Ze sloot haar ogen, genietend van zijn warme vingers op haar huid.

'Wacht hier op me,' zei hij.

Ze schudde haar hoofd. 'Ik wil niets liever dan naar huis gaan. Ik zal daar op je wachten.'

'In jouw huis?' Yozo's gezicht betrok. 'Maar... dat is toch het huis van je echtgenoot?'

'Hij was er maar zelden,' zei ze. 'Ik zat het grootste deel van de tijd alleen, met alleen maar de bedienden. Het was mijn thuis, niet dat van hem, en het is nu ook dat van jou. Het staat in Yushima, niet ver van de rivier, in de buurt van de Korinji-tempel.' Ze zag de straat, de rivier en de tempel voor zich, en het grote huis met de rook die langs de dakrand omhoog kringelde. Alleen al het noemen van de namen gaf haar een warm gevoel.

'Er is nog iets.' Hij zat weer naar de tuin te staren en ze besefte dat hij geen woord had gehoord van wat ze had gezegd.

'Wat dan?'

'Ik moet je iets over je echtgenoot vertellen. Over hoe hij is gestorven.' De uitdrukking op zijn gezicht maakte haar bang.

Ze boog zich voorover en legde een hand op zijn dij. 'Dat hoef ik niet te weten,' zei ze vastberaden. 'Je hoeft alleen maar veilig terug te keren.'

Buiten verbrak een tsjirpende krekel de stilte. Hij schudde zijn hoofd en trommelde weer met zijn vingers op de tatami.

'Ik heb je al verteld dat ik je echtgenoot heb zien sneuvelen, maar ik heb je niet verteld waarom.' Hij keek haar niet aan. 'Ik... heb hem gedood.'

Hana deinsde terug. 'Jij? Maar hij was toch niet de vijand?' vroeg ze ademloos.

Het was heel erg stil geworden in de kamer. De weduwe kwam binnen en ruimde de borden af, en nadat ze was vertrokken, bleven ze zwijgend zitten. Yozo staarde ingespannen naar de tuin, met afhangende schouders. Hana wilde tegen hem zeggen dat ze niet meer hoefde te weten, maar hij stak fronsend zijn hand op.

'Hij had mijn vriend Kitaro laten doden.' Hij sprak zo zacht dat ze hem bijna niet kon verstaan. 'Ik heb gezworen dat ik wraak zou nemen, maar ik moest wachten totdat de oorlog voorbij was; ik wist dat ik een misdrijf zou begaan als ik een van mijn eigen bevelhebbers zou doden. Maar toen ik eindelijk mijn kans schoon zag, heb ik geen moment geaarzeld. Het was tijdens de laatste slag, en we wisten allemaal dat we zouden sterven. Ik kwam in een verlaten straat in Hakodate oog in oog met hem te staan. Hij daagde me opnieuw uit, en ik schoot hem neer.' Er scheen een vreemde glans in zijn ogen, alsof hij weer terug was op die verre, woeste plek en het allemaal weer voor zich zag. 'Ik heb er nog steeds nachtmerries van. Ik wist zeker dat je me zou haten om wat ik heb gedaan. Per slot van rekening was commandant Yamaguchi je echtgenoot, wat je ook voor hem voelde.'

Hana staarde hem met grote ogen aan. Ze wist dat het geen misdaad was, maar een heilige plicht om de dood van een kameraad te wreken, en mannen doodden vaker andere mannen. Haar echtgenoot had vaak opgeschept over de vele mannen die hij had gedood, met inbegrip van zijn eigen soldaten. En als hij zou zijn teruggekeerd, zou hij haar ook hebben gedood. Op een bepaalde manier zou ze kunnen zeggen dat Yozo haar had gered.

'Ik wilde het niet langer voor je verborgen houden,' zei hij. 'Ik wilde niet dat er geheimen tussen ons zouden zijn.'

Ze nam zijn hand in de hare. 'Voor mij verandert er niets. Voor ons verandert er niets,' fluisterde ze. Om de een of andere reden was hij haar nog dierbaarder nu hij dit had opgebiecht.

'Kun je het me vergeven?' vroeg hij. Hij keek haar recht aan.

'Er valt niets te vergeven. Het enige wat ik wil, is dat je veilig terugkeert.'

Hij trok haar naar zich toe en hield haar dicht tegen zich aan. Toen hield hij haar een stukje van zich af en bekeek haar alsof zijn blik haar nooit meer los wilde laten. Hij rechtte langzaam zijn schouders en zei: 'Je huis staat in de buurt van de vroegere barakken van de militie. Daar zit Ichimura, en daar hebben Heizo, Hiko en ik met hem afgesproken. Ik ga met je mee om ervoor te zorgen dat je veilig thuiskomt.'

Ze liet haar hoofd op zijn schouder rusten en kuste hem in zijn nek. Ze liet haar hand over zijn gezicht gaan en volgde de vorm van zijn wang, zijn neus en zijn kin; ze raakte de lachrimpels naast zijn mond en zijn dikke zwarte haar aan. Ze wilde tegen hem zeggen dat ze zou bidden dat er niets ergs zou gebeuren, maar ze wist niet hoe. Pas nu besefte ze dat hij verwachtte dat hij niet meer terug zou komen.

'Je zei dat je me zou beschermen,' fluisterde ze. 'Vergeet dat niet.'

'Ik geef je mijn woord,' zei hij met een plechtige buiging.

Ze liepen haastig door de stad, Hana een paar passen achter Yozo. Toen ze het plein voor de Sujikaipoort overstaken, dacht Hana aan de vrouwen die ze daar eerder had gezien, beschilderd en bepoederd, bereid om hun lichaam voor een balletje rijst aan de eerste de beste man te verkopen. De stank van afval en rottend voedsel hing boven de Kanda. Bij de rivier vonden ze een schipper die bereid was hen naar een steiger in de buurt van het huis te varen.

Ze kwamen al snel bij de woestenij die ze had doorkruist toen ze voor de soldaten was gevlucht. Nu stonden er moerbeiboompjes, met nog een paar felgele blaadjes aan de takken. Ze wist dat het moment van afscheid naderde, maar ondanks haar droefheid en bezorgdheid voelde ze zich getroost omdat ze bijna thuis was. Eindelijk.

De tranen sprongen haar in de ogen toen ze de vertrouwde, met dakpannen bedekte muur en het mos tussen de stenen zag. Yozo bleef naast de poort staan en keek fronsend naar het bordje met de naam.

'Seizo Yamaguchi,' las hij hardop.

Hana wilde haar armen om hem heen slaan en zeggen dat ze van hem hield, dat het niet uitmaakte wat hij had gedaan en dat haar gevoelens alleen maar sterker waren geworden. Ze wilde hem smeken om niet aan zijn gevaarlijke missie te beginnen, maar ze zei niets. Ze probeerde sterk te zijn en herinnerde zichzelf eraan dat ze een samoerai was; ze glimlachte, knipperde de tranen weg en wenste hem alle goeds, volgzaam als een echtgenote zou doen.

Yozo pakte haar hand en drukte die een laatste keer tegen zijn lippen. Toen draaide hij zich weer om naar de rivier. Ze keek hem na, een man met brede schouders en twee zwaarden aan zijn zij. Hij keek nog een keer om en glimlachte, toen verdween hij uit het zicht.

Ze duwde de poort open, zich amper bewust van waarheen haar voeten haar voerden, omdat ze maar bleef denken aan alles wat hij haar had verteld. Maar ze wist dat het voor haar niets veranderde. Haar sombere leven als de echtgenote van commandant Yamaguchi was voorgoed voorbij, haar hart behoorde nu Yozo toe. Ze bad uit alle macht dat hij weer veilig mocht terugkeren.

Toen keek ze om zich heen, en besefte opeens waar ze was. Ze was bijna een jaar weggeweest. Er groeide mos tussen de stapstenen en afgevallen bladeren lagen in hoopjes tegen de muren. De tuin was overwoekerd door onkruid en de grote kersenboom was nog groter geworden. Het huis zag er bijzonder verwaarloosd uit; er groeide mos op het dak en hier en daar ontbrak een dakpan. Het leek eerder een vossenhol of dassenburcht dan een plek waar mensen woonden. Maar het was nog steeds hetzelfde huis, hetzelfde stuk grond. Ze zag rook van het dak opstijgen en versnelde haar pas. Oharu en Gensuké zouden zo blij zijn haar te zien, en zo verrast.

De grote deur aan de voorkant was afgesloten en vergrendeld. Ze duwde uit alle macht, maar er zat geen beweging in. Aan de lateien en onder de dakranden hingen flarden spinnenwebben en rottende bladeren hadden zich opgehoopt in de hoek. Ze liep naar de deur die bestemd was voor gebruik door de familie, aan de zijkant van het huis, en wrikte die open. Ze stapte over de drempel en knipperde met haar ogen, die prikten vanwege de rook die binnen opsteeg.

In het schamele licht dat tussen de kieren van de gesloten regendeuren door viel, zag ze de holle ruimte binnen, met de zwartgeblakerde dikke dakbalken en de kamers vol tatami's die in de schaduwen leken te verdwijnen. Ze rook de geur van brandend houtskool en gekookt eten en voelde een vlaag van vreugde toen ze besefte dat Oharu in de keuken het middageten aan het bereiden was.

Toen zag ze in het halfduister iets bewegen. Er zat iemand met gekruiste benen voor de haard, met een pijp in de hand.

Er klonk een doffe bons toen ze haar buideltje op de grond liet vallen en ze haar handen voor haar mond sloeg om een kreet van schrik te onderdrukken.

Heel even dacht ze dat ze een geest zag, maar daarvoor was de man te stevig: ze zag brede schouders, een arrogant opgeheven kin, dik en glanzend geolied haar dat los rond zijn hoofd hing.

Haar knieën knikten, en ze hapte als een drenkeling naar lucht. Ze wilde zich omdraaien en wegrennen, maar haar benen wilden haar niet dragen. Ze zei tegen zichzelf dat ze scherp moest blijven, dat haar aandacht niet mocht verslappen. Hoe kon Yozo het zo mis hebben gehad?

Want er was geen twijfel mogelijk, geen enkele. Deze man was haar echtgenoot.

40

Commandant Yamaguchi zag er ouder en magerder uit. Zijn gezicht was ingevallen en zijn huid, die ooit prachtig blank was geweest, was leerachtig geworden. Zijn haar, vroeger zo glanzend als zwart lakwerk, was doorschoten met grijs. Hij had donkere wallen onder zijn ogen en de rimpel tussen zijn wenkbrauwen was veranderd in een diepe frons. Hij keek Hana zwijgend in de ogen en liet toen zijn blik van top tot teen over haar heen gaan.

Haar benen leken vanzelf te buigen. Ze viel bij de deur op haar knieën, met haar handpalmen plat op de vloer, en drukte haar gezicht tegen haar handen.

'Dus je bent het echt,' zei hij. Ze herkende zijn zachte, meedogenloze toon en het grove plattelandsdialect. 'Je bent op reis geweest. En nu duik je hier op, in een vieze kimono en met een bundeltje onder je arm, als de eerste de beste zwerver. Het was niet bepaald de thuiskomst waarop ik had gerekend. Er was geen echtgenote die me begroette en voor me kon zorgen.'

Ze beefde, niet in staat iets te zeggen, en kroop zo ver mogelijk ineen op de koude vloer van aangestampte aarde.

'Heb je soms je tong verloren? Ga je niet zeggen dat je blij bent me te zien?'

'Ik dacht... ik dacht...'

'Je werd geacht het huishouden te bestieren. Waarom was je niet hier?'

Ze haalde diep adem. 'Er kwa... kwamen...' Ze kon de woorden amper uitspreken. 'Er kwamen soldaten hierheen... die me wilden doden... omdat ik uw vrouw ben. Ik... ik moest vluchten.'

'Je bent een samoerai, maar je bent bang voor de dood? Het was je plicht dit huis te verdedigen.'

Hana's schuldgevoel hing als een kwade geest over haar heen en haar ademhaling was snel en oppervlakkig. Vanuit haar ooghoeken zag ze het bundeltje dat ze had laten vallen op de vloer liggen, en ze dacht aan de bezittingen van haar echtgenoot. Misschien zou het hem milder stemmen als hij zijn kistjes zou zien. Misschien zou hij dan begrijpen waarom ze bepaalde beslissingen had genomen.

'Ik dacht dat u dood was,' zei ze ademloos.

Ze greep naar het bundeltje, legde het voor hem op de tatami en begon de knopen los te maken. Haar handen trilden toen ze de lap stof openvouwde en het onversierde metalen legerkistje en het houten kistje met de schrijfrol ernaast legde. Ze wist nog goed dat ze die in haar kamers in de Hoek Tamaya had geopend en de brief en het gedicht telkens weer had gelezen en daarna de kistjes en de foto op het altaar had gezet. Ze had om hem gehuild, ze had niet langer aan zijn barsheid en klappen gedacht, maar ze had alleen maar haar echtgenoot herdacht.

Hij deinsde terug, alsof hij op zijn beurt een spook had gezien, en stak toen een trillende hand uit. Zijn hand was magerder geworden, een en al bot, en de knokkels leken groter.

'Ichimura is die kistjes komen brengen,' fluisterde ze. Ze keek hem smekend aan. Ze wist welk effect het op mannen kon hebben wanneer ze hen zo aankeek, tussen haar wimpers door. 'Ik heb uw brief gelezen. Ik heb om u gerouwd. Ik wilde dit alles naar Kano brengen en daar begraven, volgens uw wensen.'

Hij trok het deksel van het metalen kistje en keek naar de inhoud. Ze schrok toen ze zag dat zijn ogen zich met tranen vulden.

'Mijn hele leven,' mompelde hij. 'Teruggebracht tot dit, meer niet. De oorlog verloren, onze zaak mislukt, en alles waarin ik geloofde, is weg, gewoon weg.' Hij leunde achterover en uitte een lange, beverige zucht. 'Ik had samen met de anderen moeten sterven. Dit is geen wereld om in te leven.'

Hij tastte naar zijn pijp en tikte die langzaam af tegen de zijkant van het doosje met tabak. Het geluid weerklonk luid in de stilte. Ze hield haar adem in, kijkend, wachtend. Toen kneep hij zijn ogen tot spleetjes en keek haar aan.

'Je ziet er anders uit,' zei hij. 'Kom hier.'

Met bonzend hart knielde ze voor hem neer, en hij greep haar kin vast tussen zijn vinger en duim en kneep zo hard dat het pijn deed. Hij draaide haar gezicht heen en weer en staarde haar aan. Zijn blik leek elk laagje af te pellen, alsof hij haar hele geschiedenis kon lezen en alles zag wat ze had gedaan, alle plekken waar ze was geweest, elke man met wie ze had geslapen. Het was alsof alles – de nacht die ze met Yozo had doorgebracht, alles – als een tatoeage op haar huid was geschreven. Ze kneep haar ogen stijf dicht en dacht aan vader, die haar kin ook zo had vastgehouden. Toen duwde hij haar met zo veel kracht weg dat ze achterover op de tatami viel.

'Er is iets veranderd,' zei hij met een blik vol walging. 'Je ruikt zelfs anders. Vroeger was je een dwaas, gehoorzaam schepsel, maar dat ben je niet langer. Je hebt geleerd ongehoorzaam te zijn. Dat straal je aan alle kanten uit.'

Hij zweeg even en staarde haar opnieuw aandachtig aan.

'Je hebt geleerd na te denken. Je spreekt me tegen, je houdt je hoofd scheef, je kijkt me door je wimpers aan. Je hebt geleerd spelletjes te spelen, mannen naar je te laten kijken. Je bent niet meer de bescheiden echtgenote, hè?'

Hana wist wat er zou volgen, maar ze kon niets doen of zeggen om het te verhinderen. Haar echtgenoot trok met een gebaar vol walging zijn lip op. 'Je hebt in de Yoshiwara gezeten. Dat is toch zo? Je bent een prostituee. Hoeveel zuiderlingen hebben dat lijf gebruikt? Je bent van mij, maar je hebt jezelf aan de vijand gegeven! Je hebt schande over mij gebracht, en schande over dit huis.' Hij was dieprood van woede geworden.

Toen hij 'Yoshiwara' zei, wist Hana dat haar lot was bezegeld. Hij zou haar doden. Hij moest wel, zo luidde de wet.

Ze wrong haar handen en voelde haar hart hevig bonzen. Het bloed steeg haar naar het hoofd. Kon Yozo haar nu maar redden. Als er iemand was die dat kon, was hij het. Maar hij zou pas merken wat haar was overkomen als het al te laat zou zijn.

'Probeer het maar niet te ontkennen,' brulde de commandant.

Zijn gezicht was donker van woede. 'Een zekere Fuyu is naar me toe gekomen. Ze heeft me alles verteld.'

Fuyu. Een naam die als een klap in haar gezicht was. Hana schoot met een ruk overeind, als gewekt uit een verdoving, en voelde opeens een hevige woede. Ze zou niet langer in stilte blijven knielen. In het verleden had ze aanvaard dat deze man haar heer en meester was en had ze zonder te klagen zijn bevelen opgevolgd en zijn afranselingen doorstaan. Maar hij had gelijk. Ze was veranderd. Hij had niet langer macht over haar geest. Hij mocht haar doden, maar niet voordat ze had gezegd wat ze hem wilde zeggen.

'Fuyu is een pooier,' riep ze. 'Hoe durft u haar te geloven, en mij niet? Ze heeft me verkocht.'

De commandant haalde zijn handen door zijn haar, waardoor het als een krans van vlammen rond zijn hoofd stond. 'Spreek je me tegen?' brulde hij. 'Hoe durf je! Denk je dat het iets uitmaakt of het vrijwillig was of niet? Niemand wil een echtgenote die in de Yoshiwara heeft gezeten!'

Hij liet zijn knokkels knakken, en ze huiverde toen ze zich herinnerde dat hij dat gebaar altijd had gemaakt voordat hij haar een aframmeling gaf. Toen stond hij op. Ze kromp ineen en rolde zich op, haar armen beschermend rond haar hoofd, en voelde zijn voet tegen haar ribben en haar rug en bovenbenen. Hij wachtte tot ze overeind was gekomen en gaf haar toen zo'n harde oorvijg dat ze als verdoofd op de grond viel. Langzaam krabbelde ze overeind, maar hij gaf haar opnieuw een klap.

De kamer draaide om haar heen, haar oren suisden en haar hoofd deed zo'n pijn dat ze amper kon nadenken. Ze voelde zich beurs over haar hele lichaam, maar hij had haar in het verleden wel erger mishandeld, veel erger. Ze rechtte haar rug en keek hem uitdagend aan. Ze zou trots sterven, niet kermend en smekend om genade.

'Je huilt niet eens,' zei hij, deze keer op zachtere toon. 'Je hebt alle schaamte verloren. Haal de mat. Je weet hoe het gaat.'

Ze stond op, klopte haar kleren af en liep hinkend naar de keuken. Ze hoorde metaal langs steen schrapen en wist dat hij zijn zwaard scherpte. Oharu stond aan het fornuis en roerde in een pan alsof ze niet van ophouden wist, en Gensuké zat gehurkt in een hoek. Ze deinsden terug en krompen ineen toen ze binnenkwam, verdoofd van angst.

Opgerold in de hoek lag de mat waarop Oharu altijd de radijsjes en kaki's te drogen legde. De mat was stoffig en beschimmeld, en toen Hana hem oppakte, bleef er een bergje piepkleine dode insecten op de vloer achter.

Ze nam de mat mee naar buiten. Haar echtgenoot liep achter haar aan. Hij had zijn mouwen opgebonden en zijn zwaard in zijn ceintuur gestoken.

'Daar,' zei hij bars.

Hana voelde de warme zon op haar hoofd. De dag had nog nooit zo fraai geleken. De hemel was verbijsterend blauw en de takken van de bomen hingen als een baldakijn met gouden, oranje en bruine bladeren boven het huis. Ze liep om de stenen lantaarn en de vijver heen, tussen de dennen door naar de open plek achter de voorraadschuur. Daar kon niemand hen zien.

'Hier.'

Ze rolde de mat uit en knielde neer, met haar rug naar hem toe en haar hoofd opgeheven. Maar ondanks haar voornemen om hem niet haar angst te laten zien, merkte ze dat ze trilde en klappertandde. Haar ademhaling was gejaagd en oppervlakkig. Ze wist dat elke ademtocht haar laatste kon zijn.

'Zeg je gebeden.'

De grond was koud en de steentjes drukten door het dunne stro in haar schenen. Een briesje speelde met de gevallen bladeren en ze huiverde. Vlakbij streek een kraai neer die haar met zijn kraaloogjes aankeek en toen zijn grote zwarte snavel opende en de stilte luid krassend verbrak. Het was een eenzaam geluid. Een voorteken van de dood.

In de Yoshiwara had ze van het leven en de liefde geproefd. Als ze dit huis nooit had verlaten, zou ze wellicht oud zijn geworden, maar dan zou ze nooit echt hebben geleefd. Ze besefte dat ze nergens spijt van had. Ze kon zich Yozo en hun nacht samen zo goed herinneren en ze wist dat ze nog nooit zo'n intens geluk had gekend en zich nooit zo compleet had gevoeld. Haar enige wens was dat ze hem

336

nog één keer zou kunnen zien. Ze glimlachte, het beeld van hem haarscherp in haar gedachten. Ze zou denkend aan hem sterven.

Ze hoorde metaal schrapen en wist dat dat het laatste geluid was dat ze ooit zou horen. Ze sloot haar ogen.

41

Ze hadden het plan om de stoet te volgen tot het punt waar de weg smaller werd en daar de bewakers te doden en Enomoto en Otori te bevrijden. De zuiderlingen, die er zeker van waren dat ze al het verzet de kop in hadden gedrukt, zouden niet al te veel bewakers inzetten, de dragers van de kooien zouden ongetwijfeld wegrennen, en eventuele voorbijgangers, die niets van de vooringenomen zuiderlingen moesten hebben, zouden niet aarzelen Yozo en zijn vrienden een handje te helpen. Dat was in elk geval het plan. Of het in de praktijk net zo gemakkelijk zou gaan, moest nog blijken.

Yozo zei tegen zichzelf dat hij in het verleden genoeg onmogelijke plannen had doorstaan en dat hij dit ook wel zou overleven. Hij moest wel. Er was nu een vrouw om wie hij gaf en hij kon zijn leven niet te lang meer op het spel zetten. In gedachten was hij nog steeds bij Hana en hun laatste gesprek. Omdat hij had geweten dat hij wellicht niet zou terugkeren, had hij haar alles opgebiecht, zodat zijn geweten rein zou zijn, al had hij haar reactie op het nieuws dat hij haar man had gedood wel gevreesd. Maar ze was zo kalm gebleven, ze had het hem vergeven, en daardoor had hij alleen maar meer bewondering voor haar gekregen. Nu hij die rust had gevonden, kon hij doen wat hij moest doen: Enomoto bevrijden.

Terwijl hij door de moerbeistruiken sloop, op weg naar de wilgen en de hutjes aan de oever van de rivier, prentte hij alle details van de weg terug naar Hana's huis in zijn gedachten. Hij wilde dat hij zijn betrouwbare Snider-Enfield nog had, maar die was in de laatste slag verloren gegaan. Hij moest het zien te rooien met zijn Colt en het zwaard dat Marlin hem in handen had gedrukt toen hij de Yoshiwara uit was gerend. Hopelijk was Ichimura erin geslaagd nog iets bruikbaars uit het arsenaal van de militie te halen.

Bij de steiger sprongen Heizo en Hiko net uit een bootje waarin de veerman zijn geld zat te tellen. Yozo moest grinniken toen ze salueerden. In de verte kwam Ichimura over de oever gerend, half struikelend omdat hij een tas vol wapens achter zich aan sleepte. Hij droeg een donkerblauwe werkbroek en een grof jasje, de kleren van een werkman, en had zijn haar zo plat mogelijk gekamd om te voorkomen dat hij in een menigte zou opvallen. Hij grijnsde breed en zette zijn handen aan zijn mond, maar vanwege de wind was niet te verstaan wat hij riep. Toen hij dichterbij kwam, riep hij nogmaals, maar Yozo verstijfde toen hij hoorde wat hij schreeuwde. 'De commandant is terug! Hij is niet dood!'

'De commandant?' herhaalde Yozo. Hij probeerde te slikken. Opeens voelde de dag donkerder en kouder. 'Je bedoelt toch niet... Het is niet... Commandant Yamaguchi?' Zijn nek tintelde en het voelde alsof zijn keel werd dichtgeknepen. 'Leeft hij nog? Maar dat kan helemaal niet.'

Ichimura kwam hijgend naar Yozo toe. 'Ik heb hem zelf gezien, meneer,' zei hij opgewekt. 'Gisteren. Hij woont hier vlakbij. Ik heb hem over onze plannen verteld, en hij zei dat ik niet zo dwaas moest doen. De oorlog is voorbij, hij probeert aan een arrestatie te ontkomen. Hij wil niets doen waarmee hij de aandacht kan trekken.'

Maar Yozo hoorde hem niet eens meer. Hij had het ijskoud gekregen toen hij had beseft in welk levensgroot gevaar Hana nu verkeerde. Maar hoe was dit mogelijk? Hij had hem neergeschoten, hij had hem zien vallen. Hij had omgekeken en de commandant in een plas bloed zien liggen. Er had bloed op zijn jasje gezeten, er had bloed op de grond gelegen. Hoe kon hij nog in leven zijn?

Kort daarna was Yozo zelf gevangengenomen. Hij had niets meer van de commandant vernomen, ook niet toen hij in de Yoshiwara verbleef, en toen Ichimura met dat verdraaide kistje was opgedoken, leek dat alleen maar te bevestigen dat de commandant dood was. Hij kreunde. Hoe had hij er zo naast kunnen zitten? En nu had hij Hana terug naar huis gestuurd. Haar dood tegemoet.

Hij keek vol ontzetting om zich heen en sloeg met zijn vlakke hand hard tegen zijn voorhoofd toen hij besefte voor welke keuze hij stond. Enomoto, die intelligente, ridderlijke Enomoto was al jaren zijn vriend, en hij bewonderde hem en had hem lief als een broer. De erecode van de samoerai die hem van jongs af aan was bijgebracht en hem gedurende zijn hele leven als leidraad had gediend, vertelde hem dat trouw aan je doel en trouw aan je kameraden het allerbelangrijkste voor een man waren. Zij zouden hun leven voor jou geven, jij moest op jouw beurt hetzelfde doen. Hij wist dat ze geen tweede kans zouden krijgen om Enomoto en Otori te redden, en als het plan niet zou slagen, zouden ze het allemaal met de dood moeten bekopen. Hoe kon hij er zelfs maar aan denken om zijn vriend in de steek te laten?

Maar opeens was Hana in zijn leven gekomen en was alles veranderd. Hij besefte nu dat ze meer voor hem betekende dan wat of wie ook ter wereld. Hij zou alles voor haar opgeven, zelfs zijn eer en het respect van zijn kameraden. Al die jaren in het westen hadden hem meer veranderd dan hij voor mogelijk had gehouden – en als hij eenmaal zijn keuze had gemaakt, zou er geen weg terug zijn.

Hij greep naar de tas van Ichimura en trok hem open. Hij puilde uit van de geweren, maar ze waren oud en roestig, en een zwaar, onhandig wapen zou hem alleen maar afremmen. Hij schopte de tas opzij.

'Wacht hier,' beval hij bars.

'We hebben geen tijd, meneer, we moeten nu gaan.'

Heizo, Hiko en Ichimura staarden hem aan alsof hij gek was geworden. Ze wisten waarschijnlijk allemaal van zijn ontmoetingen met Hana. Hij had zijn best gedaan om het geheim te houden, maar de Yoshiwara was niet groot en roddels tierden er welig. En Hanaogi was natuurlijk de befaamdste courtisane van allemaal geweest. Alle mannen moesten jaloers op hem zijn geweest.

Hij wist wat ze zouden zeggen als ze zouden weten waaraan hij dacht: dat vrouwen leuk en aardig waren als je vermaak zocht, maar dat je nooit je persoonlijke gevoelens boven je plicht mocht stellen. Het was gekkenwerk om een enkele vrouw te verkiezen boven een wapenbroeder die moest worden gered.

Hij schudde zijn hoofd. Het was een vreselijke keuze, maar hij had de knoop doorgehakt en twijfelde niet langer. Hij moest Hana redden.

'Ik kom later wel naar jullie toe,' zei hij kortaf.

'Maar meneer...'

Maar zelfs toen Yozo begon te rennen besefte hij dat hij eigenlijk al te laat was.

Marlin had hem geleerd wat lopen was, een les waar hij nu iets aan had. Hij rende naar de straatjes aan de overkant van de akker met moerbeistruiken, waar de bedompte huizen van de samoerai stonden, en probeerde zo goed mogelijk zijn weg terug te vinden, maar bij elke stap leken de grijze pannendaken en stenen muren verder weg. Het was een nachtmerrie: hij rende maar door en leek geen stap verder te komen. Hij vloekte toen hij in een vlaag van woede besefte dat hij de verkeerde kant op was gegaan.

Ten slotte kwam hij bij de hoge muur aan en duwde de poort open. Zijn gezicht vertrok toen hij de scharnieren hoorde knarsen. Daar stond het grote huis, met de beschaduwde veranda aan de voorzijde en overstekende dakranden waarlangs de rook kringelend opsteeg, precies zoals Hana het had beschreven. Het erf voor het huis was bedekt met kiezelsteentjes met stapstenen, en er stonden een put en een grote kersenboom.

Kraaien krasten, insecten tsjirpten en Yozo hoorde buiten op straat stemmen, maar binnen de muren rond de tuin heerste stilte. Hij keek om zich heen en hurkte toen neer achter een boom en laadde zijn wapen. Jammer genoeg had hij tot nu toe nooit de kans gekregen het te testen.

Als de commandant zou ontdekken dat Hana in de Yoshiwara had gezeten, zou hij haar doden. Samoerai hadden de plicht hun echtgenotes te doden als die overspel hadden gepleegd, en al helemaal als ze zich hadden overgegeven aan prostitutie. Het meedogenloze karakter van de commandant liet geen ruimte voor twijfel; hij zou haar zonder aarzelen doden, zeker als hij zou ontdekken dat ze met zuiderlingen had verkeerd. Als Yozo hem zou proberen tegen te houden, zou hij degene zijn die een misdrijf beging, en niet de commandant.

Zijn enige hoop was dat ze hem misschien had afgeremd. Ze zou niet om genade hebben gesmeekt, daar was ze te trots voor, maar misschien zou ze hem hebben kunnen wijsmaken dat ze haar familie had bezocht. Maar de commandant zou leugens al snel doorzien. Hij hoefde maar naar haar te kijken om te weten wat er aan de hand was. Alles aan haar, tot aan de houding van haar lichaam toe, maakte duidelijk dat ze een vrouw was die had geleerd bij een man verlangen op te wekken.

Hij had geen tijd te verliezen. Als de commandant haar zou doden, zou hij dat ergens buiten doen, uit het zicht van anderen. Maar waar?

Yozo rende het erf over, zoekend naar kussentjes mos die het geluid van zijn voetstappen konden dempen, en zijn gezicht vertrok toen hij bijna uitgleed en de kiezelsteentjes hoorden knerpen onder zijn strosandaal. Hij kwam bij het huis aan en bleef in de schaduw van de muur staan om op adem te komen. Er heerste stilte. Hij vervolgde zijn weg, rondom een aangelegde tuin met een vijver en een stenen lantaarn, en keek toen om zich heen en zag een vierkant, witgeschilderd bouwsel. De voorraadschuur. Toen hij langs de schuur sloop, hoorde hij het geschraap van metaal. Zijn bloed begon te koken.

Hij durfde bijna geen adem te halen en sloeg de hoek van de schuur om. Meteen dook hij ineen. Hana zat geknield, roerloos als een standbeeld, met haar gezicht naar de muur en haar handen klein en wit in haar schoot. Ze droeg dezelfde onversierde blauwe kimono als ze die ochtend had gedragen. Haar haar hing los rond haar gezicht, maar Yozo ving toch nog een glimp van de zachte blanke huid van haar nek op. Ze was lijkbleek, maar haar gezicht was beheerst en haar bovenlijf kaarsrecht. Toen Yozo de sierlijke lijn van haar rug zag, voelde hij een vlaag van trots omdat ze zich zo sterk toonde. Maar toen zag hij de blauwe plek op haar opgezwollen wang en moest hij zijn vuisten ballen om te voorkomen dat hij een woedende brul zou uiten.

De commandant torende boven haar uit, met zijn benen gespreid en zijn hand op het gevest van zijn zwaard, klaar om toe te slaan. Hij was magerder en grauwer dan bij hun laatste ontmoeting, maar Yozo zag dat hij geen geest was. Hij had de rokken van zijn kimono opgetrokken, zijn mouwen opgebonden en een hoofdband met een ijzeren voorhoofdsplaat omgedaan, alsof hij ten strijde trok. Zijn ogen waren half dichtgeknepen en rond zijn mond lag een onvermurwbare, vastberaden trek.

Yozo wist dat de commandant zijn hand maar hoefde te bewegen of het zwaard zou de schede verlaten en Hana zou door een enkele slag van het wapen sterven. Hij spande de haan. De klik verbrak akelig luid de stilte, maar de commandant scheen het niet te merken. Hij leek diep in gedachten verzonken.

Yozo hurkte neer en richtte zijn wapen. Het was een oudje, waarvan hij niet wist hoe doeltreffend het was, en de commandant stond zo dicht bij Hana dat hij bang was dat hij haar zou raken, maar er was geen tijd om een beter plan te bedenken. Grommend van vastberadenheid haalde hij de trekker over. Er klonk een oorverdovende knal, er was even een vlam te zien. Door de rook heen zag hij de commandant naar achteren springen, struikelen en zijn grote zwaardvechtershand uitsteken om te voorkomen dat hij zou vallen. De kogel raakte met kracht de muur en deed een fontein van aarde, steentjes en stof opvliegen.

Yozo vloekte. Hij had de commandant laten schrikken en uit zijn evenwicht gebracht, maar hij was verre van uitgeschakeld.

De commandant draaide zich met een ruk om en kreeg Yozo in het oog. Er verscheen een verbaasde uitdrukking van herkenning op zijn gezicht. Zijn ogen puilden uit hun kassen en hij brulde als een leeuw in het nauw. Zijn hele lichaam leek samen te trekken van woede. Zijn gezicht werd donker, alsof hij op het punt stond te exploderen, en hij rukte zijn zwaard uit de schede en hief het hoog op. Het metaal blonk in het zonlicht. Als Hana voor hem zou hebben gezeten, zou ze vanaf haar middel tot aan haar schouders zijn opengereten.

Maar ze zat er niet langer. Bij het horen van het schot was ze opgeschrokken, en toen de kogel langs de commandant schoot en hem naar achteren dwong, had ze zich met een ruk omgedraaid en had ze Yozo zien zitten. Ze was overeind gekrabbeld, had haar rokken opgetild en was naar hem toe gerend. Heel even hadden hun blikken elkaar gekruist. Haar ogen waren groot en wit, als van een angstig hert.

'Ga achter me zitten,' fluisterde hij haastig. 'Snel.'

Hij haalde nogmaals de trekker over, maar deze keer was de commandant er klaar voor. Hij trok zijn lip op, stapte opzij en liet zijn zwaard met kracht neerkomen, de kogel in tweeën klievend. Yozo keek vol ongeloof toe. De splinters vlogen aan weerszijden van de vlijmscherpe kling in het rond en drongen in de muur, zodat er nog meer stof en aarde in het rond vloog. Het zwaard glinsterde in de zon, zonder een enkel smetje.

Vloekend smeet Yozo zijn wapen neer, maar de commandant was al bij hem en uitte een strijdkreet. Met beide handen hief hij het zwaard ver boven zijn hoofd. Yozo kon nog net op tijd zijn eigen zwaard trekken om de slag van de commandant af te weren. Toen de klingen tegen elkaar sloegen, klonk het oorverdovende geluid van staal op staal en was er een regen van vonken te zien. De klap was zo hard dat Yozo op zijn knieën viel.

Hij sprong meteen weer overeind. Ze staarden elkaar aan, met hun zwaarden in de aanslag, en dansten naar voren en naar achteren, elkaar uitdagend om als eerste toe te slaan.

Yozo had tijdens al die maanden in de Yoshiwara niet kunnen oefenen, en dat was nu te merken. Hij kende het zwaard van de commandant: dat was legendarisch, het werk van een befaamde wapensmid. De commandant moest het aan Ichimura hebben meegegeven zodra hij had beseft dat de oorlog voorbij was, en Ichimura had het hierheen gebracht. Heel even werd Yozo getroffen door de droefenis van dat alles. De commandant en hij hadden aan dezelfde kant gestreden, vechtend voor iets waar ze in geloofden, maar nu waren ze er wederom toe veroordeeld elkaar te bevechten. Heel even voelde hij de behoefte om zijn wapen neer te smijten; de commandant was het toonbeeld van een tijdperk dat voorbij was, en zwaardvechten was een uitstervende kunst. Yozo had al eens wraak geproefd en was daar sindsdien door achtervolgd. Het leek verkeerd als hij zich er nog eens aan zou overgeven. Maar toen dacht hij aan Kitaro, die dood en eenzaam op een veld in Ezo had gelegen, en aan de blauwe plekken op Hana's gezicht, en zijn vastberadenheid was terug.

'Dus jij bent het,' zei de commandant. 'Yozo Tajima. Ik kan maar niet aan je ontkomen. Waar ik ook ga, jij bent er ook.' Er vonkte iets in zijn ogen, een dansende waanzin die Yozo herkende.

'Laat haar gaan, laat haar gewoon gaan,' zei Yozo. 'Dan verlaten we Edo, dan gaan we naar Ezo, en dan hoef je ons nooit meer te zien.'

'Je hebt me al eens in de val laten lopen, Tajima, je hebt me al eens bedrogen. Nu maken we gewoon af waar we in Ezo aan zijn begonnen, alleen zul jij deze keer sterven. Samen met die hoer van je.'

Yozo was een bedreven zwaardvechter, maar hij wist dat de commandant zo meedogenloos en hard was dat het hem nagenoeg onverslaanbaar maakte. Hij kon zich nog goed herinneren dat de commandant had opgeschept dat de kling van een van zijn zwaarden was weggerot omdat die zo vaak doorweekt was geweest met het bloed van zijn slachtoffers.

Hij wist dat hij als eerste moest toeslaan. De vlijmscherpe klingen konden door vlees snijden als een mes door een lap zijde. Een enkele slag, meer was er niet nodig om een man van zijn arm te beroven of hem even gemakkelijk in tweeën te splijten als de commandant met de kogel had gedaan.

Yozo slaakte een harde kreet en sprong naar voren, zwaaiend met zijn zwaard. Er klonk een luid gekletter toen de commandant hem afweerde. Yozo wendde zich op zijn tenen om, draaide zijn zwaard en haalde opnieuw uit. Toen greep hij het gevest met beide handen beet, hief het wapen hoog boven zijn hoofd en liet het zoevend neerkomen. Het gekletter van metaal was oorverdovend. Maar de commandant zag elke beweging aankomen en wist die moeiteloos af te weren. Toen de afstand tussen hen groter werd, sprong Yozo weer naar voren en wist de commandant te verrassen; voordat deze naar achteren kon springen, had Yozo de kling al diep in het zachte vlees van zijn schouder gestoken. Bloed welde op en vormde al snel een grote vlek op het gescheurde jasje van de commandant, maar hij gaf geen krimp. Hij keek Yozo met een woedende blik aan, alsof hij het niet eens had gemerkt.

Toen begon hij te grijnzen. Zijn ogen fonkelden en hij lachte met dat kenmerkende, arrogante lachje van hem. Met een kreet stortte hij zich naar voren, woest zwaaiend met zijn zwaard. Hij danste heen en weer, met wapperende kimonorokken, zo lichtvoetig als een hert, en aanvallend vanuit elke richting. Zijn zwaard was als een scheermes dat flitste in het zonlicht wanneer hij het liet zakken. Yozo werd in de richting van de muur gedreven terwijl hij wanhopig probeerde de aanval af te weren. Hij wist dat slechts één slag zijn einde kon betekenen.

De commandant kwam dichterbij en liet zijn zwaard keer op keer licht en snel neerkomen. Yozo probeerde een slag af te weren die uit het niets leek te komen, en struikelde. Hij sprong opzij, maar hij was niet snel genoeg en de kling haalde zijn wang open. De plotselinge pijn deed zijn ogen tranen, en hij voelde dat zijn gezicht nat werd van het bloed. Hij klemde zijn kaken opeen en bleef met zijn zwaard zwaaien, in de hoop dat hij de ander kon afweren, maar toen kwam de kling van de commandant neer en voelde hij een stekende pijn in zijn linkerarm, die zo hevig was dat hij er misselijk van werd. Hij tolde rond zijn as, uitgeput. Hij stond te hijgen, het zweet liep over zijn lijf, zijn borstkas ging snel op en neer en zijn adem vormde wolkjes in de herfstlucht.

De commandant boog zich over hem heen, zijn zwaard opgeheven. Klaar voor de laatste, fatale stoot. Hij grijnsde. Er was bijna geen zweetdruppeltje te zien, en Yozo besefte dat de commandant hem al veel eerder had kunnen doden. Hij had met hem gespeeld, voor de lol, als een kat met een muis.

Yozo stond met zijn rug tegen de muur, wachtend op de klap. Tot zijn grote verbazing bleef de commandant echter staan, even stil en beheerst als een standbeeld, alsof hij een moment waarvan hij genoot nog iets langer wilde rekken.

Yozo staarde hem aan en vroeg zich af waarom de commandant niet toesloeg. Het was bijna alsof hij hem een kans gaf. Alsof híj wilde sterven.

Opeens raakte Yozo verblind van woede. Als hij toch moest sterven, zou hij deze demon meesleuren in de dood. Terwijl de commandant zich daar stond te verkneukelen, schreeuwde Yozo: 'Voor Kitaro, voor Hana!' Hij greep zijn zwaard met beide handen beet, liet de punt naar boven wijzen en stootte krachtig door de lagen zijde die de buik van de commandant bedekten. Hij voelde dat de kling soepel door de ruggengraat gleed.

Met zijn laatste beetje kracht dreef hij zijn zwaard in het lijf van de ander, totdat hij er zeker van was dat het helemaal door de commandant heen was gegaan. Hij draaide het gevest rond en trok het wapen weer terug, klaar om nogmaals toe te slaan.

De commandant sperde zijn ogen open en wankelde opeens achteruit. Yozo verwachtte dat hij zou vallen, maar in plaats daarvan uitte zijn tegenstander een kreet die zo van haat was vervuld dat Yozo een rilling door zijn hoofd voelde gaan. Misschien was de commandant helemaal geen mens, misschien kon hij niet worden gedood. Alsof de commandant dat wilde bewijzen, liet hij op hetzelfde moment zijn zwaard neerkomen. Yozo zag het gebeuren en dook schuin op hem af, als een straal zonlicht. Hij probeerde tijdig weg te duiken en hief zijn zwaard op om de slag af te weren, maar hij wist dat hij te laat was. De commandant had gewonnen. Ze zouden samen naar het hiernamaals of de onderwereld gaan.

Opeens klonk er een luid, kletterend geluid en vloog het zwaard uit de handen van de commandant. Het tolde door de lucht en kwam even verderop met een doffe bons op de grond neer, onschuldig. Verdwaasd keek Yozo op. Uit het niets was een kling tevoorschijn gekomen die de slag had afgeweerd.

De commandant zwaaide heen en weer. Bloed welde op uit de wond in zijn buik en zijn mond. Hij wankelde even, zakte door zijn knieën en viel op de grond. De bladeren stoven rondom hem omhoog.

Hij keek op naar Yozo, en er verscheen een uiterst flauwe glimlach op zijn gezicht. Zijn lippen bewogen. Yozo boog zich voorover en probeerde te verstaan wat hij zei.

'Je hebt dapper gestreden. Je hebt me... een dienst bewezen.'

Hij slaakte een zucht. Langzaam doofde het licht in zijn ogen, en zijn hoofd rolde opzij.

42

Hana's oren suisden van het gekletter van de zwaarden toen ze naar binnen rende en haar hellebaard uit zijn houder boven de latei pakte. Ze kwam nog net op tijd naar buiten gerend om te zien dat Yozo met zijn rug tegen de muur gedreven werd en dat haar echtgenoot met een opgeheven zwaard over hem heen gebogen stond, zijn lippen vertrokken tot een triomfantelijke glimlach. Ze had gezien dat Yozo zich onverwacht fel had omgedraaid en zijn zwaard met kracht in de buik van de commandant had gedreven, en ze had de maniakale blik in de ogen van haar man gezien toen die zich opmaakte voor de laatste, fatale stoot.

Zonder er ook maar over na te denken zette ze zichzelf schrap, tilde haar hellebaard met een zwaaiende beweging op en haalde met al haar kracht uit naar het zwaard dat op Yozo dreigde neer te komen. Ze voelde dat de twee klingen elkaar raakten en wankelde door de kracht van de klap, die zo hard was dat ze haar hellebaard stevig moest vastgrijpen om te voorkomen dat hij uit haar handen werd gerukt. Daarna had ze, met meer kracht dan ze had gedacht te bezitten, het dodelijke zwaard uit zijn handen weten te slaan.

Nu staarde ze naar de lange man die uitgestrekt en met hevig bloedende wonden op de grond lag. Stof en bladeren dwarrelden door de lucht. Ze hoorde haar eigen ademhaling de stilte verbreken toen ze naar een geel blad keek dat langzaam naar beneden viel en op zijn hand bleef liggen.

Ze was er zo zeker van geweest dat ze zou sterven dat ze al afscheid van de wereld had genomen. Maar nu ze besefte dat ze zou blijven leven zag alles er zo mooi uit dat ze er tranen van in haar ogen kreeg. De muren van de voorraadschuur waren oogverblindend wit in het zonlicht, de bamboe trilde en ruiste in het briesje en de geur van houtvuren hing in de lucht.

Ze keek neer op de man die ze zo lang had gevreesd, bijna bang dat hij opnieuw zijn ogen zou openen, overeind zou komen en haar aan zou staren. Zijn gezicht was beheerst en vredig, rustiger dan ze het ooit had gezien. Ze had gedacht dat ze hem nooit zou weerzien, en zeker niet eerst levend en vervolgens dood.

Yozo hees zichzelf overeind en plantte zijn hand tegen de muur om steun te zoeken. Hij zag bleek en zat onder het bloed en het zweet en het stof. Zijn haar hing los rond zijn gezicht.

'Wacht even,' zei hij. Hij stak een hand op toen Hana naar hem toe holde. Daarna veegde hij, zonder zijn blik los te maken van de dode, de kling van zijn zwaard af aan de punt van zijn jasje en schoof het terug in de schede. 'Ik wil er even voor zorgen dat je geen derde keer hoeft te rouwen.'

Hij raapte zijn pistool van de plek waar hij het had laten vallen, knielde neer en plantte de loop tegen het hoofd van de commandant. Hana drukte haar handen tegen haar oren. Ze wilde er ook zeker van zijn dat haar echtgenoot nooit meer uit de dood zou opstaan, maar ze zag dat Yozo naar het gezicht van de commandant keek en het wapen neerlegde zonder een schot te lossen.

'Hij verdient respect,' zei hij plechtig. 'Hij was een groot krijger, een krijger van de oude stempel. We zullen hem een fatsoenlijke uitvaart geven en zijn as naar Kano brengen, zodat die daar samen met zijn kistje in het familiegraf kan worden bijgezet.'

Hana knielde naast hem neer en legde verlegen haar hand op zijn bovenbeen.

'Het is voorbij,' zei hij. 'Uiteindelijk heeft hij gewonnen. Ik had hem met geen mogelijkheid kunnen verslaan. Hij wilde dood, hij liet zich door mij doden.' Hij keek bijna bedroefd.

'Dat is zo. Er was voor hem geen plaats meer op deze wereld.'

Hij keek haar aan en glimlachte, maar kromp toen ineen en tastte naar zijn wang. Het bloed druppelde uit een fikse snee in zijn gezicht. 'Jij bent ook een krijger. Je hebt mijn leven gered.'

'Nee, jij het mijne,' zei ze zacht. 'Ik was er zeker van dat ik zou sterven. Ik had nooit durven dromen dat je op tijd zou komen.'

Hij pakte haar hand en ze voelde de warmte van de zijne. 'Ik heb nooit getwijfeld aan wat ik moest doen. Toen ik hoorde dat de commandant nog leefde, kon ik aan niets anders meer denken dan aan jou, en aan het gevaar dat je liep.'

Hij bracht haar hand naar zijn lippen. Ze vond het zo heerlijk om te zien hoe zijn glimlach in zijn ogen begon en zich daarna naar zijn mondhoeken uitbreidde, totdat zijn hele gezicht lachte.

'Ik heb mezelf te schande gemaakt,' voegde hij eraan toe. 'Dat zullen Heizo en Hiko en Ichimura in elk geval zeggen. Ik heb mijn vrienden verraden.' Hij zweeg even en slaakte toen een zucht. 'Het was altijd al een krankzinnig plan. Misschien hebben ze Enomoto en Otori weten te redden, maar ik vrees van niet. Ze zitten nu vast allemaal in de Kodenmacho.'

'Kom mee naar binnen,' zei ze, 'dan kan ik je wonden schoonmaken en verbinden.'

Maar Yozo keek opnieuw naar het lijk van de commandant. 'Het is voorbij,' zei hij. 'Zijn tijdperk, het tijdperk van de krijgers. Al die strijd, al dat vechten, al die haat van het noorden jegens het zuiden.'

Hij stond langzaam op en pakte opnieuw Hana's hand. 'Ik heb Masaharu in de Yoshiwara vrij goed leren kennen. Het is een goede kerel. Er zitten meer mannen zoals hij in de regering. Ik weet dat ze ooit onze vijanden waren, maar ze hebben gewonnen, dat kan niemand betwisten, en we zullen eraan moeten wennen. Het zijn ongelikte beren, die zuiderlingen, zonder enig gevoel voor beschaving, maar ze hebben wel idealen. Ze willen naar de wereld buiten Japan kijken, en Masaharu weet dat enkelen van ons daar ook daadwerkelijk zijn geweest. Het spreekt voor zich dat het beter is om gebruik te maken van onze kennis en onze talenten, en ons niet voor altijd op te sluiten. We moeten naar de toekomst kijken, niet naar het verleden.'

Het verleden. Een nacht eerder had Hana nog naast Saburo gezeten en was ze vervolgens in een palankijn door het donker vervoerd. Dat was zo'n vreemd idee, het leek nu al zo lang geleden. Tijdens haar volwassen leven had ze slechts beproevingen gekend: eerst aan de zijde van haar echtgenoot, daarna in de Yoshiwara. Maar nu ze naar Yozo keek, wist ze dat de toekomst heel anders zou worden. Ze wist niet wat ze zouden doen of waar ze heen zouden gaan, maar wel dat ze samen zouden zijn.

'Je hebt me over je huis verteld,' zei Yozo, 'maar ik heb het nog niet eens gezien. Neem je me niet mee naar binnen?'

Toen ze door het morgenlicht liepen, door de tuin en tussen de gevallen bladeren door, voelde het alsof ze aan een nieuw leven waren begonnen. Ze sloegen de hoek om en zagen het huis, met zijn pannendak en houten regendeuren en overstekende dakranden van waaronder de rook kringelend opsteeg. Hana keek ernaar en zag haar thuis en wist dat niemand hier haar ooit nog zou kunnen bedreigen. Toen pakte ze Yozo's hand en nam hem mee naar binnen.

Nawoord

Hana en Yozo zijn fictieve personages, maar een groot deel van de gebeurtenissen in dit boek berusten wel degelijk op waarheid. De vijftien jongemannen die naar Europa werden gestuurd, de wanhopige pogingen van Enomoto om de macht van de shogun te herstellen, de vertwijfelde gevechten in Ezo: het is allemaal op feiten gebaseerd. De schipbreuk bij Batavia en de lunch met Alfred Krupp zijn even echt als de reis van de Kaiyo Maru naar Japan. En natuurlijk heeft ook de Yoshiwara echt bestaan.

In werkelijkheid ontsnapte Takeaki Enomoto, zoals hij voluit heette, niet dankzij een complot van zijn vrienden aan executie, maar dankzij zijn eigen enthousiaste idealisme. Het is eigenlijk zo gegaan: voorafgaand aan de laatste veldslag, toen duidelijk werd dat de noorderlingen hadden verloren, stuurde hij de kostbare boeken over maritieme oorlogvoering die hij uit Holland had meegenomen naar de commandant van de zuidelijke troepen, met de mededeling dat de werken, om het even welk lot hem ten deel zou vallen, het land dienden toe te komen. Na zijn overgave eisten veel vooraanstaande leden van de regering, die vrijwel geheel uit zuiderlingen bestond, dat hij ter dood zou worden gebracht, maar andere bewindslieden vonden juist dat hij moest worden gespaard omdat hij zo'n vaderlandsliefde had getoond. Masaharu, een fictief personage, beseft in dit boek terecht wat het belang is van het bezoek dat enkele Japanners aan Europa hebben gebracht, en juist omdat de kennis en het begrip van het westen nog bijna niets voorstelden, was Enomoto bijzonder waardevol.

Uiteindelijk zat hij tweeënhalf jaar gevangen in de Kodenmacho, de gevangenis in Tokyo. In januari 1872 kondigde keizer Meiji een generaal pardon af voor iedereen die aan de kant van de shogun had gevochten, en Enomoto kreeg onmiddellijk een functie in het bestuur van Ezo, dat inmiddels was omgedoopt tot Hokkaido. Later werd hij vice-admiraal bij de jonge Japanse keizerlijke marine en speciaal gezant in Sint-Petersburg. Hij was een van de slechts twee noorderlingen die de titel burggraaf ontving. In 1908 overleed hij op tweeënzeventigjarige leeftijd.

Als Yozo echt had bestaan, had hem ongetwijfeld net zo'n carrière gewacht als de meeste van de vijftien jonge reizigers, al konden degenen die zich bij de opstandelingen van Enomoto hadden aangesloten pas in 1872, na het pardon, een bestaan opbouwen. Een van hen werd plaatsvervangend directeur van de Maritieme Academie, anderen gingen vooraanstaande posities op ministeries bekleden, eentje werd de lijfarts van de keizerin, en weer een ander hoofd van de geneeskundige dienst van het leger.

Na tweeënhalf jaar gevangenisstraf werd Keisuké Otori, zoals zijn volledige naam luidde, voorzitter van de Gakushuin, een eliteschool voor kinderen uit adellijke kringen. Later werd hij ambassadeur in China en Korea. Hij stichtte een archief waarin de memoires werden bewaard van degenen die in Ezo uit naam van de shogun hadden gevochten en liet in Hakodate een monument optrekken ter nagedachtenis aan de vele noordelijke soldaten die daar sneuvelden. Dat staat er nog steeds.

Hakodate is altijd een koud, besneeuwd oord gebleven. Toen ik de stad een keer in december bezocht om onderzoek te doen voor deze roman, ondervond ik aan den lijve hoe bitter koud en onvoorspelbaar het weer in die indrukwekkende streek kan zijn. Ook al is de hemel onbewolkt en blauw, er kan binnen een paar minuten een sneeuwstorm losbarsten. Van Goryokaku, het stervormige fort, zijn alleen de slotgracht en de vijfpuntige bolwerken overgebleven. Sommige van de aanvoerders liggen hier begraven, en er is een museum met uniformen en andere aandenkens.

Na een drie uur durende treinreis over het schiereiland kwam ik aan bij de Kaiyo Maru, die in 1975 werd ontdekt, na langer dan een eeuw op de zeebodem te hebben gelegen. Het schip is in 1990 geborgen en gerestaureerd en ligt nu in al zijn glorie aan de kade van Esashi, waar het met zijn drie masten en enorme schoorsteen een prachtige aanblik vormt. Binnenin staan de kanonnen van Krupp in het gelid voor de geschutspoorten en zijn er vitrines met alle voorwerpen die in oude luister zijn hersteld: westerse en Japanse zwaarden, pistolen, Hollands tafelzilver, strosandalen, kammen, waaiers, eetdoosjes, munten en honderden kanonskogels. Het weer kan daar zo meedogenloos zijn dat het geen wonder is dat het schip is vergaan. Toen ik met ijskoude vingers een foto van het schip probeerde te maken, werd ik bijna door de wind van de kade geblazen.

De Kyoto-militie van de commandant is gebaseerd op de Shinsengumi, de notoir hardvochtige politiemacht van de shogun die door de straten van Kyoto patrouilleerde en tot aan het einde aan de zijde van de troepen van de shogun in Ezo vocht. De heldhaftige leider van de Shinsengumi, Toshizo Hijikata, vormde de inspiratie voor het personage van commandant Yamaguchi. Het doodsgedicht van de commandant is van zijn hand. Hijikata was niet afkomstig uit Kano en er is geen enkele aanwijzing dat hij ooit getrouwd is geweest, maar wel is bekend dat hij bijzonder geliefd was bij de vrouwen in de Yoshiwara. Hij is op vierendertigjarige leeftijd gesneuveld tijdens de laatste slag bij Hakodate en ligt daar ook begraven.

De Franse officieren die uit Hakodate werden geëvacueerd, werden teruggestuurd naar Frankrijk. De Japanse regering had ze het liefst voor de krijgsraad gesleept en geëxecuteerd, maar zowel het Franse volk als de Franse regering was zo onder de indruk van het feit dat de officieren hun mannen niet in de steek hadden gelaten dat ze niet eens werden voorgeleid. Kapitein Jules Brunet bracht het tot generaal en stafchef in het Franse leger en werd in 1881 en wederom in 1885 onderscheiden door keizer Meiji, waarschijnlijk op aandringen van Enomoto, die toen minister van Marine was.

Sergeant Jean Marlin bleef inderdaad achter in Japan toen de andere officieren teruggingen naar Frankrijk, al heb ik de redenen waarom hij bleef en wat hij deed verzonnen. Hij stierf in 1872 op negenendertigjarige leeftijd en ligt begraven op de internationale begraafplaats in Yokohama.

Veel vrouwen uit families die trouw waren aan de shogun, met name de lagere samoerai, hadden net als Hana en Otsuné na het uitbreken van de burgeroorlog niemand meer die in hun levensonderhoud kon voorzien. Ze kwamen op straat te staan en eindigden in de prostitutie. De bewoners van de Yoshiwara die in dit boek een rol spelen zijn fictief, maar de namen van de straten en de bordelen (inclusief de Hoek Tamaya) zijn echt, en de poortwachter werd altijd Shirobei genoemd.

In de tijd van mijn verhaal was de Yoshiwara in verval geraakt, maar toen de zuiderlingen de macht grepen, nam het aantal bezoekers toe en kende de wijk een tijdlang weer voorspoed. Ook elders ontstonden nieuwe vertierwijken. De regering liet zelfs een Yoshiwara speciaal voor westerlingen bouwen, naar het voorbeeld van de Yoshiwara in Kyoto, maar hoewel zeventienhonderd courtisanes en tweehonderd geisha's uit de Yoshiwara naar deze Nieuwe Shimbara verhuisden, bleven de westerlingen weg. Zij genoten liever heimelijk van hun pleziertjes, en het kwartier sloot al snel zijn poorten.

In 1871 werd een groot deel van de Yoshiwara door brand verwoest. De wijk werd met behulp van westerse methoden herbouwd, met gebouwen van soms wel vijf verdiepingen hoog. De straten werden breder gemaakt dan voorheen, zodat vlammen minder gemakkelijk konden overslaan. Dit is de Yoshiwara die op oude foto's te zien is, en deze ziet er heel anders uit dan in Hana's tijd.

Japan stelde zich al snel volledig open voor de rest van de wereld, maar dit had een verwoestend effect op de oude manier van leven. Dat gold ook voor de Yoshiwara. Buitenlanders zagen het kopen en verkopen van meisjes als een vorm van slavernij, en in 1872 nam de regering, die zich zorgen maakte over het imago van Japan in het buitenland, een wet aan: geisha's en prostituees waren voortaan vrij en hun schulden werden kwijtgescholden. Veel vrouwen hadden echter geen andere middelen van bestaan, en de bordeelhouders doopten de huizen om tot 'huursalons' en zetten hun praktijken voort. Na de Tweede Wereldoorlog werd prostitutie in Japan illegaal en ging de hele bedrijfstak ondergronds.

De Vijf Straten bestaan nog steeds en zijn op de kaart van Tokyo gemakkelijk te vinden, al worden de bordelen nu eufemistisch 'soaplands' genoemd en staan er vervaarlijk ogende uitsmijters voor de deuren. Het moeras is er niet meer en de Japandijk is van een dijk veranderd in een gewone weg, maar bij de zigzaggende straat die naar de Yoshiwara leidt, staat nog steeds de Achteromkijkwilg, zij het in ietwat gehavende toestand. Tot voor kort werden er nog voorstellingen gegeven waarin actrices verkleed als courtisanes sake serveerden aan nerveus kijkende mannen. Tijdens mijn bezoek aan de begraafplaats bij de Jokanji-tempel heb ik ook de grafkelder bekeken, waar planken zijn volgestouwd met kleine urnen die de as van duizenden ongelukkige jonge vrouwen bevatten. De meeste van hen waren net in de twintig toen ze overleden.

Een jaar of tien geleden heb ik vanwege het onderzoek voor mijn boek *Geisha: de verborgen geschiedenis van een wereld die aan het verdwijnen is* (zie Bibliografie) enkele maanden tussen de geisha's van Kyoto en Tokyo doorgebracht. Dankzij die ervaring kon ik me veel beter voorstellen hoe het leven in de Yoshiwara moet zijn geweest. In geografisch opzicht is de Yoshiwara nog slechts een schim van de glorie uit het verleden, maar de legende leeft voort, dankzij verhalen, houtsneden en foto's uit die periode. Daardoor kunnen ook wij ons heel even in de *ukiyo*, de vergankelijke wereld, wanen.

Lesley Downer, februari 2010

Dankwoord

Ik ben heel veel dank verschuldigd aan Selina Walker van Transworld, die me met haar enthousiasme bleef aanmoedigen en in de juiste richting stuurde. Ik sta flink in het krijt bij haar en haar medewerkers, Deborah Adams, Claire Ward, en bij iedereen die me indien nodig hielp en blijk gaf van geduld.

Ook wil ik mijn dank uitspreken aan mijn agent, Bill Hamilton, die me altijd zo goed mogelijk heeft geholpen en onder andere voorstelde om de HMS Warrior te bezoeken, en aan Jennifer Custer en iedereen bij A.M. Heath.

Dank aan de Ichiyo Memorial Hall, die toestemming gaven om de prachtige foto van de courtisane Usugumo voor het titelblad te gebruiken. De Ichiyo Memorial Hall beschikt over een enorme collectie aandenkens aan de beroemde schrijfster Ichiyo Higuchi, die even buiten de Yoshiwara woonde en de wijk als decor voor veel van haar verhalen koos.

Tevens dank aan Kuniko Tamae, die me heeft geholpen die toestemming te verkrijgen en tevens veel andere waardevolle informatie over Japan in de Edo-tijd met me wilde delen.

De schitterende kalligrafie waarmee elk deel wordt ingeleid, is van de hand van Sakiko Takada.

Verder ben ik veel dank verschuldigd aan de historici die Japan als specialisatie hebben en uit wier werk ik dankbaar heb geput – al heb ik me hier en daar toch enige literaire vrijheden veroorloofd. Sommige van hen staan in de bibliografie vermeld, maar de lijst is bij lange na niet volledig.

Ik had het geluk dat ik gebruik kon maken van verschillende geweldige bibliotheken, zoals de Kokuritsu Kokkai Toshokan (ook bekend als de National Diet Library) in Tokyo, waar ik kranten uit deze periode kon inzien, en de bibliotheek van de School of Oriental and African Studies (soas) in Londen. Ook de musea die het oude Edo laten herleven, zoals het Edo-Tokyo Museum in Ryogoku, het Fukagawa Edo Museum en het Shitamachi Museum in Ueno, bleken van onschatbare waarde.

Zoals altijd heb ik het belangrijkste voor het laatst bewaard: zonder de liefde, de steun, het geduld en het goede humeur van mijn man Arthur had ik dit boek niet kunnen schrijven. Hij las en becommentarieerde elke versie aandachtig en wist me, dankzij zijn gedegen kennis van militaire geschiedenis, te behoeden voor vergissingen op het gebied van geweren en kanonnen. Hij heeft samen met mij de hms Warrior bezocht en heeft geduldig geluisterd naar mijn ellenlange betogen over het goed en kwaad van de burgeroorlog en het leven in de Yoshiwara.

Ik draag dit boek aan hem op.

Bibliografie

De geschiedenis wordt geschreven door de overwinnaars, en dat was zeker het geval bij de revolutie die bekend is komen te staan als de Meiji-restauratie. Hana, Yozo en hun vrienden stonden aan de kant van de verliezers, en dus zijn de verhalen van de vijftien jonge avonturiers die naar Europa trokken en van de laatste wanhopige gevechten in Ezo veel minder bekend dan de wapenfeiten van hun zuidelijke tijdgenoten. Toch is deze roman grotendeels gebaseerd op onderzoek en historische feiten.

Mijn belangrijkste bron voor het verhaal van Enomoto en de Republiek van Ezo waren de krantenberichten uit die tijd. *The Japan Times Overland Mail, The Hiogo News* en *The Hiogo & Osaka Herald* zijn allemaal rond 1860 opgericht en deden uitgebreid verslag van de strijd om Ezo. Ze vertellen een geheel ander verhaal dan de versie die later door de overwinnaar naar voren is gebracht. Deze kranten duidden de strijdende partijen aan met termen als 'noorderlingen' en 'zuiderlingen', en uit de berichtgeving blijkt duidelijk dat westerse waarnemers een tijdlang niet met zekerheid konden zeggen wie er aan de winnende hand waren of voor de stabielste vorm van bestuur zouden zorgen. Ook *The Illustrated Londen News* deed verslag van de strijd, compleet met tekeningen van Charles Wirgman en van een officier van de HMS Pearl die aanwezig was bij de slag om Hakodate.

Een andere belangrijke bron vormde *Shisengumi* van Romulus Hillsborough (zie hierna), waarin het verhaal vanuit het gezichtspunt van de Kyoto-militie wordt verteld.

Voor wie meer wil lezen over deze fascinerende periode volgt hieronder een korte bibliografie.

De Yoshiwara

De Becker, J.E., *The Nightless City or the History of the Yoshiwara Yukwaku* (ICG Muse Inc., New York, Tokyo, Osaka & Londen, eerste uitgave 1899)

Segawa Seigle, Cecilia, *Yoshiwara: The Glittering World of the Japanese Courtesan* (University of Hawaii Press, 1993)

Segawa Seigle, Cecilia, e.a., *A Courtesan's Day, Hour by Hour* (Hotei Publishing, Amsterdam, 2004)

Eveneens aanbevolen:

Bornoff, Nicholas, *Pink Samurai, The Pursuit and Politics of Sex in Japan* (Grafton Books, Londen, 1991)

Dalby, Liza, *Geisha*, vertaling Louw Dijkstra en Jantsje Post (Anthos, Amsterdam, 1999)

Danly, Robert Lyons, *In the Shade of Spring Leaves: The Life and Writings of Higuchi Ichiyo, A Woman of Letters in Meiji Japan* (Yale University Press, New Haven en Londen, 1981)

Downer, Lesley, *Geisha: de verborgen geschiedenis van een wereld die aan het verdwijnen is*, vertaling Carla Benink (De Bezige Bij, Amsterdam, 2001)

Hibbett, Howard, *The Floating World in Japanese Fiction* (Oxford University Press, Londen, 1959)

Screech, Timon, *Sex and the Floating World: Erotic Images in Japan 1700–1820* (Reaktion Books, 1999)

Seidensticker, Edward, *Kafu the Scribbler: The Life and Writings of Nagai Kafu, 1879–1959* (Stanford University Press, Stanford, 1965)

Hana's lievelingsroman, *Shunshoku Umegoyomi* van Tamenaga Shunsui, is in het Engels vertaald als *The Plum Calendar* en gedeeltelijk opgenomen in: Shirane, Haruo (red.), *Early Modern Japanese Literature, An Anthology, 1600–1900* (Columbia University Press, New York, 2008)

Ezo

Beasley, W.G., *Japan Encounters the Barbarian: Japanese Travellers in America and Europe* (Yale University Press, New Haven en Londen, 1995)

Bennett, Terry (red.), *Japan and the Illustrated Londen News: Complete Record of Reported Events, 1853 to 1899* (Global Oriental, Folkestone, 2006)

Hillsborough, Romulus, *Shinsengumi: The Shogun's Last Samurai Corps* (Tuttle Publishing, Tokyo, Rutland Vermont, Singapore, 2005) Satow, Ernest Mason (vertaling), *Kinse Shiriaku: A History of Japan from the First Visit of Commodore Perry in 1853 to the Capture of Hakodate by the Mikado's Forces in 1869* (Japan Mail Office, Yokohama, 1873, facsimile gepubliceerd door Kessinger Publishing)

Steele, M. William, *Alternative Narratives in Modern Japanese History* (Routledge, Londen, 2003)

Boeken en publicaties over de periode in het algemeen

Ishimitsu Mahito (red.), *Remembering Aizu: The Testament of Shiba Goro*, in het Engels vertaald door Teruko Craig (University of Hawai'i Press, Honolulu, 1999)

Meech-Pekarik, Julia, *The World of the Meiji Print: Impressions of a New Civilization* (Weatherhill, 1987)

Naito, Akira, *Edo, The City that Became Tokyo: An Illustrated History,* met illustraties van Kazuo Hozumi. Vertaald in het Engels, bewerkt en ingeleid door H. Mack Horton (Kodansha International, Tokyo, New York, Londen, 2003)

Nishiyama, Matsunosuke, *Edo Culture: Daily Life and Diversions in Urban Japan, 1600–1868* (University of Hawai'i Press, Honolulu, 1997)

Seidensticker, Edward, *Low City, High City: Tokyo from Edo to the Earthquake, 1867–1923* (Alfred A. Knopf Inc., New York, 1983)

Dagboeken van reizigers uit de victoriaanse tijd

Alcock, Rutherford, *The Capital of the Tycoon, Volumes I and II* (Elibron Classics, 2005, eerste uitgave 1863)

Cortazzi, Hugh, *Mitford's Japan: Memories & Recollections 1866–1906* (Japan Library, 2002)

Satow, Ernest, *A Diplomat in Japan: The Inner History of the Critical Years in the Evolution of Japan When the Ports were Opened and the Monarchy Restored* (Stone Bridge Press, 2006, eerste uitgave 1921)

Samoeraifilms die zich afspelen in deze periode
When the Last Sword is Drawn (2003). Regie: Yojiro Takita.
Gohatto (1999). Regie: Nagisa Oshima.
Twilight Samurai (2002). Regie: Yoji Yamada.
Hidden Blade (2004). Regie: Yoji Yamada.

Een prachtige postmoderne film die zich afspeelt in de Yoshiwara
Sakuran (2006). Regie: Mika Ninagawa.

Website over de Yoshiwara
www.oldtokyo.com/yoshiwara.html

Website over de HMS Warrior
www.hmswarrior.org
De HMS Warrior, die in de haven van Portsmouth ligt, is in vrijwel dezelfde periode als de Kaiyo Maru gebouwd en geeft een uitstekend beeld van schepen uit die tijd.

Kaiyo Maru
De Kaiyo Maru was het grootste houten marineschip dat ooit in Nederland is gebouwd, op de scheepswerf van Gips, de Merwede, te Dordrecht.
Meer informatie en beeldmateriaal zijn onder andere te vinden op:
http://www.geheugenvannederland.nl/?/nl/items/KONB11:s4519-picP
http://d-compu.dyndns.org/genbook/blokland/deel1_28.htm
(geschiedenis van de werf)
http://www.dordtsekaart.nl/serie851versteeg900.html#a869
(afbeelding van de scheepswerf Gips in de negentiende eeuw)

Vries, J. de (e.a.) *Kaiyo Maru : Een in Dordrecht gebouwd negentiende-eeuws Japans oorlogsschip.* Dordrecht Museum, Dordrecht, 1979 (Hier en daar antiquarisch verkrijgbaar.)

Over de auteur

Als dochter van een Chinese moeder en een vader die sinoloog was, groeide Lesley Downer op in een huis vol boeken over Azië. Maar Japan, en niet China, bleek het land dat haar het meest bekoorde, en ze heeft er in totaal ongeveer vijftien jaar gewoond.

Er verschenen diverse titels over land en cultuur van haar hand. Voor het onderzoek voor *Geisha: de verborgen geschiedenis van een wereld die aan het verdwijnen is* woonde ze enkele maanden tussen de geisha's en merkte ze dat ze langzaam in een van hen veranderde. Haar eerste roman, *De laatste concubine,* speelt zich af in het vrouwenpaleis in Edo, een haremachtig complex dat drieduizend vrouwen en slechts één man, de shogun, huisvestte. De roman werd in 2008 genomineerd voor de Romantic Novel of the Year Award.

Lesley Downer heeft voor Channel 4, de bbc en Nippon Hoso Kyokai (Japanse publieke omroep) diverse televisieprogramma's gepresenteerd. Ze woont in Londen met haar man, de schrijver Arthur I. Miller, en reist nog jaarlijks naar Japan.

Andere titels van Lesley Downer
Non-fictie:
Madame Sadayakko: The Geisha Who Seduced the West (Gotham Books, 2003)
Geisha: de verborgen geschiedenis van een wereld die aan het verdwijnen is (vertaling Carla Benink, De Bezige Bij, Amsterdam, 2001)
The Brothers: The Hidden World of Japan's Richest Family (Random House, 1995)

Op Basho's smalle weg naar het hoge noorden (vertaling Tinke Davids, De Arbeiderspers, Amsterdam, 1990)

Fictie:
De laatste concubine (vertaling Jeannet Dekker, Arena, Amsterdam, 2008)

Meer informatie over Lesley Downer en haar boeken is te vinden op www.lesleydowner.com